那些差點成真的劃時代演說

歷史的草稿

The Never-Heard Speeches That Would Have Rewritten History

UNDELIVERED

Jeff Nussbaum

傑夫・納思邦——著　李寧怡——譯

獻給艾達與蘇菲亞

我最大的喜悅就是看著妳們寫下自己的故事

臺灣好評推薦

我從二〇〇八年開始擔任當時民進黨蔡英文主席的特別助理，我最主要的工作就是幫她撰寫講稿。二〇一二年、二〇一六年、二〇二〇年的三次總統大選，以及二〇一六年到二〇二〇年蔡總統的重大演講，全部都經過我的手。我有一個團隊，我是這個團隊的頭，這個團隊在大部分的時間中都被我要求要維持低調與神祕。我一直奉行一個原則，文稿撰寫人是影子，如果沒有主講人，我們就是不存在的。多年來，我這樣要求我自己，我也用同樣的標準要求我的團隊。

如同這本書中所提到的，我的電腦裡面也曾經存在著許多撰寫或修改中的演講草稿。這些在製造過程中所留下的草稿不僅代表著主席或總統的心路歷程，也代表著她跟文稿團隊對局勢或表達方法的差異與衝突。某種程度來說，它們是最接近政治事實的東西，如果有朝一日讓它們公諸於世，後來的歷史學家可能會很感謝我。不過，我不打算這樣做。二〇二〇年五月的某一天，當我決定離開政府時，我看著電腦上的那些草稿發呆了一陣子。留著？還是刪除？後來我決定把它們全數刪除，一篇都不剩。我還記得當時的心情，當我把那些草稿全部刪光的時候，我覺得有一個世界從此也跟著消失了。文稿撰寫人是溝通世界的創造者，做我們這一行，有一個基本的倫理，我們有責任讓世界看起來就是「講」

出來的那個樣子。沒有「講」出來的東西就不存在，也不應該存在。

這就是為什麼我會對《歷史的草稿》這本書充滿了好奇的首要原因。作者去哪裡找到這些講稿？以及，這些沒講出來的文稿是否能增加我們對世界的理解？在這個意義上，我佩服作者的功力與毅力，以及他充滿智慧與想像力的文筆。他做到了，而且做得非常好。他帶著我們去了一趟我們沒機會經歷的世界。它不只是喟嘆，而是一種深層的遺憾或如釋重負，其實，歷史可以往另外一條路走去，而且它都準備好了，只差講出來而已，不是嗎？這就是重見天日的力量與重量。我看過很多類似的書，不過，從來沒有一本講文稿的書帶給我這麼強的感受。我帶著高度的興趣閱讀完這本書，讀到最後，我甚至都有點後悔為什麼當時要把我電腦中的檔案刪了。

這本書所摘錄的那些講稿中的文字都是一流的，不管放到哪個政治人物的嘴裡都會是流傳一時的金句。不過，重點是它們都不曾用公開的方式來到這個世界。也許是職業病，我對希拉蕊那篇沒有機會發表的總統勝選演說充滿了奇妙的感覺，希拉蕊差一點點就有機會在勝選演說中講出那段她母親的感人故事，以及她未來想為美國人做的事。不過，她錯過了，那是她個人跟美國都沒有機會走的路。希拉蕊的講稿是我們擦肩而過的世界，不過，離我們真的不遠。它是世界的「草稿」，不過，沒機會來到世界。如果你對歷史上那些有機會走卻沒能走過的路深感興趣，如果你想捕捉歷史擦肩而過的瞬間，並且看看那個不曾發生的世界的長相，這絕對是一本美好的作品。

——姚人多，清華大學人文社會學院學士班副教授兼主任，曾

經擔任國安會諮詢委員、總統府副秘書長、海基會秘書長

為什麼是歷史的草稿？因為這是演說者還沒有走上演講臺，公開發表的講稿內容，還來不及創造歷史、就已落幕的遺憾。

然而這也是歷史的一部分。演說者要證明自己的遠見、領導是對的，只是歷史沒有選擇他們，卻讓我們再認識歷史的另一面。

這些草稿讓我們重新認識身處的時代。儘管時代巨輪不斷變化，這些演講主題仍在談論善與惡、戰爭與和平、愛與恨、勇氣與懦弱、成就與毀滅，都在呼籲人們需要聆聽、團結來表示支持或反對。

身為時代的一分子，讀這本書的關鍵在於反思與行動。如果沒有人們去參與實踐，那些已發表或未發表的演說，都只是未被實踐的空談。

——洪震宇，《精準敘事》與《精準寫作》作者

在本書你會看到重大歷史節點的鏡像可能，政治所需要的，是一群會認真思考各種可能性的專業幕僚／政治工作者，經過最充分的準備，與最壞可能的沙盤推演，樂見於看到愈來愈多這樣的書，告訴我們，政治何以是一種專業。

——簡莉穎，《人選之人—造浪者》編劇

目錄

推薦序

做好一個講稿幕僚

李拓梓（資深講稿幕僚）

還是菜鳥的時候，我並不知道講稿幕僚是如此艱難的工作。或者是說，你也許耳聞它艱難，但並不知道它到底有多麼艱難。那時候在意的事很小，只要自己寫的文字，透過重要人物的嘴巴講出來，就可以開心好幾天。不過現實往往很骨感，你講話的方式，跟你服務的講者不見得相契合，你懂康德霍布斯，他更在意今日豬價；你略知聖經典故，但他是虔誠佛教徒，老闆不說你的講稿，挫敗感自油然而生。

漸漸資深之後終於能理解這行的難處，老闆不說，有時候是對稿不滿意，也有可能是對你不滿意；對稿不滿意可以改，對你不滿意的話，講稿怎麼改都不可能讓他滿意。你也要漸漸世故地理解，做一個講稿幕僚，應該要知道講稿這回事，是你寫出他想要說的，而不是他講出你所寫的。領略這番道理之後，康德霍布斯不會再出現了，聖經的典故也不會出現在跟基督教無關的場合中。

你也要知道，他照唸你寫的講稿，不見得是因為你寫得好，而是因為這個場合不重要。他不講你的講稿，也不一定是你的講稿寫不好，而是因為此時此刻的情境讓他有更多想說的話。你會學到一種能力，不再因為他講或不講而斤斤計較，你應該要讓自己變得愈來愈像他，他無聊你就要無聊、他機智你就要跟著機智，而且人的個性複雜，無聊中必須夾帶機智，發廢文也必須略顯機鋒，最後只要一打開電腦，你就彷彿變成了他。

於是在撰寫每一篇講稿的過程裡，你腦中都會浮現他的聲音，到了這時，你的困擾不再是他唸不唸講稿這種雞毛蒜皮小事，而是愈來愈像他的你，會漸漸失去自己，就像披上透明斗篷的魔術師，可以因為隱身而窺見許多故事，卻又像長了腳又上了岸的小美人魚，無法再恢復自由之身。

當然你也會漸漸知道，你所窺見的機密之中，最有玄機的，就是那些被丟棄的草稿們。一篇稿子改了五十七次，你所認為的巔峰通常會出現在第二十六次，之後就每況愈下。幸運的是，所有的聽眾都只聽到第五十七次，他們一樣會為堅定的理念而拍手、感人的金句而落淚，可是只有你知道那並不是最好的。但你也要理解，你所認為當下的最好，可能會是未來的魔咒。海誓山盟有時無法兌現、名言錦句一年後可能變成巨大包袱。當下的失落，有時候其實是未來的幸運，作為講稿幕僚，不能只寫出好句子，更必須考慮當下與未來可能的衝突，畢竟你只要為了動人與否而煩惱，但講出那句話的人，卻必須為了實現承諾而粉身碎骨。

我的美國前輩納思邦（Jeff Nussbaum）作品《歷史的草稿》，講的就是這些沒發表過的講稿故事。我當然不認識他，但是他的大名我也略有耳聞，他曾經是高爾副總統、拜登總統和參議院多數黨領袖達修爾（Tom Daschle）的講稿幕僚，離開政壇之後，也依然在公共傳播界活動。當然，大家都知道他是講稿幕僚，但多半說不出他的代表作為何，這也符合我前面所說，講稿幕僚不該到處吹噓哪段文字出自我筆下，因為你的工作是把他的話寫出來，而不是寫一段話給你的老闆說。

在這本《歷史的草稿》當中，納思邦有一個清楚的提問，如果那些未發表的講稿發表了，那歷史會改寫嗎？他透過史料的搜尋，找出一些重要的講稿，印證了歷史之所以有跡可循，是因為那些演講者如何因為各式各樣的原因，沒有這樣說，或者選擇那樣說。比如黑人民權運動領袖金恩博士和約翰・路易斯（John Lewis）的選擇。或者是如果歷史不是這樣寫，會有什麼備用講稿登場演出，比如艾森豪曾為可能失敗的諾曼第登陸戰寫下致歉備稿。當然，也有他同時代親身經歷過的經驗，比如開頭寫到二〇〇〇年參與總統選戰的高爾因為最高法院判決而落選，所以沒發表勝選感言；或者二〇一六年希拉蕊・柯林頓意外落選前，準備好有點枯燥乏味的當選感言。

納思邦談的不只是許多故事和歷史的爬梳，曾作為政治幕僚的經驗，讓他也把他所認為一個合格講稿幕僚必須具備的知識，寫進了書中。比如講稿開頭就要切入重點，但大家通常都忙著致謝，就是講稿無趣的最大兇手。他認為各種致謝應該納入稿子的中段，而不是放在冗長而容易分心的開頭裡面。看到這一段，我也想起以前最常跟同事交代的兩件事，第一個是「短一點」，第二個是「開頭不許寫今天很高興」。當然，造勢演講大進場後一開始就要帶動高潮，不能以一連串問候澆熄臺下的情緒，也是圈內常識，只是講稿幕僚常常無法抵擋來自候選人自己，或者組織部門同事的壓力。

作為一個講稿幕僚，我認為納思邦比其他人更能夠理解每一位講稿幕僚的苦悶，枯燥的政策、無聊的笑話、到處都有只出意見不寫字的公公婆婆，隨時變化的政治情勢和老闆的心情，組成了一篇講稿的最終樣貌。當他閱讀和評論每一位政治家的講稿時，納思邦一定比任何人都更能體會當時撰稿幕僚的心情，也因此他點綴其中的經驗分享，就顯得更為珍貴。當然，也因為我曾經作為講稿幕僚，當我閱讀納思邦的作品時，腦中也自然浮現了許多我的故事和經驗，拍案叫絕時有，微笑同理也多，不過基於職業倫理，有些故事只能帶進棺材，或者等待未來也有歷史偵探在蛛絲馬跡當中尋找了。

最後，在推薦這本《歷史的草稿》給所有有志於撰稿的政治幕僚、有興趣知道撰稿秘辛的大眾，以及還不太熟悉怎麼和撰稿幕僚相處的政治人物之餘，我還想多話幾句：請記得，所有的講稿都不是一個人完成的，每個人都有他的盲點，寫多了也難免江郎才盡，因此寫稿的人永遠都要期待戰友給予的修改意見。一篇講稿的完成，必須要透過團隊的智慧和努力才能產出，撰稿者要有自信，但不能有太多自尊；永遠要謹記講稿的成功是演講者的成就，不是撰稿者的功勞，反之亦然。

推薦序

那些從沒被人聽見過，卻可能改變歷史的演說

許菁芳（作家）

《歷史的草稿》是一本讀來興味盎然，也令人掩卷深思的傑出作品，因為它鼓勵我們思考歷史的「如果」。如果英國的愛德華八世沒有放棄江山愛美人，二次大戰的歐洲政局會如何不同？如果美國甘迺迪總統決定以軍事行動摧毀古巴核彈基地，核戰浩劫是否難以避免？當然，重要的演說不只是由皇室與政治家獨有——如果奧斯卡金像獎的頒獎典禮沒有出錯，《月光下的藍色男孩》的導演貝瑞．詹金斯（Barry Jenkins）可以有完整的時間發表得獎感言，他會說什麼？

作者傑夫．納思邦是專業撰稿人，專門為政治人物撰寫公開演說的講稿。出於職業與興趣，納思邦多年來收集未曾被發表的重大演說草稿，從中推敲、思索歷史可能如何轉向。在序言當中，他談及自己曾參與西元兩千年那場劃世紀的美國總統大選，民主黨候選人高爾曾經差點入主白宮，但他的那場勝選演說卻從未被發表——納思邦說：「我陷入了一種執迷，我要找出那些沒能發表的講稿，將它們公諸於世。」他為此書下的副標，「那些從沒被人聽見過，卻可能改變歷史的演說」，總結了多年心血之成果。

閱讀本書，或許是以一種相當刺激的方式來學習歷史——演說標誌的重大事件，是歷史發展的高潮。如果讀者跟我一樣，對於二十世紀的關鍵歷史潮流只知梗要，那麼這本書所分享的演說將會是非常合適的入口。例如，我對英國溫莎王朝一直都很有興趣，但我的認識主要來自影集《王冠》（*The Crown*）以及電影《王者之聲》（*The King's Speech*），實在不敢說瞭解太多。閱讀本書中愛德華八世拒絕遜位的演說，對於這位風格強烈的英國國王認識更多。其親密關係彰顯了王室中個人與家族之間的永恆拉扯——不管是現任英國國王查爾斯三世、黛安娜王妃與卡蜜拉長達數十年的三角關係，或者是哈利王子與梅根長期面臨的輿論壓力，其實都是皇室家族的長期課題。但是，愛德華八世在一九三〇年代末期的處境，以及他所牽動的國際政局，險峻非常。這篇演說帶來一系列平行宇宙的猜想：如果他訴諸民意來決定遜位與否？如果英國人民選擇接受他，以及他選擇的配偶？如果，是由愛德華八世帶領英國走向第二次世界大戰？盟軍是否將由不同國家組成，全球局勢又將如何變化？

閱讀本書的另一項驚喜（或者驚嚇），也來自於：歷史似乎總是反覆再現。你以為你在讀二十世紀的講稿，但讀著讀著，彷彿在讀上個禮拜的新聞。海倫．凱勒作為知名聾啞人士，應該是許多人從小就讀過的勵志故事。但是，凱勒成年之後的政治思想，卻完全沒有獲得相對應的知名度，遑論影響力。本書也收錄了凱勒於一九一三年參加倡議女性選舉權之大型集會的講稿——或者說，她沒有機會公開演說的講稿：

我雖失聰，但我聽到了婦女解放的喜悅潮聲。我雖失明，但我看到了新時代的曙光，屆時婦女將不再被奴役，孩子將不再為糊口而被剝奪甜美快樂的童年。

這樣清楚而立場堅定的政治言論，為何沒有被聽見？這個面向的凱勒，難道不值得被認識與傳送？本書作者寫道：「凱勒發現，她談自己的殘疾時，輿論會讚美她聰慧；但當她談論自己的政治信仰時，報紙的報導會把她當成小孩，說她被『利用』。」此語如何不令人驚嚇——身障人士的政治行動被詮釋為「被利用」，倡議被視為作秀，這才剛發生在二〇二四年的臺灣政壇！閱讀過去與他人的故事，不也是認識我們自己？連沒有發表的演講，沒有發生的歷史，都能展現人的集體偏見，警惕我們。

全書讀罷，我不禁思考，什麼時候臺灣也會有像本書一樣專心討論「重大演講」的本土專著？這樣一本有趣書籍的誕生，其實是立基於相當不同的公民社群與思辨傳統——作者納思邦出身於重視辯論、說理的政治環境。把話說清楚，是公眾人物的基本功；用演講說服他人，更是公僕賴以維生的技能。撰稿人這個職業應運而生，而演講講稿成為重要的歷史文件。換句話說，那樣一種重視論證的思辨傳統，為人類文明留下了無數閃閃發光的講稿。那麼，臺灣的思辨傳統，將為這個世界留下什麼紀念？我們的意見領袖，將在哪裡、以何種形式，展現其觀點，思想如何交鋒，而最後又會在什麼介面上標誌我們的選擇？

我想，這將是二〇二四年春天，我們身為臺灣讀者，可以審慎思考的問題。

開場

我對那些沒能發表的講稿產生執迷，是從二〇〇〇年十一月七日那個大選之夜開始。

進入白宮為副總統高爾（Al Gore）工作，是我大學畢業後第一份差事。對一個二十二歲的小夥子來說，這工作太令人興奮了。高爾的總統選戰在田納西州納許維爾市展開時，我也隨之前往。即使在當時年輕而滿腦子理想的我看來，高爾的二〇〇〇年總統選戰也和他本人脫節得太詭異，就連在他的家鄉田納西州也不怎麼受歡迎。（我每天早上開車前往競選總部的路上，幾乎都會有人看到我保險桿上的「高爾二〇〇〇」宣傳貼紙後，對我比中指。*）我們的選戰就像所有競選活動一樣，充滿戰友情誼和狂飲作樂。但每天的追蹤民調結果出爐時，無論高爾的支持度是上升或下降兩三個百分點，都難免有疲憊不堪的工作人員喃喃自語：「這還只是在總部而已呢。」

高壓選戰日復一日的磨耗讓人漸趨麻木，再怎麼純粹的熱情也會逐漸耗損。我們會創造繁榮與進

---

* 話說回來，當時我開的車是一輛紳寶。（譯註：在美國，駕駛紳寶的車主大多被認為是低調的知識菁英，想突顯與眾不同的品味。）

步！還是進步與繁榮？我們是說要帶來行得通的改變？還是對工薪家庭行得通的改變？大家幾乎都想不起來了。

但隨著大選之夜接近，可以開始感受到一切真的不一樣了；那些因為不眠不休、常用速食果腹導致的蒼白氣色，被內心升起的一股希望取代。那時大家對國家的未來當然是滿懷希望的——美國作為全球唯一的超級強權，將在一位深諳氣候變遷帶來的挑戰，也瞭解科技潛力的人物帶領下，邁入下一個世紀、下一個千禧年。

但除此之外，還有更多涉及個人的微小希望。必須承認，那是我們這些在選戰中辛勞奔波的助選員的希望。我說不定能進白宮工作！也許我會進國務院工作！也許我能成為總統的演說撰稿人！

到了選舉當晚，打完最後一波催票電話後，我們前往納許維爾市中心的戶外廣場。副總統高爾也正準備前往。出於政壇迷信，他把勝選與敗選的演說稿都準備好了。同時，根據選前民調顯示的情況，他還準備了第三個版本的講稿，以防萬一他贏了選舉人票，但輸掉普選票。*從投票結束時的情況看來，高爾要發表的是勝選的那份演說稿：有線電視新聞網（CNN）及其他電視臺宣布高爾贏得佛羅里達州二十五張選舉人票後，美聯社在晚間近八時也發布同樣的結果。之後的一個小時當中，他們還宣布密西根州、伊利諾州、賓州也都由高爾拿下。我們陷入狂喜。高爾要成為下一任總統了。

然而，兩個陣營裡計算選票數字的工作人員，都發現某些狀況並不像媒體播報得那麼篤定。當天下午，我曾接到一位大學時期的熟人來電說，他在佛州棕櫚灘市的祖母與祖母的朋友們搞不太懂選票的設計。當時我曾向競選辦公室的「鍋爐室」通報這件事，但沒有多想（「鍋爐室」是選舉日當天高爾陣營高層處理各種狀況的地方）。投票日當天，總有各種傳言甚囂塵上，很難從中辨別哪些是重要訊息。也許是因為原本每天工作十八小時的選戰工作人員，到了這一天都得像其他人一樣坐等結果，於是他們聽到什麼消息都會互相交換一番。你有聽說投票率是多少嗎？出口民調結果如何？有時這些消息只是謠言，而且會讓人瞎猜疑。但那通關於佛州的電話，到後來卻成了預言。因為棕櫚灘市的選票設計讓人太難看懂，估計有兩千八百名高爾的選民把票投給了兩黨以外的第三方候選人布坎南（Pat Buchanan）。佛州的投票系統很快就傳出有種種問題，這只是其中之一。

但在納許維爾市的我們當時對這些一無所知。我們只知道，高爾輸掉了俄亥俄州和他的家鄉田納西州。勝負就看佛州，而布希宣稱拿下佛州的其實是他。事態似乎有變，到了晚上十點也真的變了：各大電視網史無前例且無比尷尬地，將佛州自高爾贏得的州份中移除，改稱票數「太接近，尚難判定」。之後的幾個小時，布希在佛州的領先幅度擴大。凌晨兩點出頭，各大電視網宣布布希拿下佛州，贏得總統大選。高爾致電布希，承認敗選。但就在高爾自納許維爾的飯店出發，前往廣場向支持者發表演說途中，佛州某些郡還在通報計票結果，而布希在佛州的領先差距再度縮小。

* 最後的結果正好相反。

此時，我和一群競選工作人員正在廣場附近的一間酒吧，躲避下個不停的毛毛雨。我們的呼叫器全都嗶聲大作（當時還不是人人都有手機）。高層要我們回到競選總部。高爾已致電布希，在緊張氛圍中收回承認敗選的說法。工作人員回到總部後，高層要求有法律學位或與佛州有人脈關係的人打包過夜行李，然後直奔機場搭乘競選專機前往佛州，準備應對因票數差距過小而依法必須啟動的重新計票程序。同時，其他工作人員則分派到其他計票仍呈現拉鋸狀態的州：威斯康辛、愛荷華、新墨西哥、奧瑞岡。我去的是威斯康辛州麥迪遜市。在亟需一件新禦寒外套的情況下，為後來並未發生的重新計票進行準備。

當晚，高爾副總統並未發表演說。凌晨四點多，高爾的競選陣營主席戴利（William Daley）走上講臺說：

> 我從政多年，但從沒見過這樣的選舉之夜……所有美國人都已知道，這場選舉將取決於佛州。只要佛州的選舉結果還不確定，我們就無法確定全國大選的結果……在佛州完成重新計票、正式公布選舉結果之前，我們的選戰仍在繼續。

此時原該發表的是一場流傳後世的演說，但後世的到來此時被按下暫停鍵。我一直在檔案堆裡翻找高爾為那個晚上準備好的講稿紙本，或是儲存演說稿的磁片，但都徒勞無功。無論高爾曾打算向那晚在寒風中淋雨的支持群眾說什麼，大概都要湮沒在歷史之中。* 從那個晚上開始，我陷入了一種執迷：我要找出那些沒能發表的講稿，將它們公諸於世。

———

我們都在成長期間讀過馬丁・路德・金恩（Martin Luther King Jr.）博士的那個夢想。但是，如果那年的「向華盛頓進軍」大遊行是另一種取向呢？如果那天最憤怒的講者約翰・路易斯（John Lewis）在金恩演說前宣布不支持甘迺迪總統的民權法案，「因為它給得太少，又來得太晚」，會發生什麼事？如果金恩博士在林肯紀念堂前說的不是他的夢想，而是宣稱「常態永不再」，又會如何？這些都是他們在一九六三年大遊行前一晚準備好的演說內容。

今天的我們，不必考慮諾曼第登陸行動如果失敗，因天氣惡劣導致數萬盟軍在諾曼第海灘上慘遭屠殺，會有什麼後果。但艾森豪當年就必須考慮這種可能性，他還為此準備了道歉聲明。

又如果，在世界的另一端，日皇裕仁曾經道歉呢？如果他隨著那些導致國家走向毀滅的好戰朋黨下臺，沒有成為在位最久的日皇，沒有看著日本從侵略國徹底轉型為現代化的民主政體，會怎麼樣？

* 高爾的競選搭檔李伯曼（Joe Lieberman）也已計劃好在那晚發表演說。他與我的同事保羅（Paul Orzulak）一起準備講稿，那份李伯曼親手編修過的講稿如今懸掛在保羅的辦公室裡。

在接下來的篇章裡，我會分享具重大歷史意義但沒能發表的講稿，沒發表的原因是受到事件干預、領導人改變心意，或歷史突然出現轉折。其中有些講稿從未公諸於世，其他講稿則有一小群歷史愛好者知曉，但不易取得。我已試著為每一篇講稿加上新的脈絡與解讀，說明它們撰寫的時機，以及撰稿人寫下這些講稿的過程。

即使我們以後見之明深知某個歷史性時刻是如何難以預料，但我們不知道的那些情況往往更令人不寒而慄。舉例來說，本書將分享一篇甘迺迪總統宣布對古巴展開空襲與地面入侵的演說。在這篇講稿中有一段令人怵目驚心的空白，只註明「此處是對該行動首波報告的描述」。後來我們才明白，「首波行動」原本可能是蘇聯動用戰術核武，讓美軍關塔那摩灣基地與入侵古巴的美軍部隊盡皆汽化。

有些演說未曾發表，是出於領袖自己的選擇；有些則是因為人民選擇了其他人作為領袖。這情況發生在二〇一六年十一月八日，當天美國人民選出川普為下一任總統。希拉蕊原本預料自己會勝選。她的勝選演說已經寫好，也完成修改與潤飾，但從未發表。她在講稿中勾勒的未來，與美國迄今仍在經歷的現實大相逕庭。那個不一樣的未來與講稿寫作背後的故事，在本書中首度公諸於世。

每一篇講稿都提供了一扇窗，讓我們能一窺它們誕生過程的緊張時刻。整體而言，它們提供了另一種版本的二十世紀與二十一世紀歷史。但它們不是只凍結在琥珀裡的歷史奇聞，而是彰顯了歷史一直在自我對話。確實，你會發現這些未發表的演說與當前世界的高度相關，幾乎到了令人毛骨悚然的地步。

進步派的伊利諾州長約翰・奧爾高德（John Altgeld）一八九七年未發表的那場演說發出洪亮的警告，提醒人們激烈的黨派意識會淹沒政府治理的需要，這警告至今仍能引起強烈共鳴。艾瑪・高德曼（Emma Goldman）接受煽動暴亂罪審判時未能發表的演說告訴我們，充滿憤慨、正義等特質的言語，可能激發人們走上街頭。海倫・凱勒未發表的那場倡議婦女投票權的演說，提醒著我們恐嚇脅迫能迫使那些被剝奪權利的人保持沉默。尼克森未發表的拒辭總統演說，則預示了二〇二〇年川普總統的行徑，讓我們知道拒絕承擔責任的領袖可能發表什麼樣的言論。

在這些頗具歷史意義的未發表演說中，我們開始找到答案。這些演說內容不僅讓我們更瞭解它們出現的時代背景，更讓我們理解現在身處的這個時代。

過去二十多年間，我一直在為白宮、國會、運動界與文化界、企業界裡極具影響力的人物撰寫講稿。我的職責是協助領導人說出他們對未來的願景，也在出乎意料的事件發生後，將他們的回應話語與想法形諸文字。

撰寫講稿有時就像在設想歷史可能沿多條路徑演變，而講者要強烈主張（或反對）走上其中一條路；有時則是要在那些歷史突然急轉彎、超出我們所能控制的時刻做出回應，此時要將各種時程與計畫全都拋開，匆忙蒐集資訊並想出回應方式。演說者與撰稿人深知人們會豎耳聆聽，因為他們需要知道實情、需要受到啟發、需要得到慰藉、需要獲得引導。而在世界進入新的現實之際，那些為舊現實寫下的講稿都被束之高閣。

以撰寫講稿為生的人都有許多檔案夾，塞滿了因為各種原因而從未發表的講稿與聲明。我們這小圈子裡還流傳一個笑話：有個演說撰稿人死去後，要選擇上天堂或下地獄。身為優秀的研究者（所有演說撰稿人都必須是），他想兩處都去瞧瞧，先從地獄開始。聖彼得帶他參觀一處人滿為患的房間，一排又一排承受巨大壓力的演說撰稿人，在截稿期限逼近之際拚命敲著電腦。*「這是我最悲慘的噩夢，」這名撰稿人說：「請帶我去看看天堂吧。」

於是聖彼得帶他去了另一間一模一樣的房間，同樣是一排又一排的演說撰稿人在拚命敲鍵盤，要趕上截稿期限。

這名演說撰稿人抗議道：「這不是跟地獄完全一樣嗎？」

「完全不一樣。」聖彼得回答：「在天堂裡，我們會用他們寫的講稿。」

已故作家薩菲爾（William Safire）在他的經典演說彙編《請聽我說》（*Lend Me Your Ears*）緒論中直言，講稿和電影劇本並無二致：「一份講稿要成為貨真價實的演說，關鍵在於它要被說出來。」

大多數沒發表的演說並不特別具有啟發性，其中的暗黑秘密在於，政治、商業、文化領袖所說的話大都平淡無奇，要服務的只是一個不怎麼崇高的目標：內容盡量空泛，說了等於沒說。

許多時候，導致一篇講稿未能發表的原因不是暴風雪突然來襲，也不是時間表出現異動，而是因為在重大的歷史時刻來臨時，領袖們被迫做出選擇。他們沒發表的那些演說，和他們已發表的演說一樣能帶給我們重要的啟發。

那些沒發表的演說，後來怎麼了？它們只是被貶入另一個輸家成為贏家的平行言辭宇宙嗎？[†]抑或我們能一窺那些它們被字斟句酌寫下的命定時刻——領袖們在做出選擇與承受後果之間、在勝利與失敗之間、在欣喜與傷痛之間、在凱旋而歸與深陷困境之間的所思所想。如果這些演說因情況允許、甚至是情況需要而發表了，是否能讓我們更加理解會發生什麼事？

要知道這些問題的答案，唯一方式就是把那些講稿從歷史的垃圾桶裡搶救回來，重現那些稿件落筆時的緊張氛圍，瞭解人們預想各種大不同的結果時發生過哪些脈絡或衝突，然後將這些未曾發表的演說內容傳達給世人。

本書架構

我將本書分為六部，每一部代表一類原本可能不會公諸於世的演說。幾乎每一章我都試著在講述

---

* 譯註：聖彼得（Saint Peter）是耶穌的十二位門徒之首，《聖經》馬太福音記載，耶穌曾說要將天國的鑰匙交付予他。

† 墨菲（Cullen Murphy）二〇〇〇年在《大西洋月刊》的一篇精彩文章稱之為「從未成真的現實」或「暫定的歷史」。

該篇演說的故事之外，也讓讀者一窺講稿撰寫的過程、技巧與用詞選擇；從被動語態到所有具有說服力的演講都會使用的五大元素，再到讓步與道歉的例行公式，都涵蓋其中。我的目的不只是重溫與挖掘那些失落的歷史，也是要探究這些演說的撰寫過程與技巧，讓人們窺知為何有些話語會創造歷史。

我還應該補充說明，各位在每一章首頁看到的引述句其實不算是引述句，因為它們都是那些沒能發表的講稿裡沒說出來的弦外之音。《芝加哥格式手冊》對此並無指引，所以我還是將它們加上了引號。

第一部收錄的是「太過敏感而捨棄的講稿」，這些講稿示範了演說的滔滔雄辯是如何依活動組織者的期待與要求而緩和（或不緩和）。當中包含金恩博士與約翰·路易斯一九六三年原本想在「向華盛頓進軍」遊行活動發表的初版講稿；也包括一篇較不為人所知的，北美原住民領袖瓦姆蘇塔·法蘭克·詹姆斯（Wamsutta Frank James）被禁止在清教徒抵達麻薩諸塞州三百五十週年儀式上發表的演說。

第二部收錄的是「改變主意而捨棄的講稿」，它們是講者在最後一刻從兩份講稿擇一時放棄的另一份講稿，也是展現他們如何為另一種選擇提出論點的證據。在這部分可以看到艾瑪·高德曼一八九三年接受煽動暴亂罪判刑時，若選擇進一步鼓動支持者會怎麼說；也可以看到海倫·凱勒在一九一三年倡議婦女投票權演說的大遊行中，若不曾擔心自身安全會發表怎樣的演說。這一部分還包括尼克森總統一九七四年原本準備發表的**拒絕**辭職演說，以及同年波士頓市長凱文·懷特（Kevin White）原本準備的講稿，內容是要違抗法官下達用公車接送學生上下學以解除種族隔離政策的命令。

第三部收錄的是「危機解除而捨棄的講稿」，它們是講者為了避免（或促使）危機發生而準備，後來危機並未出現。其中包括英國國王愛德華八世一九三九年曾想拒絕遜位，欲發表演說將他的命運以及他與辛普森夫人的戀情交由英國人民決定；也包括一九七五年紐約市瀕臨破產邊緣時，市長亞伯・畢姆（Abe Beame）幾乎要向世人宣布破產消息的緊張時刻。

第四部則是「戰況或局勢改變而捨棄的講稿」，涵蓋了艾森豪將軍為諾曼第登陸失敗準備的道歉演說稿、日皇裕仁準備為開啟二次大戰羞愧道歉的演說稿，以及甘迺迪總統一九六二年原本要宣布以軍事行動摧毀古巴核彈基地的驚心演說稿。

第五部是「因選舉結果而捨棄的講稿」，涵蓋了兩篇因選舉結果而沒能發表的講稿：奧爾高德州長一八九七年有如預言的告別演說，以及希拉蕊二〇一六年為當選總統準備的感人勝選演說。

第六部是「因突發事件而捨棄的講稿」，也就是外部因素讓一份講稿未能發表。這些事件的重量各異：從小布希總統任內的國家安全顧問康朵莉莎・萊斯（Condoleezza Rice）在改變世界的二〇〇一年九月十一日那天原本預定發表的演說；到導演貝瑞・詹金斯（Barry Jenkins）原本要在作品《月光下的藍色男孩》（*Moonlight*）獲頒奧斯卡最佳影片時發表的謝詞，如果頒獎人沒講錯得主的話。最後一章則以四篇講稿為本書寫下句點，是四位領袖人物直至逝世也未能發表的演說，包括教宗庇護十一世、小羅斯福總統、甘迺迪總統，以及愛因斯坦。這些演說跨越了不同國族與不同世代，但有一個共同主題：和平。

值得重視的未發表演說絕不僅於此。多年來，每當我和人談起本書，都有人很想知道是否有關於某件事的未發表演說。例如，本書寫作期間，全世界深陷新冠疫情中。有位朋友就想知道，以往的疫病大流行前是否有未發表的演說，有沒有人曾想對一九一八年全球流感大流行發出警告，但沒人理會？或是雷根總統在愛滋病大流行前有無未發表的相關演說？也許吧。不過，本書已集結了我長達二十年研究的累積成果，上述那些演說要留作下一份研究的主題了。畢竟，每一位演說撰稿人都知道，到了某個時刻你總得停筆，按下列印鍵，讓這份演說得以發表。

講稿的來源

要上哪兒去找從未發表的演說？這些年來我培養出些許直覺。以畢姆市長宣布紐約市破產的未發表演說為例，我是在《紐約時報》讀到傑出紐約歷史紀實作家羅伯茲（Sam Roberts）的一篇文章，內容提及當年紐約市距離破產僅一步之遙，畢姆甚至連演說稿都準備好了。我先找到當時為畢姆負責公關聯絡的幕僚魯賓斯坦（Howard Rubenstein）。他後來成為紐約非常知名的公關宣傳專家，因此要找到他並不困難，難的是約他見面。

魯賓斯坦記得他寫過那篇演說稿，但他自己沒有留存。他記得當時除了他之外，只有兩個人看過這篇演說，其中一人是市長的新聞祕書傅里根（Sid Frigand）。我設法訪問到傅里根，他說他會找找那篇演說，但幾個月後他就過世了，留下的檔案裡也找不到那篇講稿。

另一位可能有那篇講稿的人，是當年準備為紐約市聲請破產程序的律師米爾斯坦（Ira Millstein）。

米爾斯坦健康狀況不佳，無法見我，但當年的破產聲請文件仍掛在他辦公室的牆上，他歡迎我去拍照。我前往時，與他長年的執行助理薩索（Sally Sasso）閒聊（一定要跟守門人聊天），她打開一個檔案櫃說：「我想我可能有你要找的東西。」她說得沒錯。

至於其他的講稿，線索其實都是公開的，只要跟著這些線索走就能找到。

只要聽說美國曾經距離發生某件事有「多接近」，幾乎都會有一份為這件事準備的講稿。例如與古巴差點發生核戰，或波士頓市長懷特差點要頑抗解除波士頓中小學種族隔離的法院命令。不過沿著這些線索前進也可能碰壁。有一份我費盡心力仍找不著的講稿，是寬特（Bill Quandt）一九七八年替卡特總統撰寫，為大衛營*協商可能破裂所準備的演說。當時，卡特總統已與埃及總統安華・沙達特（Anwar Sadat）和以色列總統曼納罕・比金（Menachem Begin）及他們各自的代表團，一起在大衛營裡獨自協商了一個多星期，但是否能達成最終協議仍難捉摸，沙達特與埃及代表團甚至一度開始打包行李。在一次氣氛緊張的會談中，卡特向沙達特表示，只要他離去，就表示美國與埃及的關係走到終點，卡特的總統位子大概也不保。不料到後來，是比金較沙達特更固執，堅持不讓步。寬特當時寫了一份準備讓卡特在參眾兩院聯席會議發表的演說稿，將協商破裂的責任大多歸咎於比金，或許也為卡特後來傾向巴勒斯坦的立場留下伏筆。卡特總統當時看過講稿，還做了許多記號，但協商到了最後幾天突

* 譯註：大衛營建於一九三八年，為美國總統休假的處所，也時常作為美國總統與其他國家領導人之間會談的地點。

然進展神速，於是相關文件與演說稿依慣例被隨意放置並錯誤歸檔。例如，大衛營會談的最後一天，卡特總統書桌上的文件全被丟進同一個箱子裡，不巧的是那份演說稿並不在其中，我在其他地方也都沒找到。也許這本書的出版，能促使那份講稿出現。

單是知道當時曾備妥一份「失敗講稿」，就提醒著那份重大協議很可能一個談不攏就會慘痛告吹。（那份協議召告世人，以色列與阿拉伯鄰國之間是可能和平共處的，雙方也都因此獲頒諾貝爾和平獎，這樣和平共處的狀態也大致延續至今。）

———

我也努力只收錄那些有證據顯示講者曾參與撰寫及／或編輯，或至少曾事先看過並斟酌內容的講稿。因此本書並未納入由國務院政策規劃主任坎南（George Kennan）為杜魯門總統撰寫，宣布美國**不會**研發氫彈的演說。

美國人對大規模毀滅性武器深惡痛絕。未能達成管制原子能的國際協議，讓我們必須繼續製造原子彈，是美國人深感遺憾的一件事。我希望我們永遠不要失衡地進入純粹大規模毀滅性武器的研發競賽，除非經過全盤考量後，它明顯能實際保障我們的安全，但我認為當前的案例（研發氫彈）並非這樣的情況。

雖然那篇講稿的內容相當有力，若發表的話會改變軍備競賽的進程，但沒有證據顯示杜魯門曾經看過或認真考慮過這個想法。在那場會議中，杜魯門問了一個問題：「俄國人能研發出來嗎？」他聽到肯定的答案後回答：「這樣的話，我們別無選擇。我們要研發。」* 我也要強調，我不是歷史學家。雖然在研究這些講稿時，我會盡可能查訪或挖掘出原始的消息來源，但我也高度仰賴二手消息來源以重現那些戲劇性的時刻。偶爾這些來源的說法會相互牴觸，我會依據其他資料，採用我認為最可信的說法，或是我會解釋這些牴觸之處。由於仰賴二手消息來源，而且演說撰稿人多少會選擇匿名但歷史學家不會，我已盡可能列出這些講稿原作者的名字，將它們寫在正文中，或在參考資料裡說明。

此外，雖然本書的主題是未發表的**演說**，但我想用一首最初也未能發表的詩為這篇緒論作結。甘迺迪總統曾請詩人羅伯特·佛洛斯特（Robert Frost）在他一九六一年的就職典禮上朗誦詩作〈盡獻所有〉（The Gift Outright），或為典禮寫一首新詩。

佛洛斯特當時寫了一首題為〈奉獻〉（Dedication）的新詩，由於已沒時間默背，因此打算在典禮上就著打印稿朗讀，但年近九十高齡的佛洛斯特，在寒風吹拂與豔陽照射之下幾乎看不到紙頁上的字。

* 要更深入瞭解這方面的歷史，我大力推薦尼可拉斯（Nicholas Thompson）的冷戰歷史專著《鷹與鴿》（*The Hawk and the Dove*）。順帶一提，尼可拉斯二〇一五年時是《紐約客》網站（newyorker.com）的總編輯，他願意刊出本書的第一個試刊章節（即一九七五年畢姆市長原本要宣布紐約市破產的未發表演說），讓我有了希望，心想也許有讀者會對這類文章感興趣。那篇文章已更新擴寫為本書第七章。

於是他跌跌撞撞讀了前幾行之後，乾脆開始憑記憶朗讀〈盡獻所有〉，將最後一行「她（土地）過去如此，且未來仍會（would）如是」改為更積極、更肯定的「她過去如此，且未來仍將（will）如是」。

於是〈奉獻〉這首詩並未發表。之後佛洛斯特將它改題為〈為甘迺迪就職大典而作〉(For John F. Kennedy His Inauguration)，在他的詩作全集中發表。這首詩有些過於針對甘迺迪的就職典禮，但其中有四行詩正好能形容我對本書所有講稿的感受。

不是說「時代新秩序」*嗎？
如果今日的一切看來無甚秩序可言
此混亂乃吾人所致
故吾人須勇於投身其中

本書呈現的文字與人物，有些是勝方，有些是敗方。歷史已見證他們的智慧——有時也見證他們的愚蠢。但在這個混亂世界裡，他們已勇於投身其中。他們的那份努力，值得被世人更完整地聽見。

---

* 譯註：「時代新秩序」（拉丁語：Novus ordo seclorum，英文：New Order of the Ages）是美國國徽背面的兩句格言之一，參與設計的拉丁語專家湯姆森表示，這代表從《獨立宣言》發表之日起「新美國時代的開始」。

第一部

太過敏感而捨棄的講稿

幾乎所有演說的目的都是要說服他人。要說服某人有所作為，必須撼動他們脫離自滿狀態，或鼓勵他們基於現有信念起而行動。要說服一個人看見不同的觀點，通常必須挑戰他們原有的預設立場，但有時聽眾可能被撼動或挑戰過度。如果有講者以外的人認為一篇演說過於極端，會怎麼樣呢？

第一章　拿捏演講的內容：
民權運動與臨時改口的人權演講

「耐心這字眼既骯髒又齷齪。」

一九六三年「為工作與自由向華盛頓進軍」組織者曾保證會和平遊行，因為有此保證，許多宗教領袖和白人自由派組織才會加入。甘迺迪總統批准遊行時也強調要和平進行，將遊行稱為「旨在爭取公義的和平集會」。

當時二十三歲的約翰．路易斯才當了幾個月的民權運動學生組織「學生非暴力協調委員會」（SNCC，發音為snick）負責人。他認為，總統表態支持這場大遊行，其實是要收編原本具急迫、堅持不懈與反當權者性質的民權運動。路易斯十六歲時，只是要辦借書證並借閱幾本書，就被阿拉巴馬州一間圖書館拒於門外後，此後便開始活躍於民權運動。在田納西州就讀大學時，他成為納許維爾靜坐運動的領導人物，在靜坐期間還強忍被吐口水、遭香菸燙傷的羞辱。他是最早的十三名自由乘車者（freedom riders）其中一員，他們在一九六一年自華府搭灰狗巴士前往路易斯安納州紐奧良市，藉此測試最高法院不久前認定跨州旅行實施種族隔離屬違憲的判決有何效果。他們搭乘的巴士在南卡羅萊納州石山市停靠時，路易斯和鄰座夥伴遭一群憤怒的白人至上主義暴民攻擊痛毆。在路易斯成為SNCC主席前，他已被逮捕三十多次（他終其一生共被捕四十五次）。

SNCC是為民權運動打先鋒的組織，他們為解除種族隔離，帶頭發起各種抵制與示威活動，路易斯更是先鋒中的先鋒。他目睹各種不正義與不作為後，「對許多現象都產生反抗心理：他反抗南方根深柢固的種族隔離，反抗聯邦政府的視而不見，也反抗當權派系的各種保守考量」。

如今，民權運動的關鍵時刻「向華盛頓進軍」大遊行終於到來，卻要遭到其他組織者、總統、宗教領袖閹割去勢、拔去利齒。SNCC在遊行委員會的代表考克斯（Courtland Cox）發現，代表SNCC發表演說的路易斯能為遊行帶來「不同能量」——畢竟他們才是與參加人士一起生活的人，每天都目擊著極端貧困的處境與暴力的泛濫，而且每天都實際冒著生命危險為民權理想奮鬥。

SNCC的成員要的不是「在華盛頓遊行」（a march in Washington），他們要的是「向華盛頓進軍」（a march on Washington）。當時甚至有人爭論SNCC是否該乾脆徹底退出這場活動，但路易斯認為，「我們必須在場，必須讓大家聽見我們的心聲，而且是透過我們自己說的話、用我們自己的語調表達的心聲。」

活動前一週，路易斯心懷這些考量，開始草擬講稿。

他簡要說明自己的想法：「我想參加的不只是一場遊行。我要在這天看到紀律與組織，我還希望它有一股戰鬥氣息，必要時甚至還可以有點混亂——**有紀律**的混亂……我一直信奉強悍的非暴力行為。我向來相信帶點**刺**是有用的。我希望這場大遊行能帶點刺，如果這唯一一根刺是出自我的演說，那我必須確定我的言論特別強而有力。」

SNCC執行秘書佛曼（James Forman）比大多數成員年長十歲，也比他們更敢於對抗，他強調路易斯的演說必須納入具體細節。佛曼主張要提到瑪莉安・金恩（Marion King），她懷孕六個月時帶著孩子們走在喬治亞州奧巴尼市，要帶食物探視獄中的民權抗爭者，途中卻遭兩名警察打倒在地，腹部被重踢。她被打到昏厥，也失去了腹中胎兒。

大遊行前的星期五，路易斯赴紐約參加在阿波羅戲院舉行的遊行募款音樂會，包括昆西・瓊斯（Quincy Jones）、東尼・班奈特（Tony Bennett）、塞隆尼斯・孟克（Thelonious Monk）以及其他許多明星都參與演出。在大遊行總部，他分享他的講稿給幾個可靠的朋友，考克斯建議加入民主與共和兩黨都已放棄民權理想的論點。畢竟，公開承認種族歧視的密西西比州參議員伊斯特蘭（James Eastland）就是民主黨人，與甘迺迪同黨；進步派的共和黨人賈維茨（Jacob Javits）則和戈瓦特（Barry Goldwater）屬於同一黨團，後者強烈反對黑人民權。路易斯問道：「我們的黨在哪裡？」這句話被放入講稿。講稿中也批評甘迺迪送交國會審議的民權法案內容空洞。那個週末，路易斯還受到《紐約時報》一張照片的強烈震撼，相片中一群婦女在今日的辛巴威舉著一張標語牌，上頭寫著「一人一票」。這張照片完美總結了他們是為何而戰，這些也都寫進了講稿。路易斯還在講稿中加入致命一擊，嚴厲斥責那些建議保持耐心的人：「對那些要求『耐心等待』的人，我們得說，『耐心』這字眼既骯髒又齷齪。」

說到底，路易斯是想提醒大家，這一切不只是自由乘車，不只是靜坐，也不只是進軍大遊行。這是一場革命，一場席捲全美的革命。他已將革命的概念貫穿整份講稿，但還想要使它更加明顯。於是大遊行主辦者之一拉斯汀（Bayard Rustin）的幕僚湯姆（Tom Kahn）提出了一個想法，「湯姆想到，可以用南北戰爭期間威廉・薛曼將軍（General William Sherman）倡議的『向大海進軍』這個概念。像薛曼當年一樣，我們是一支軍隊（非暴力的軍隊），一心只想摧毀──摧毀種族隔離。」這個想法化為以下的句子：「我們要行軍穿越南方，穿過南方邦聯的中心地帶，就像當年的薛曼將軍一樣。我們要採取我們自己的『焦土』政策，將吉姆・克勞法*燒成灰燼──以非暴力的方式。」

路易斯對這份講稿很滿意，第二天就動身前往華府。不過，雖然他希望在大遊行發表的演說能加強示威力道，多數美國人卻希望這場大遊行走溫和路線。皮尤民調中心的調查顯示，大多數美國人對這場「向華盛頓進軍」大遊行有所警戒。八月時已有六十九％的美國民眾聽說過這場大遊行，其中六十三％的人反對這個活動。即使住在南方以外的美國人超過半數都同意應制訂平權法案，但這些地區絕大多數人也認為，非裔美國人舉行大規模遊行，其實不利於實踐平權理想。

儘管大遊行主辦單位保證會和平進行，華盛頓特區仍嚴密部署，為可能爆發衝突做好準備。八月二十七日週二晚間，參加大遊行的群眾陸續抵達，整座城市進入高度戒備狀態。

警方所有部門停休，全員出勤；近郊區域的後備警力也全數待命。在面臨「嚴峻壓力」的華盛頓特區警方要求下，職棒華盛頓參議員隊並未如表定在週二和週三出戰明尼蘇達雙城隊，雙方改在前一天連打兩場比賽，二十九日再連打兩場。華盛頓特區國民警衛隊部署了兩千人，其中包括美式足球華盛頓紅人隊四分衛史尼德（Norm Snead）與他的四名隊友。有作家在看到史尼德被國民兵包圍後打趣道：「這是史尼德今年受到最多保護的時刻。」四千名陸軍官兵被派往華府近郊準備隨時出動，北卡羅萊納州則有一萬五千名空降部隊待命。

三十架陸軍直升機低飛在華盛頓特區上空巡邏；市府下令三百五十名消防隊員暫時轉換身分，在大遊行當天執行警察職務；各大醫院取消非必要的手術；當天凌晨零時起，全市一千九百家合法的酒類專賣店均禁止賣酒，是禁酒令解除以來頭一遭。†

整個華盛頓特區如臨大敵，大遊行的策劃者們卻異常淡定。一切情況良好，大遊行的前一天也平靜且井然有序。SNCC代表團抵達十六街的希爾頓飯店時，考克斯看到了發給媒體的惠特尼（Whitney Young）的演講稿。

自路易斯出任SNCC的主席開始，考克斯和其他人就敦促他要積極一點走出去，爭取更多人注

---

* 譯註：吉姆．克勞法（Jim Crow laws）泛指美國一八七六至一九六五年種族隔離期間南方各州對黑人等有色人種實施的種族隔離相關法律。

† 譯註：美國自一九二〇年至一九三三年間，全國禁止製造及販賣酒類。

意，沒興趣成為眾人焦點的路易斯當時只是不情願地照辦。考克斯認為，此時是讓路易斯與SNCC受到關注的機會。拉斯汀看見考克斯在散發路易斯的演講稿時，問他：「你在做什麼？金恩博士的演講稿不能先讓人看。」

（其實當時金恩的講稿距離完成還差得遠，而且他最後在大遊行發表的演說內容，也和事先寫好的講稿相去甚遠。）

當晚，華盛頓樞機主教歐波伊爾（Patrick O'Boyle）正在五月花飯店主持接待會，歡迎幾位前來參加大遊行的主教。整體而言，天主教界從一開始就大力支持這場大遊行，歐波伊爾尤其如此。歐波伊爾也許不像是種族正義的擁護者，但在華盛頓特區還實施著種族隔離相關法令時，他努力解除了當地各天主教學校的種族隔離，從大專院校一路往下推行到小學，期間經常遭遇各種頑抗。他還在華府推動多項跨宗教的黑人援助計畫。雖然他對大遊行感到忐忑不安，但仍鼓勵教友參加，且一口答應在遊行開始時帶領祈禱。

在接待會上，有助理將路易斯的講稿拿給歐波伊爾看。他讀了之後，開始重新思考自己的立場。如果是要為類似這份講稿的內容祈福，他無法為大遊行帶領祈禱。他致電遊行主辦者之一、美國勞工聯合會和產業工會聯合會（AFL-CIO）主席魯瑟（Walter Reuther）的助理，明確表達他的想法：如果路易斯堅持照著這份講稿演說，歐波伊爾將不會在遊行前帶領大家祈禱。

一旦歐波伊爾退出遊行，將會讓甘迺迪總統與他擔任司法部長的弟弟陷入兩難。韓森（Drew

Hansen）在他研究金恩那場演說的傑出歷史著作《那個夢想：金恩博士與那場啟發國族的演說》（*The Dream: Martin Luther King, Jr., and the Speech that Inspired a Nation*）中寫道：「如果天主教最德高望重的代表在最後一刻退出遊行，將有損這場活動象徵和平且為多種族、多宗教爭取民權的形象。甘迺迪家族希望有穿戴羅馬領的神父與穿著修女袍的修女在遊行現場，以安撫華府民眾緊張不安的情緒。」

一場有多位講者的大型活動中，特別讓人操煩的是其間的政治角力。我在二〇〇〇年至二〇二〇年間，六度協助統籌民主黨全國代表大會的講稿撰寫工作，這是機會，是榮幸，但也讓我心靈受創。每次全代會都要為一百五十至兩百五十場演說進行講稿統籌、時程安排、演說排練、事實查核、演說內容要旨確認等工作。二〇一六年梅蘭妮・川普發表的演說擷取了一整段蜜雪兒・歐巴馬過去的講稿後，我們在上述工作清單裡又加了一項：利用軟體檢查講稿是否有剽竊內容。除此之外，還要確定每一篇講稿都能在指定的時限前完成。

就像路易斯在向華盛頓進軍大遊行的情況一樣，民主黨全代會的所有講者名義上意見一致，目標也大致相同，但實際上每個人都代表自己的選民，當然也就各有自我意識。

一九九六年的民主黨全代會首度要求所有講者都看著提詞機演說，沒有人能帶紙本講稿上臺。這有兩個目的：一來，由於現在的大會都是配合電視轉播而辦，手持講稿在電視上看起來不上相；二來，規定講稿必須經由提詞機顯示，也能讓主辦者確定所有演說在傳送到數百萬戶人家的電視之前，都會有人先看過講稿。

講者手裡沒有講稿，會感到不安是很自然的。我參與那些大會時，我們會告訴講者，有製作助理會拿著放妥講稿的活頁夾在旁待命，萬一提詞機故障，助理會立刻遞上翻到正確頁數的活頁夾，不過很多講者仍無法放心。我特別記得夏普頓（Al Sharpton）牧師二〇〇四年爭取民主黨總統候選人提名時，不想預排演說，也不想事先交出講稿。大會主辦人員的（少數）權力之一，就是在講者不願配合時變更他們的演說時段，最後絕招就是聳聳肩說：「好吧，你就照你的意思發表演說，可以排在下午四點三十分對著空盪盪的會場講。」

藉著這種威脅手段，我們終於迫使夏普頓來到排練室。他在這裡配合到極點，交出講稿讓我們放入提詞機，然後完美預排整篇演說。

夏普頓依司儀唱名走上講臺時，群眾以熱烈掌聲表示歡迎。他向支持者揮揮手，然後從西裝胸前口袋掏出一疊紙張，發表的演說內容與排練時大相逕庭。

事後很多人告訴我，他的演說講得真好。而我只知道他講了二十分鐘，遠遠超過表定的時間。

到了二〇一二年的民主黨全代會，最令我心碎的莫過於巴尼．法蘭克（Barney Frank）讓我經歷的一切。他是一名麻薩諸塞州眾議員，所代表的選區離我成長的地方不遠，也是我心目中的政壇英雄。當時他已宣布要退休，我們希望這次演講能成為他極具力量的告別演說。但是法蘭克是出了名的脾氣暴躁，他沒興趣跟大會工作人員合作，只願意告訴我們，他會即興講一下「米特・羅姆尼」（Mitt Romney）和「謎之羅姆尼」（Myth Romney）之間的區別。* 但我們必須委婉巧妙地讓法蘭克眾議員知道，由於他略有發音障礙，無論是「米特・羅姆尼」或「謎之羅姆尼」，聽起來都像「激怒羅姆尼」（Miff Romney）。

我不記得當時是怎麼決定要由誰去告訴法蘭克這件事了，但他聽了以後瞭然於心。上了講臺後，他這麼說：「有個事情，因為我發音的關係，有點難度。」然後他清楚陳述「謎之羅姆尼」這個笑料，令人捧腹。可惜的是，由於他拒絕配合我們的程序，我們只得建議將他的演說安排在早場時段。於是法蘭克最後一次以國會議員身分在民主黨全代會發表的演說，是在傍晚五點四十二分開始。更不堪的是，由於法蘭克的演說超出五分鐘的時間限制，當他講到九分鐘時，大會執行長克里根（Steve Kerrigan）開始向他示意，表示講臺會在他演說時下降，結果法蘭克在一個想法還沒講完時就匆匆結束演說，離開講臺。他似乎不受這整件事的影響，最後演說的內容也未對告別政治生涯流露任何情緒，但是我非常難受。

總要有人為大會負責，確保整體活動皆按時進行，訊息也都妥善傳遞。

* 譯註：米特・羅姆尼為美國猶他州參議員，曾任猶他州州長。在二〇一二年美國總統大選中成為共和黨候選人，挑戰競選連任的在位總統歐巴馬，結果落敗。

也要有人負責確認各場演說的內容不會相互牴觸。二〇一二年共和黨全代會舉行的第二天，共和黨總統候選人羅姆尼的妻子安・羅姆尼（Ann Romney）發表了當晚的倒數第二場演說。她第一句話就破題：「今晚，我要和大家談談愛這件事。」

在她之後登場的是紐澤西州州長克利斯蒂（Chris Christie），由他發表大會的主要演說。他的演說主題是什麼呢？尊重比愛更重要。「我母親教會我最重要的一課就是：她告訴我，人生中有些時刻，必須在被愛與被尊重之間做選擇。她說，永遠要選擇被尊重，因為沒有尊重的愛必然短暫，但尊重可以發展成真實、持久的愛。」

聽在臺下觀眾耳裡，這等於是自打嘴巴。聽在我和同仁耳裡則是又一次教訓，再度告訴我們在大型活動中要保持講者群傳達的理念一致。讓演說各自獨立呈現是不夠的——每一場演說的要旨都必須與活動中的其他演說相互呼應。

在向華盛頓進軍大遊行中，負責維持活動整體性的是藍道夫（A. Philip Randolph），而路易斯的演說為他帶來了大麻煩。

———

路易斯在大遊行前一晚回到飯店房間時，發現房門下塞進一張來自大會主辦人的紙條，寫著：「約翰，到樓下來。必須立刻見面。貝亞德（拉斯汀）。」

拉斯汀個人其實同意路易斯講稿的大部分內容。對於講稿裡用上「革命」這個字眼，或是稱民選官員是「廉價的政治領袖」，甚至提到薛曼將軍，他都能接受。但是當晚他的任務之一，是要留住天主教界領袖，別讓他們退出大遊行，因此他把重點放在路易斯講稿裡指責「耐心」這件事。

拉斯汀說：「天主教信奉『耐心』一詞。」路易斯以為這是神學上的問題，於是回答他可以接受將「耐心這字眼既骯髒又齷齪」這句話刪掉，然後就準備上樓睡覺。拉斯汀認為這想法不錯，而且時間也晚了，但他也向路易斯預告，第二天一早講稿還會再更動，因為還有其他人正在讀那份講稿。

路易斯上樓時漸漸感到不滿，不過是一句話用詞不妥，他的整篇講稿就要被檢查。「當晚我躺在床上，愈想愈不願意改動任何一個字。」

隔天早上，路易斯和其他大遊行領袖共進早餐，然後前往國會山莊與國會領袖開會。會議中，路易斯覺得自己已做好準備，要在數小時後於數十萬人面前，以及在家收看的數百萬人面前發表演說，說出「民主黨人與共和黨人都背叛了《獨立宣言》的基本原則」。他當時的感受又是如何？

會議結束時，遊行已經開始，各界領袖努力跟上步伐。林肯紀念堂前的造勢活動由歐蒂塔（Odetta）、瓊・拜雅（Joan Baez）、巴布・狄倫（Bob Dylan）、瑪哈莉雅・傑克遜（Mahalia Jackson）與彼得、保羅與瑪麗（Peter, Paul and Mary）等歌手演唱揭開序幕，群眾不斷湧入聚集。然而活動幕後仍存在歧見，爭論焦點就是路易斯的演說。

此時，全美汽車工人聯合會主席魯瑟（Walter Reuther）很不滿路易斯打算要說「憑良心講，我們無法全心全意支持政府的民權法案，因為它給得太少，又來得太晚」，然後還細數法案的一連串缺失。領導全國有色人種協進會的威金斯（Roy Wilkins）則指著路易斯的鼻子，大罵他「出賣」那些法案支持者，並質問為何SNCC的人總是要特立獨行。路易斯也伸手指著威金斯，說他從來不曾站在第一線，從未親眼看過路易斯目睹的一切。

拉斯汀把所有人拉開，指派金恩博士與藍道夫等一小群人去說服路易斯。此時，歐波伊爾樞機主教已得到足夠的保證，相信路易斯會更改講稿，於是他已上臺發表遊行開始前的祈禱詞，但此時幕後的爭執戲碼仍在上演。考克斯與佛曼都聽說了後臺的狀況，急忙趕來。金恩一直是路易斯的導師與偶像，也會熱情叫喚路易斯是「來自特洛伊的男孩」，但他此時相對沈默，只對路易斯說引用薛曼將軍的那些話「聽起來不像你」。

路易斯同意金恩的看法，但表示那些話聽起來很像**我們**，也就是SNCC的年輕人。

金恩此時的寡言，或許是因為他自己前幾天也對類似的問題掙扎許久。雖然他不見得必須響應民權運動中較激進好鬥的SNCC，但他和助理們的確感受到急迫性與挫折感，他自己也在努力調整初版講稿中透出的失望與憤怒。

我們如今熟知的〈我有一個夢〉裡的金句，其實金恩的幕僚都早已聽過他多次用在演說結尾。幕僚建議他在大遊行中換點新意，用一些更強烈、更有攻擊性的措詞。

有些措詞的確被他納入講稿。例如有一段新的內容提到美國對黑人公民開「空頭支票」。關於這說法的源起有不同的故事，其中最具說服力的說法是，金恩的律師兼幕僚瓊斯（Clarence Jones）為了將他從阿拉巴馬州伯明罕監獄保釋出來，去大通曼哈頓銀行貸款籌措保釋金，卻被迫簽署一份蓋有「要求本票」戳章的文件。

講稿經過多次修改後，上述場景化為以下這段文字：「建立共和國的先賢寫下《憲法》和《獨立宣言》的高尚辭藻時，都簽署了一張本票，每一位美國人都成為這張本票的繼承人。這張本票是對所有美國人的承諾。」金恩隨後在講臺上補充道，「沒錯，黑人和白人一樣，」他繼續說，

皆獲保證能享有不可剝奪的生命權、自由權與追求幸福的權利。如今很明顯的是，對有色人種而言，美國已經讓這張本票跳票了。美國並未履行這項神聖的義務，而是給了黑人一張兌現時被退回的空頭支票，上面標註「資金不足」。但我們拒絕相信公義的銀行已經破產。我們拒絕相信這個國家儲存機會的廣大金庫已資金不足。所以我們是來兌現這張支票的——這張能在我們需要時給予充分自由與公義保障的支票。

這份已寫成但未發表的初版講稿，也強力要求外界別再期望一切會回到以往的常態：

我最近讀到一篇報紙社論，文中猜測民權運動的領袖們何時才會「滿意」，並讓美國恢復常態……

我們不想恢復常態。

阿拉巴馬州的常態，讓有種族歧視的州長違抗最高法院與美國總統的命令；密西西比州傑克森市的常態，讓一名瘋狂殺人者心智衰弱，繼而產生野蠻衝動，奪走麥格・艾維斯（Medgar Evers）別具意義的生命；* 阿拉巴馬州一條荒涼道路上的常態，促使某人開槍殺害一位想投遞關於自由的訊息的白人郵差；密西西比州的常態，讓當地政府竟然宣稱黑人若想投票就得挨餓。常態讓冗長發言阻撓議事（filibuster）這種手段依然存在——這是將一切有關種族正義的希望都化為灰燼的法案焚化爐；常態背叛了我們誦讀《忠誠誓言》（Oath of Allegiance）時的初心；常態讓週日上午十一點成為全美種族隔離最嚴重的時刻，讓許多主日學校成為我國種族隔離最嚴重的學校。每一位曾對世界做出貢獻、鼓舞人心的天才，每一個曾奮力爭取自由的民族，都曾拒絕接受常態，擁抱非常態。

正是「常態」一詞讓金恩的演說定名為〈常態永不再〉（Normalcy, Never Again）。但是到了大遊行時，「常態」一詞雖仍存在於金恩欲發表的講題中，他的演說內容卻幾乎將這個詞全部刪除。

值得注意的是，金恩的講稿直到此時都還包括一個類似路易斯想使用的軍事隱喻。他寫著：「衝撞不義堡壘的攻勢，必須由黑白種族聯軍共同挺進。」也許是因為看到其他人對路易斯講稿的修改建議，金恩隨後也決定刪除這部分。

當然，在金恩處理自己的講稿前，路易斯講稿的問題要先解決。而路易斯在考克斯和佛曼的力挺下，並不想再改動他的講稿。

金恩的幕僚瓊斯回憶：「路易斯堅持己見，就連金恩也無法讓他用溫和一點的方式表達立場。看來，我們之中唯一還可能說服路易斯修改講稿的人，仍舊是這整個民權運動的先驅，菲利普・藍道夫。」

藍道夫回到後臺時，的確說服了路易斯。雖然大遊行現場有大批群眾湧入，一切都非常成功，但藍道夫看起來已筋疲力盡。他向SNCC的三名領袖說：「我已經等了這場遊行二十二年。我畢生都在等待這個機會。請不要毀了它。」

路易斯如此描述後來發生的事：

> 他轉過身來看著我。「約翰，」他看起來似乎快哭了，「我們已經並肩走到這裡了，讓我們繼續一起努力吧。」以他這麼莊重威嚴的人，這幾乎是在發出懇求了，我怎能拒絕？那簡直像在拒絕德蕾莎修女（Mother Teresa）。於是我說，我會修改講稿。

佛曼、考克斯和路易斯一起回到林肯紀念堂後方，開始重新看過講稿的一字一句。（雖然路易斯

* 譯註：麥格・艾維斯是美國非裔民權運動領袖，曾參與推翻密西西比大學的種族隔離，並倡議非裔公民應享有選舉等多項權利，一九六三年遭一名白人至上主義者暗殺身亡。

跟考克斯都記得當時佛曼是坐在一台攜帶式打字機前，但有一張捕捉到當時情景的照片顯示，他們是以手寫方式修改講稿。)「耐心這字眼既骯髒又齷齪」是前一晚就已決定要刪除的句子，現在他們還做了其他更動。

那些令魯瑟極為不滿的民權法案段落，路易斯原本想說的是：「憑良心說，我們無法全心全意支持政府的民權法案，因為它給得太少，又來得太晚。」

他把這段話改為：「我們今天來到這裡，懷著很深的疑慮。我們的確支持政府的《民權法案》，不過是以非常保留的態度支持。」

演說中還列出一份法案未涵蓋的劣行清單：用警犬和消防水柱對付示威者、以羅織的罪名逮捕人等等，不一而足。

呼籲改變的講者經常會為自己或聽眾保留一些轉寰餘地，路易斯也採取這種做法，在講稿裡加上「以法案現狀看來」幾個字。於是這個段落是這樣開始的：「以法案現狀看來，它無法保護維吉尼亞州丹維爾市的市民，他們必須一直心懷對警察國家的憂懼；這項法案也無法保護數十萬遭羅織罪名逮捕的人民。」

其中「一直心懷對警察國家的憂懼」(constant fear of a police state)，是從「一直活在對警察國家的憂懼中」(constant fear in a police state)修改而成。雖然只是兩個字母「in」改為「of」的差異，但歷史學家詹斯頓（Angus Johnston）認為十分巧妙且意義重大：「『活在對警察國家的憂懼中』是非常強烈的表述，指涉一種已存在的狀態，特別是指黑人生活在實施吉姆．克勞法的南方所面臨的實際情況；改成『of』後，語氣則較為溫和且模稜兩可，『心懷對警察國家的憂懼』是憂懼某種外在的、甚至可能是假設性的東西。」

宣稱兩大政黨都「背叛了《獨立宣言》的基本原則」的陳述也從講稿刪除。這句話本身無誤，但有礙和解。

突顯遊行群眾人數眾多且來自多元族群的語句也被刪去。路易斯原本想說的那段話，無論在一九六三年或二〇二〇年都同樣適用：「這個國家正在覺醒，意識到種族隔離是邪惡的，必須徹底消滅它存在的各種形式。各位今天來到這裡，證明大家已被喚醒並採取行動。」被刪除的還有指控「聯邦政府和地方政客共謀採取利己手段」，以及質問「我想知道，聯邦政府站在哪一邊？」

「黑人群眾是為了工作與自由而遊行，我們必須向政治人物說，不會有所謂的『冷靜期』。」也被拿掉；被刪除的還有揚言

遲早有一天，我們的進軍遊行不會只侷限於華盛頓特區。我們要行軍穿越南方，穿過南方邦聯的中心地帶，就像當年的薛曼將軍一樣。我們要採取我們自己的「焦土」政策，將吉姆．克勞法燒成灰燼——以非暴力的方式。我們要把南方撕碎成千百片，再將它們拼成一幅民主的圖像。

「撕碎」一詞改成較溫和的「化為」，整段講辭修改成：

藉助我們的要求、決心與龐大人數所展現的力量，我們要將廢除種族隔離的南方化為千百片，再將它們拼成一幅上帝與民主的圖像。

講稿編修完成時，路易斯很生氣。即使他對於演說要傳達的理念未做任何妥協，但他覺得自己稀釋了這份演講稿的力道。

路易斯的挫敗感很常在那些最後一刻修改講稿的講者身上看到。因為他們知道自己原本想說什麼，但忘記了觀眾根本沒看過或聽說過初版講稿。我常告訴講者：你的初版講稿，還有你最喜歡的那份講稿，聽眾都沒看過。他們不會聽到你原本想講的那些話，只會聽到你是如何呈現最後發表出來的那場演說。

讓我深感慰藉的一次親身體驗，是聖安東尼奧市長胡立安．卡斯楚（Julián Castro）在二〇一二年民主黨全代會發表的主題演講。卡斯楚曾想在那場演說中宣揚美國應打造「機會的基礎建設」，他和擔任眾議員的雙胞胎兄弟瓦金．卡斯楚（Joaquin Castro）都在不斷倡議這個理念。卡斯楚在初版講稿中寫道：

美國當年成為機會之地，並非偶然。我祖母那一代以及之前的幾代人，都給予我們許多讓機會可能實現的事物。瓦金已詳盡闡述過，他們打造了機會的基礎建設。當年的美國人打造出實體的基礎建設（道路、高速公路、鐵路），讓人與貨物能抵達地圖上的目的地，同時也建構出「機會的基礎建設」，包括教學紮實的公立學校、出色的大學、助學金、聯邦老人醫療保險、社會安全體系等。有了這些，再加上人民勤奮工作與載入《憲法》的各項自由，讓美國夢有了實現的可能。

我們以為這套說法漂亮有力又富新意，符合卡斯楚「民主黨講臺上激奮人心的新聲音」的定位。然而歐巴馬的首席戰略顧問艾克索羅德（David Axelrod）看過初稿後，難以置信地說：「我們根本不用基礎建設這個詞來形容基礎建設！」*

卡斯楚因為這段話必須刪除而備感失望。他首度成為全國焦點的時刻即將到來，卻在此時被告知不能在自己的演說中暢所欲言。

不過他接著重振旗鼓，與幕僚群及演說撰稿人佩利（Sarada Peri）一起討論改稿，後來佩利成為歐

* 隨著之後的政府強調「基礎建設週」和「基礎建設法案」，這點有所改變。

巴馬的演說撰稿人。他們也許不能講「機會的基礎建設」，但或許可以找到方法傳達「今日的機會，明日的繁榮」這樣的概念。

我的一位客戶曾告訴我一個關於支出報帳的故事。有一位員工在出差期間弄壞了雨傘，於是他買了一把新傘，將這筆支出列入差旅費報帳清單中。這看起來很合理：如果他沒出這趟差，雨傘就不會弄壞；而且維持外表體面也是工作的一環，在傾盆大雨中，這把新傘才能讓他維持像樣的外表。但令這名員工失望的是，這筆報支被公司否決了。於是，當他下一次出差時，在差旅費中列上了旅館、餐食與交通支出，然後加上一句話：「現在找出那把雨傘在哪兒吧。」

卡斯楚的團隊也用類似的策略修改他的講稿：

美國當年成為機會之地，並非偶然。我外婆那一代以及之前的幾代人一直都眼光遠大，不只是在意自己的人生和自己的境況而已。他們相信今天創造的機會將帶來明天的繁榮，那就是他們想成就的國家，他們也協助打造出這樣的國家。他們建造的道路與橋樑、他們興建的中小學與高等學府、他們努力爭取來的各種權利——讓人們能獲得體面的工作，能過有保障的退休生活，也讓你的孩子有機會過得比你更好。

現在，找找看「機會的基礎建設」出現在哪兒吧。

卡斯楚不完全滿意新講稿的遣詞用字，但他清楚自己發表了一場很棒的演說，其中有好幾個讓觀眾反應熱烈的時刻。觀眾並不知道卡斯楚原本有一份他比較想發表的講稿，因為他們回應的是他實際發表的那份講稿。在演說接近結尾的高潮時（演講術語稱之為總結），他說：

最後我要強調，美國夢不是一場短跑，甚至不是馬拉松，而是接力賽跑。我們的家族不見得會延續超過一個世代，但每個世代會將自己努力的成果交棒給下一個世代。我的外婆從未擁有過自己的房子。她得為別人打掃房子，自己才租得起房子。但她看著自己的女兒成為家族裡首位大學畢業生。我的母親則努力奮鬥爭取民權，我手中拿的才會是這支麥克風，而不是一支拖把。

《紐約時報》隨後如此報導：「會場內的掌聲令人想起八年前在波士頓舉行的民主黨全代會，當時一位名為巴拉克．歐巴馬的伊利諾州參議員讓黨代表們起立鼓掌。」*

———

路易斯也不完全滿意他那份感覺上是被迫修改的講稿，但他發表演說時仍全力以赴。輪到他上臺

* 這兩場演說我都在場，在我看來，卡斯楚比歐巴馬獲得更熱烈的掌聲。

時，藍道夫介紹他是「年輕的約翰．路易斯，學生非暴力協調委員會的全國主席」。「年輕」一詞也許是要為觀眾打預防針，讓他們對路易斯說的話有心理準備。

同時，路易斯也記得拉斯汀就站在他身後，「距離近到好像我一旦越線，他就會把我拉下臺。」路易斯的演說義憤填膺，走在熱血沸騰與恰當得體的無形邊界，但沒有越線。當他穩健發表演說時，觀眾對他說出來的話給予回應，而不知道他有哪些話沒說——他們肯定路易斯列舉的那些棘手的民權問題，他們在聽到路易斯要求「我們不要逐步獲得自由，我們現在就要自由」時，報以熱烈歡呼。根據《紐約時報》的說法，這是當天「最刺耳」的一場演說，但它並未讓樞機主教逃離現場，也沒有引發群眾暴動。當天傳出的受傷案例都是氣溫過高所致。這場演說反而振奮了那些了無生氣的群眾，提醒他們參加的不是一場在華盛頓舉行的遊行，而是一場「向華盛頓進軍」的遊行。

五十年後，路易斯與記者莫耶斯（Bill Moyers）談論那一天時，又被問起修改講稿的事。路易斯以後見之明回答：「我認為當時那麼做是對的。」* 那天壓軸的講者是金恩博士。如果路易斯的演說是棍子，金恩博士的演說就是胡蘿蔔，雖然這樣的效果並非出於事先設計。

金恩博士最初幾個版本的講稿也比較強硬，但在最後定稿中，「常態」這個詞已全部刪除，改成金恩博士此前從未用過的說法「現在就要的急迫性」，扼要總結了他的極度不耐：

> 現在不是實行奢侈的冷靜期，或服用漸進主義鎮靜劑的時候。現在是要實現民主承諾的時候。

雖然「常態」一詞完全沒有出現在金恩博士的演說中，但他仍然用另一種說法提出了反對常態的主張，也解釋了為何美國不能再「不變如昔」。

黑人正當表達不滿情緒的炎夏不會過去，除非自由平等的秋天令人振奮地到來。一九六三年不是終點，而是起點。如果這個國家不變如昔，那些希望黑人族群發洩完怒氣就心滿意足的人，將被粗暴地喚醒。在黑人獲得公民權利之前，美國將永無寧日。反抗的旋風將持續動搖國本，直到正義的光明之日來臨。

金恩博士的演說也引發觀眾熱烈迴響，於是他在開始發表這份事先準備好的講稿約十分鐘後，就發現自己違背了曾向幕僚長兼牧師好友沃克（Wyatt Tee Walker）說過的話：組織布道演講時，首要之務是知道應止於何處。「第一件事就是先找到降落跑道。一直在空中盤旋卻無處降落，非常可怕。」然而，當他發表這場畢生聽眾最多的演說，一路帶著他們乘著激奮的情緒向前推進，前方預先設定好的結論卻似乎已不符合當下的情況。

＊ 考克斯憶述，由於路易斯被迫修改講稿，當時有幾名ＳＮＣＣ成員指責考克斯背叛他們。

金恩博士後來表示，當時他「突然靈光乍現」，想到要在此時用上過去講過多次的「我有一個夢」的段落。

金恩博士是否聽見了身後的瑪哈莉雅．傑克遜懇求他「馬丁，跟他們講那個夢想的事吧」？他從未承認當時聽到傑克遜的話。但在這篇充滿精彩段落，幾乎像是經典談話精選專輯的演講中，那段關於夢想的演說是完美的終曲。

儘管如此，金恩身邊的某些人（例如沃克）仍在聽到金恩開始說「我有一個夢」時，心想「怎麼又來了」；有些SNCC成員則認為這段話過於甜膩，錯過了能像路易斯那樣揭示真相的機會，路易斯的演說披露在種族隔離的南方，挺身反抗法律與道德暴行的人們經歷了哪些恐怖遭遇。兩者都沒能體認到，金恩的演說對於首次聽見這些內容的數十萬群眾來說極具震撼力。

那些質疑金恩演說的人，沒有想到群眾不僅渴望憤怒帶來的衝擊，也渴求希望帶來的鼓舞。

如今回看影響深遠的那一天，兩場影響深遠的演說完美串接，有如陰陽平衡交融，正符合當下的需要。路易斯的演說足以喚起人們的憤怒，但沒有推進到讓任何聽眾受排擠的程度；金恩則用希望來平衡聽眾感受到的震驚。他們原本無此意圖，也沒有針對這樣的效果撰稿，卻創造出廣泛且持久的影響力。

第二章　動人演講的五大要素：

被官方拒絕的美國原住民演講

「我懷著沉重心情，回顧族人所經歷的一切。」

位於麻薩諸塞州普利茅斯鎮的科爾山自普利茅斯港陡峭上升，彷彿是從海岸線挖出普利茅斯岩所在的港灣，然後將土石堆在陸地上所形成。這座山位於朝聖者*建造的首批建築以北，也是在一六二〇年冬天去世的五月花號移居者的葬身之處。最初抵達的一〇二位移民中，有五十二人在那年的嚴冬中喪命。

山上有一座五月花後裔總會建造的石棺，用於存放那些在洪水來襲與建築施工時出土的首批移居

* 譯註：朝聖者（Pilgrims）是後世對早期從英國移居北美新英格蘭地區的清教徒的稱呼，他們也被認為是美國歷史與文化的重要先輩。

者的遺骸。石棺上刻著那個冬天死去的移民名字與歷史記述，將這群朝聖者為了信仰和自由而展開的冒險行動形容得無比高貴。

如今，這裡還有另一座紀念碑，是一塊大石。這塊石頭與科爾山下那塊傳奇性的普利茅斯岩不同，它鑲嵌了一塊牌匾。

牌匾上銘刻的文字傳遞了截然不同的訊息：

自一九七〇年開始，美洲原住民每年會在美國感恩節這天的正午時分，到普利茅斯鎮的科爾山上集會，紀念這個全國哀悼日（National Day of Mourning）。許多美洲原住民並不慶祝朝聖者和其他歐洲移民來到美國。在他們看來，感恩節提醒著他們有數百萬名族人遭種族清洗，他們的土地被竊取，他們的文化不斷受到威脅。參加全國哀悼日活動的人們，會向原住民的祖先以及當今掙扎求生的原住民族人致敬。這一天充滿紀念意義與精神連結，同時也是對美洲原住民仍在經歷種族歧視與壓迫表達抗議。

這些文字當然完全背離普利茅斯被精心營造出的「美國故鄉」形象，也和我國宣稱立國時期充滿友好夥伴情誼的敘事背道而馳。那個比較正向陽光的敘事，是由科爾山上的另一座紀念碑將其發揚光大：那是萬帕諾亞格族（Wampanoag）領導人馬薩索伊特（Massasoit）的雕像，雕像底部描述他是「朝聖者的保衛者與維護者」。馬薩索伊特確實曾與新來的移居者簽署一紙條約，並提供玉米、小麥和豆類等食物（或接受它們被偷），但美洲原住民長久以來一直心知肚明，這個親如兄弟的故事遠非故事的全貌。*

東部印地安部落聯盟主席瓦姆蘇塔．法蘭克．詹姆斯（Wamsutta Frank James）受邀於一九七〇年朝聖者登陸三百五十週年慶典上致詞時，想講出故事的全貌，但最終在活動主辦方阻止下未能發表演說。這直接導致「全國哀悼日」的出現，該活動據信是美國迄今持續時日最久的抗議，也讓詹姆斯那場未發表的演說發揮了比他想像中更強大的影響力。

一九七〇年九月十一日，法蘭克．詹姆斯的兒子羅蘭．穆納努姆．詹姆斯（Roland Moonanum James）登上美軍獨立號航空母艦，這艘航母當時部署在地中海，為期七個月。穆納努姆隨海軍樂隊登船，演奏單簧管、薩克斯風和長笛。樂隊成員每天都要練習，而且和其他水兵一樣要輪值，但他們仍有充足時間進行其他任務。穆納努姆的任務之一是監看美聯社、合眾國際社發出的新聞電文，並向艦

---

* 譯註：一六二一年，萬帕諾亞格族向首批移居美國的英國朝聖者傳授農耕、狩獵、捕魚與烹調等技能。那年秋天，朝聖者獲得豐收後，設宴邀請萬帕諾亞格族表達感謝，馬薩索伊特率部落成員赴宴。這也是感恩節的由來。

長通報，包括艦長可能特別感興趣的新聞。艦長歐洛克（Gerald O'Rourke）來自新英格蘭，穆納努姆便特別注意新英格蘭的地方新聞，當他看到新聞電文中出現父親的名字時驚訝不已。他的父親因為一項抗議行為，讓整個麻薩諸塞州議論紛紛。

穆納努姆會這麼訝異，除了因為隔著半個地球看到父親的名字出現在新聞裡，也因為他深知父親雖然對自己的美洲原住民血統十分自豪，但並非激進人士。詹姆斯是新英格蘭音樂學院第一位美洲原住民畢業生，在鱈魚角（Cape Cod）的諾塞特高中擔任音樂老師，妻子普莉西拉（Priscilla）是白人。他自己這麼形容他和東部印地安部落聯盟所做的事：「我們不是好戰組織。我們做的是為印地安人提供獎學金這類的事情。」

因此，當麻州商務發展部想找一位美洲原住民在朝聖者登陸三百五十週年紀念活動開幕晚宴發言時，他們便聯絡萬帕諾亞格部落的領袖，而這些領袖就推薦了詹姆斯。

這場晚宴將為之後十五個月的活動揭開序幕，包括各種遊行、觀光導覽、演說、音樂會；來自鄰州與英格蘭、荷蘭的政治人物也會到訪。其他活動還包括重現朝聖者抵達普利茅斯的時刻，以及布道家葛理翰（Billy Graham）的演說，目的是要「象徵性地為我們對先祖之神的信仰重新奉獻」。

詹姆斯接受了邀請並著手準備講稿。用他妻子的話說，他當時想「從三百五十年裡抽出十分鐘……讓大家聽聽另一方的故事」。

詹姆斯參考了他擁有的《莫爾特記述》（*Mourt's Relation*）一書在南北戰爭時期再版的版本，這本書主要是朝聖者愛德華・溫斯洛（Edward Winslow）和威廉・布萊德福（William Bradford）在登陸鱈魚角後寫下的手記，其中詳細記錄了朝聖者挖掘美洲原住民的墳墓、竊取玉米和炊具等歷史。

他想講述早在朝聖者登陸前，歐洲探險家就已俘虜約三十五名美洲原住民、把他們當成奴隸賣掉的歷史。他想讓人們重新理解美洲原住民文化，不再視之為「野蠻、文盲、未開化」，而是「和白人一樣有人性」。他也要指出，「印地安人也會痛苦、受傷、對人心生防衛；印地安人也有夢想、會遭遇悲劇與失敗、會受孤獨之苦，並需要哭和笑。他們也同樣經常受到誤解。」他想呼籲聽眾協助打造「更人道的美國、更印地安的美國，這個國度會重新珍視人與自然，也看重印地安人強調榮譽、真理和人人皆手足的價值觀」。

他想慶祝的是兩個開始，而不只是一個。「你們白人正在慶祝紀念日。我們萬帕諾亞格人會協助你們以『開始』的概念來慶祝。當年的這一天，是朝聖者嶄新生活的開始。三百五十年後的今天，是美洲原住民——即美洲印地安人——嶄新決心的開始。」

經過妻子的編修與反覆誦讀後，詹姆斯完成了演說稿，深信它能提供一個原本被遺漏的重要觀點，然後他將演說稿交給活動主辦人員。

——

演說稿的寫作技巧有如宗教，人人都認為自己掌握了那條通往真理之路。

我買過有關演說撰稿的最佳書籍是鮑伯（Bob Lehrman）與艾瑞克（Eric Schnure）的《政治演說撰稿人良伴》（*Political Speechwriter's Companion*）。我二十歲時曾在白宮當他們的實習生，當時鮑伯是高爾的演說撰稿主任，正在寫這本書的初版。我被分配到他的辦公室時，他遞給我那本書的開頭部分，裝在一個三孔活頁夾裡。

書中「門羅的激勵五步驟」（Monroe's Motivated Sequence）章節，成為我的通往真理之路。容我在此簡略介紹。* 「門羅的激勵五步驟」是以普渡大學教授門羅（Alan H. Monroe）之名命名，他在一九三〇年代中期利用（早期的）說服心理學，列出有效演說的必備要素，依序分成五個步驟：注意力、需求、滿足、具體想像、行動。

首先，門羅認為，無論你的想法有多引人入勝，都說服不了那些沒注意聽的人。聽眾是浮躁善變的，必須盡可能讓他們在演說開始時就全神貫注聆聽。雖然統計數據和研究結果各異，但一般認為，講者能抓住聽眾注意力的時間只有幾秒鐘，而不是幾分鐘。然而大多數講者在演說開始的幾分鐘內，都在做一件肯定會讓聽眾注意力渙散的事：致謝。

諷刺的是，高爾也許是最違反這條規則的人，他會鉅細靡遺地謝了這位再謝那位，演講現場的活絡氣氛也隨之流失。冗長致謝的策略很糟糕的原因還有兩個：一是難免會漏謝某人，二是這些感謝大多毫無意義。如果你真心感激現場某個人所做的事，那就值得用更實際的方式：在演說中途表達謝意。如果將來我的墓誌銘寫著「他讓人們改在演說正文中致謝」，我會很開心。

TED演說能夠如此廣泛傳播且令人上癮，原因之一就是它精準掌握了首要步驟：講者開場時無論是說笑話、講故事、發表預測、提出大膽或違反直覺的主張，都是要吸引聽眾的注意力。

第二步是闡明需求或問題。大多數有說服力的演說都想讓聽眾相信某件事是對的、是好的想法或值得重視，但唯有這些想法能解決對聽眾來說很要緊且非處理不可的問題時，聽眾才會覺得這些想法很重要。講者常犯的一個錯誤是，一味興奮地講述自己的想法、見解或解決方案，卻忘記了將這些想法對應到聽眾心目中的重要問題。在提出自己的好想法之前，你必須列出這些想法能解決什麼問題，以說服聽眾。

如此一來，就能讓觀眾進入第三個步驟：提供滿足或解決方案。如果你已經闡述了問題，那麼現在可以說明解決方案——你的政策、計畫或重要目標。

常被遺忘的第四個步驟，則是描繪夢想或具體想像。單是說明要如何解決問題還不夠，那只是學術性的空想。門羅主張，若想真正激勵觀眾，就要讓他們知道若採納你的想法後，未來會變成何種樣貌。想想〈我有一個夢〉那場演說吧。

最後是第五點，門羅認為，如果你已經吸引聽眾專注聆聽，也讓他們相信某個問題非解決不可，

＊ 如果想讀完整版本，我再次推薦鮑伯與艾瑞克的《政治演說撰稿人良伴》。你也可以直接去找最原始的來源，也就是一九三〇年代印行的著作《門羅的演說基本原則》（*Monroe's Principles of Speech*）。

還分享了令人信服的解方，並描繪出實行這個解方後未來世界的具體樣貌，接下來就要讓他們開始行動。因此他建議以呼籲採取行動作為演說結尾。

在演說撰稿的世界裡，這部分是「纖維素」，因為有很多「生菜」(lettuce)：「讓我們（Let us）這麼做……」、「讓我們（Let us）那麼做……」。這些行動可以是貢獻時間或金錢、參加遊行或投票，或各種其他的事。既然多數演講的目標是激勵聽眾採取行動或展現忠誠，建議他們採取某些行動便很重要。

從寫作過程的角度來看，將講稿分成五大部分，以「門羅的激勵五步驟」作為每一部分的綱要，是我解決寫作障礙的方法。只要為這五大綱要各寫一個句子，我就覺得已經掌握一篇講稿的雛形了。

詹姆斯則是憑直覺就達成了「門羅的激勵五步驟」的所有要求。首先，他選擇一開始就抓住觀眾的注意力，表示聽眾的慶祝時分對他而言其實是哀悼時刻，讓他「心情沉重」。

接著他指出問題的梗概；萬帕諾亞格人歡迎白人到來，卻導致自己完全失去自由，歷史還記載「印地安人是野蠻、文盲、未開化的動物」，原住民文化和語言都被迫走向滅絕。

詳細介紹美洲原住民承受的殘酷歷史之後，詹姆斯開始提出解方。他的解方是美洲原住民要團結齊心，宣告自己的身分，開始糾正各方過去犯下的許多錯誤，而這個週年紀念日便是慶祝「美洲原住民嶄新決心的開始」。

值得注意的是，雖然這些內容可能被視為激進言論，但詹姆斯並不是激進的人。他在闡述願景時明確表示：「已經發生的事無法改變，但現在我們必須努力打造一個更人道的美國、更印地安的美國。」

為了實現這樣的願景，他呼籲採取行動，要同胞帶著過去三百五十年的艱辛歷史，以及對白人文化得之不易的理解，去競逐最好的工作；不要隱瞞身分，也不要試圖與白人同化而讓自己的身分消失。他呼籲他的同胞「拿回我們在這個國家理應擁有的地位」。

——

到了九月九日，活動開始前兩天，麻州觀光部門的一位代表造訪詹姆斯家，帶來的是經過編修後從十分鐘縮短為三分鐘的講稿。

他是哈托格（Harry Hartog），當時任職於麻州商務部，正協助主辦這次活動。哈托格聲稱帶給詹姆斯的講稿只是試圖「整併詹姆斯的想法」，不過他確實也承認「週年慶典的主題是兄弟情誼，任何煽動性的言論都不合適」。

在另一名商務部人員魯奇（Ernest Lucci）眼中，特別具煽動性的內容是提到朝聖者偷竊萬帕諾亞格人的東西，包括食物和部落族人的遺骸。他跟詹姆斯說：「不能隨便說別人是盜墓者。」

詹姆斯回答：「但那就是曾經發生過的事實。」

魯奇也認為詹姆斯講稿的這一段很不妥：「我們會攜手一心，昂首而立，不是站在我們的茅屋裡，而是站在你們的水泥棚中。我們曾經允許不公之事發生在我們身上，但再過不久我們就會討回公道。」

魯奇認為這段話聽來語帶威脅，他對詹姆斯說：「近來時局紛亂，如果連在這類集會中的演說都不呼籲團結，世界會變成什麼樣子？」

詹姆斯則反問：「我的兒子何必在航空母艦上服役……如果連自己國家的人民都不能暢所欲言？」

詹姆斯的人生，就像許多美洲原住民一樣，向來小心遊走於讚頌並教育別人理解他的文化，以及符合他人的刻板印象之間。一個月前，詹姆斯才搭上一架重現五月花號旅程的飛機，麻州州長也在機上。詹姆斯登機時打著赤膊，只穿皮製纏腰布和鹿皮鞋，髮際插著一根羽毛。

然而那天晚上，詹姆斯看著他自己的講稿和麻州官員帶來的講稿，後者呈現的似乎已非真實歷史，在他看來只描繪著朝聖者與印地安人和諧交融的友好景象。詹姆斯愈想愈失望。他覺得發表這樣的演說會讓他像個幼兒園小朋友。

他於凌晨兩點就寢，心中已做出決定。

隔天早上，他發了一封電報給州長薩金特（Francis Sargent），表明會杯葛這場活動。電報結尾是：「我必須說出真相。」

活動主辦方找來另一位美洲原住民、萬帕諾亞格人的政治領袖傑佛斯（Lorenzo Jeffers）出席活動。他很突兀地戴著拉科塔族（Lakota Sioux）戰冠，這是當時多數美國人眼中的典型印地安服飾。

傑佛斯同樣在慶祝和諷刺之間掙扎。他在晚宴上發表州政府認可的演說，* 卻在隔天慶祝活動的另一場演說中發表不同的內容：「朝聖者抵達這裡時遇到的馬薩索伊特酋長雖不識字，但他比任何一個登陸這海岸的人更能秉持人道原則，也更具備做人應有的正直風範。我只向各位請求一件事：現在，請幫助我的同胞。」

他會說這些話，可能是因為在晚宴過後的隔天早上看到了《波士頓環球報》。那天的頭版照片是州長薩金特戴著戰冠，傑佛斯在一旁微笑觀看，圖說寫著「薩金酋長」。

當時，詹姆斯的妻子普里西拉「開啟爭端」（這是《鱈魚角標準時報》粗率且過時的措詞），發了一封怒氣沖沖的信給州長和其他麻州政治領袖。

你們的委員會選擇阻止詹姆斯先生發表他的演說，這是他們的權利……但在我看來，他們（主辦者）宣稱兄弟情誼的無私論調，他們「都是一番好心」這些說詞，全部因此一筆勾銷。無論你們的委員會講了什麼，他們的行動已說明一切。

薩金特州長寫了一封安撫信給詹姆斯夫人，表示對詹姆斯未發表演說感到遺憾，並稱他會將詹姆斯的講稿寄給那場晚宴的所有來賓。

不過詹姆斯並不滿意。他回信給州長說，真正的道歉應該要加上州政府拿出錢來，償還該州為了興建水庫而從瓦圖帕印地安人（Watuppa Indian）保留地奪取兩百二十七英畝土地的款項。麻州從未認

---

* 我搜尋了麻州的檔案庫，但未能找到傑佛斯當晚發表的講稿。

真想過要為這塊土地付錢。

詹姆斯還決定要立刻做一件事：美洲原住民的故事如果不在慶祝儀式的晚宴上訴說，就必須用示威抗議的方式講出來。詹姆斯與「高橡」（Tall Oak）、雪莉・米爾斯（Shirley Mills）及新英格蘭美洲印地安人聯盟的其他領袖共同呼籲，要訂定全國哀悼日。

詹姆斯的講稿遭審查，以及他呼籲訂定全國哀悼日的消息，透過「莫卡辛電報」（moccasin telegraph）——口耳相傳部落消息的非正式網路——散播到整個美洲原住民社區。一九七〇年十一月二十六日，感恩節當天，北美各部落超過百位美洲原住民代表（包括傑佛斯和詹姆斯）來到普利茅斯。現身的抗議者中，有部分參與剛萌芽的印地安人權運動，他們一九六九年曾占領惡魔島（Alcatraz Island）。

知名的美洲印地安人運動（AIM）維權人士敏斯（Russell Means）則帶著一群人來到普利茅斯岩，表示「普利茅斯岩上灑滿了印地安人的鮮血」，於是他們用沙子將普利茅斯岩埋起來。

另一群人從普利茅斯岩跑到仿製原船的「五月花二號」船上，將代表五月花號船長瓊斯（Christopher Jones）的假人塑像扔下船。

之後他們依現場人員的要求離開，沒有人被捕。

這就是「全國哀悼日」的由來。

在接下來的幾年間，參加的群眾逐漸增加。還有其他人試圖將普利茅斯岩掩埋，或以鮮血覆蓋。

哀悼日活動大致上都是和平的，除了一九九七年以外。那年的活動與普利茅斯鎮傳統的感恩節遊行狹路相逢，隨之而來的衝突導致數名美洲原住民被捕，罪名從大聲喧嘩引發騷亂，到非法使用擴音系統等，不一而足，但最後所有指控都因缺乏根據而被撤銷。

因為這些不必要的逮捕，普利茅斯鎮同意出資打造全國哀悼日紀念碑，安放在科爾山上，作為和解方案的一部分。

如今，全國哀悼日據信已是美國持續最久的抗議活動。在穆納努姆看來頗為諷刺的是，「如果當年我父親被允許發表那場演說，我們就不會在明年（二〇二〇年）紀念全國哀悼日五十週年。」

相反地，現在的哀悼日活動成為當年那份講稿的響亮回聲，持續不斷地迴盪著。那份講稿涵蓋了演說要具有說服力的所有必要步驟，而讓它更添說服力的是，那場演說從未發表。

第二部

改變主意而捨棄的講稿

演講是將一個概念介紹給世界的行為，也是有人藉由公開發言接納一項計畫的時刻。

有些情況下，講者看著手中的講稿，會察覺自己並不想發表這些言論，也不想見到說出這些話帶來的後果，至少在那個當下不想。無政府主義者艾瑪・高德曼就是這種情況，她擔心在自己的審判中煽動暴亂；理查・尼克森則是備妥了講稿，原本要宣布他有意反抗彈劾；波士頓市長凱文・懷特在該市的跨種族公車通學危機中，原先考慮違抗法官的命令。雖然他們最後都選擇了另一條路，但我們可以從講稿中看到，若他們做出不同的決定，會發表什麼樣的言論。

第三章　激勵人心的演講：

艾瑪．高德曼與海倫．凱勒的遺珠之憾

「那些榮華富貴、奢靡生活、盛大排場和權力榮光，背後的代價是無數人被謀奪性命、被折磨得不成人形。」

——艾瑪．高德曼

「我雖失明，但我看到了新時代的曙光，屆時婦女將不再被奴役。」

——海倫．凱勒

他們稱她「紅色艾瑪」、「無政府主義女王」、「美國最危險的女子」，美國總統麥金利（William McKinley）一九〇一年遇刺，兇嫌也是受到她的啟發。

許多政治漫畫描繪她鶴立於群眾之中，身著燈籠褲，揮著紅旗，敦促追隨者反抗。其實，艾瑪．

高德曼的身高僅一百五十二公分，而且在她遭控以演說煽動暴亂而被捕的一八九三年，她才二十五歲。

時間來到二十世紀初，當時海倫・凱勒已聞名全球，因為她雖然又聾又盲，仍學會與外界溝通；她克服逆境的經歷激勵人心，亦讓她備受愛戴。但是，當她的故事從學會表達自己的意見變成為婦女、勞工和公民權利發聲時，人們對她的觀感出現變化。一九一三年一個群情激動的午後，在一場歷史性的婦女選舉權倡議大遊行中，一群脫序的群眾讓她根本無法發表演說。

為什麼這些婦女的言論被認為帶有強烈威脅性，會嚴重擾亂既定秩序？因為我們知道，某些言論能發揮讓人起身行動的威力；而這些言論若出自女性之口，人們就會用另類的眼光看待。

——

高德曼一八六九年生於當時帝俄境內（現為立陶宛）的一個貧窮猶太家庭。她在德國受教育，十六歲時為了逃避被安排的婚事來到美國。她在俄羅斯的家人住在聖彼得堡，沙皇亞歷山大二世遭一群揮舞著炸彈的社會主義恐怖分子暗殺後，帝俄當局以暴力鎮壓示威活動，隨之而來的劇變也形塑了艾瑪的革命理念。

她在美國定居於紐約州羅徹斯特市，這裡讓她發現美國工廠工人的工作條件和俄羅斯一樣不人道與不平等。一八八七年，在芝加哥乾草市場騷亂期間，四名捲入投放炸彈事件的勞權人士被處以絞刑，*她覺得自己不能袖手旁觀。於是她移居紐約市，加入所謂無政府主義者的大業，這些人主張社會應該擺脫有組織的政府。

不久她就愛上約翰・墨斯特（Johann "Hans" Most），後者成為她的導師（或許也是情人）。墨斯特發現高德曼熱衷於學習他倡議的「暗殺」概念，或是他對暗殺行為的宣傳。他是這麼說的：「讓現有體制的倡議者消失，是推翻它最快也最徹底的方法，因此必須展開對人民公敵的屠殺。」

他也發現高德曼是難得一見極具影響力的演說者：她年輕、懷抱理想主義、熱情，能說好幾種工人階級的語言。他著手為她安排了一趟巡迴演說，結果極為成功。高德曼常在演說時先用英語開場，然後切換成俄語和意第緒語，流利程度讓聽眾倍受激勵——也讓一旁聽不懂內容的警察摸不著頭緒。

艾瑪・高德曼就此成為美國無政府主義的代言人。之後高德曼的新情人（她對警察的說法是「我是他的妻子，不過是以無政府主義的形式」）柏克曼（Alexander Berkman）試圖暗殺卡內基鋼鐵公司董事長暨實業家福里克（Henry Clay Frick），她因此更加出名，同時也變得聲名狼藉。參與策劃暗殺的高德曼逃過被起訴的下場，但她對暗殺計畫毫無歉意。一八九三年初，她向群眾演說時表示：「子彈沒有殺死（福里克），但還有其他子彈正在鑄造，它們會更精準地朝目標飛去。」

柏克曼後來被判刑二十一年，服刑十四年後獲釋。他出獄時，高德曼已是真正的名人了。

這一切都發生在「鍍金時代」的整體社會背景下。全世界最有錢的富豪之一安德魯・卡內基

＊ 詳情請見第十一章。

（Andrew Carnegie）一八九二年曾向一名記者巧妙總結這個時代：「賺錢的不是那些實際工作的人，而是那個叫其他人來做這些工作的人。」更近的相關事件是「一八九三年大恐慌」，這是美國之後四年經濟蕭條的開始，期間有一萬五千家企業倒閉，數以萬計的民眾失業。那年的八月二十一日晚上，紐約曼哈頓的聯合廣場公園——政治運動人士長久以來最愛使用的場所——舉辦了遊行和集會。遊行群眾走在一面象徵世界各地社會主義者和勞工的紅色布條後方，他們說著移民的語言——德語、俄語、波蘭語、意第緒語和義大利語。高德曼形容聯合廣場的遊行群眾是成千上萬名「滿懷痛苦與憤慨」的人。她是當晚的第八位也是最後一位演說者，她上臺時，原本準備的講稿內容似乎已不足以應對當下那個時刻，所以她沒用上，實際發表的是後來讓她被捕的演說。

她先以英語開場，幾乎每句話都被歡呼與掌聲打斷，接著她改用德語發言。

> 各位，難道你們沒有意識到國家是你們最大的敵人嗎？它是壓垮你們的機器，為了支撐統治階級，也就是你們的主子。你們就像天真的小孩一樣信任你們的政治領袖。你們讓他們漸漸取得你們的信任，結果他們只為了出價最高的人就背叛你們。
>
> 即使不是直接背叛，那些勞工政客也會和你的敵人聯手栓住你，阻止你直接採取行動。這個政府是支撐資本主義的樑柱，指望它會導正這些事就太可笑了。難道你們看不出來，幾尺之外就有那麼多巨富，卻要求遠在奧巴尼的紐約州政府出手紓困，有多愚蠢嗎？第五大道是用黃金鋪成的，每座豪宅

都是以金錢和權力堆砌而成的堡壘。你卻站在這裡，明明是巨人卻飽受飢餓與束縛之苦，力量全被剝奪。

曼寧樞機主教（Cardinal Manning）很久以前就宣示，「在需求面前無法律可言」，「飢餓之人有權得到一塊鄰居的麵包」。曼寧樞機是深深浸淫於天主教傳統的神職人員，而天主教會一直站在富人那邊，對抗窮人；但他仍有些許人道關懷，也知道飢餓是一種強大的逼迫力量。各位也將不得不明白，你有權分得鄰居的麵包。你的鄰居不僅偷了你的麵包，還在漸漸榨乾你的血液。他們會繼續劫掠你、你的孩子、你孩子的孩子，除非你覺醒，除非你勇敢起來，要求你應得的權利。

所以，到那些富人的宮殿前示威吧，要他們給你工作。如果他們不給工作，那就叫他們給麵包。如果他們兩者都不給，那就把麵包拿走。那是你的神聖權利。

這些是高德曼對自己演說的敘述，其他的記述在內容和翻譯上略有不同。在她後來受審時作證的主要證人雅各（Charles Jacobs）警探曾悄悄埋伏於那場集會中，也稍懂德語。他作證說，她用英語講的內容沒什麼煽動性，「但當她開始說德語時，就發表了我認為已違法的言論，包括呼籲『透過武力拿走一切』。」她的律師則辯稱是翻譯混淆了她的原意。

另一份紀錄則稱高德曼當天說的是：

> 你們大多數人都離開了俄羅斯，俄羅斯的沙皇極其殘暴。在美國則有資本主義沙皇……有古爾德、艾斯特、賽吉、洛克菲勒、范德堡……宮殿是你們建成的，卻是別人住在裡面。政治人物在誤導你們……他們說上帝會餵飽飢民，但那是十九世紀的哄騙手段。我會繼續發聲，他們要抓我就來吧，但他們無法讓我閉嘴。

如果把那些「資本主義沙皇」的名字更新一下，並改稱他們「億萬富豪」或「所得前百分之一」，你會發現，高德曼說的話其實和當今政治光譜兩端的運動人士言論相差無幾，因為美國貧富與所得不均的情況已堪比十九世紀末。

儘管高德曼的演說當晚並未引發騷亂，但警方認定有這個可能，紐約的權力高層也明白他們聽到了什麼。高德曼在她於聯合廣場發表演說十天後被捕，當時高德曼正準備在費城發表演說。她被控的罪名是「煽動暴亂」，即使暴亂並未發生。當她從紐約惡名昭彰的「墳墓」監獄囚室被押往法庭時，紐約市已為實施戒嚴做好準備。報紙還報導說「有人準備強行營救艾瑪·高德曼」、「無政府主義者計劃衝進法庭」。警方原本就在監控許多知名的激進分子，此時更在每個街角都部署警力，並封鎖多棟建築。法院大樓除了高德曼、律師和媒體以外，其餘閒雜人等一律禁止進入，法院大廳還安排了更多警察駐守。

法官給予高德曼在宣判之前發言的機會。她的律師霍爾（Abraham Oakey Hall）曾任紐約市長，也為高德曼做了有力而縝密的答辯。此時他建議高德曼不要發言，以免她再說出具煽動力的言論，導致法庭內外的支持者群情激憤，讓警方有機會逮捕更多無政府主義者。

但高德曼堅持要發言，霍爾也因此停止擔任此案辯護律師。不過當高德曼站起身準備講話時，她猶豫了，內心天人交戰。她向律師表示要發言，律師就為此退出本案，她很清楚自己的言論有多容易激發民眾的憤怒和不滿。

所以在她起立準備說話的那一刻，沒有人知道她會說什麼，但幾乎沒人料到她會徹底改變心意，接受律師的建議。她只說：「有鑑於警方已極盡所能煽動我的無政府主義朋友們進行示威，好將他們也關進大牢，我不會在此發表任何演說。」

在她被控煽動暴亂而拒不認罪的官司裡，她因為擔心煽動暴亂而拒絕發言。

隨後法官宣讀了判決：有罪，須在布萊克威爾島監獄服刑一年。* 高德曼做出最後的反抗行動：不理會法官，而是向幾個朋友微笑比手勢。她被送上前往監獄的駁船時，對著大批跟隨她的記者說：「我好像女王出行一樣，看看這群屬下。」她下船向記者們告別時，還神氣地笑稱一年後再見，要他們在這段期間別再忍不住報導謊言。

高德曼集年輕、危險、俏皮於一身的特質，讓她的魅力難當，每次發言總能吸引大批聽眾。

---

* 布萊克威爾島就是今天曼哈頓東河（East River）上的羅斯福島（Roosevelt Island）。

如果她那天選擇在法庭上發言，會說些什麼呢？

好在《紐約世界報》(*The New York World*) 取得了高德曼原本準備的講稿，讓我們知曉答案：

我發言的目的不是為自己辯護，而是要捍衛我自由發言的權利。那些導致我被限制自由的人踐踏了這些權利。

我知道，先賢曾保證在這片土地上人人都享有言論自由權。那些將我帶來此處的人，對言論自由權的理解是什麼？是人人都有權說出個人眼中的正確或錯誤之事，還是只允許表達某一階層公民認為正確的事？

言論自由只能為政府與官員的目標服務嗎？只能為政府和官員所用嗎？個人就不能說出某些階級或某些公眾聽不入耳的真話嗎？我只能說那些違心之論，而且還非說不可嗎？

我確信，那些為爭取美國獨立而流血的先賢，那些為保障美國人民的自由與權利而獻身的先烈，對言論自由權的理解一定與當今的政府代表截然不同。這些政府代表對言論自由權的解釋是：只准發表有助他們獲得好處的言論。依照這種對言論自由權的解釋，我必須稱他們是專制暴君，他們無權參加獨立戰爭陣亡先烈的紀念儀式，因為他們故意踐踏這些先烈捍衛的原則，讓他們妝點先烈的墳墓是褻瀆的行為。

政府代表何不脫下所謂言論自由的外衣、丟棄虛假的面具，承認專制主義在此橫行？

在此情況下，美國公民根本無權輕蔑地指責歐洲的體制，對舊世界的饑民備受壓迫也無權置喙。無論是舊世界或新世界，工人的悲慘境遇都一天比一天惡化，而且就在今年達到高峰。

工人階級已難以維持生計，只能聚在一起商量，想出能滿足基本需求的辦法。那些一年到頭都在利用這些工人累積財富的人或許認為，讓工人對自身的危急處境稍有認知可不是什麼好事，他們驚恐之下向政府求援。於是無數員警和間諜被派去參加失業者的聚會，控制聚會商討內容，也控制聚會的講者。

我這類講者，會致力向工人說明導致他們不幸的真正原因。

我的演說內容肯定讓紐約的富人非常不快，因為他們動員了大批間諜，最後讓我被拘捕並監禁。至於關押我的理由，起訴書上寫的是我犯了法，我勸誘在場聽我演說的人行使暴力。

如果我在黃金法則廳、*在聯合廣場發表的言論違法，那當時所有在場人士、那些用持久響亮的掌聲贊同我的言論的人，都跟我一樣有罪。市府當局為什麼只追究我呢？為什麼？因為當局知道，工人階級不知道自己貧困的真正原因，才不會構成危險。

我身為無政府主義者，讓工人們明白了他們絕不能指望那些剝削他們的人會罷手。從那一刻起，

---

* 譯註：黃金法則廳（Golden Rule Hall）位在紐約曼哈頓下城區，當時是工會團體經常聚會的地點，二十世紀初一度改建為戲院。

我就讓統治階級渾身不自在，他們非把我這個擋路的人趕走不可。

我不承認為保護富人、壓迫窮人而制定的法律。訂定這些法律的人是誰？是我們偉大的參議員嗎？是資本家。是讓成千上萬工人在他們的工廠裡飽受折磨、緩慢死去的資本家。他們自己過著富裕的生活，卻剝削工人的體力，掠奪其勞動成果；他們建立財富的根基，是一座座由孩童屍體堆成的金字塔。

那些榮華富貴、奢靡生活、盛大排場和權力榮光，背後的代價是無數人被謀奪性命、被折磨得不成人形。

被剝奪權利的人民開始發聲，聲浪日益高漲，但專橫的統治階級不願聆聽，甚至制定新法要讓群眾噤聲。他們派出大批教士去教導人民順服，去宣傳迷信，讓人民繼續無知下去。

他們用溫徹斯特步槍和加特林機槍來對付工人的要求。我必須坦言，我和我的弟兄們將反對這套「秩序」到底，我們不認為這種「秩序」是對的。在爭取進步的過程中，我們絕不會屈就於和代表該秩序的人會面。

她隨後又以數百字描述無政府狀態將如何「讓人幸福而滿足」，最後的結論是：

我告訴各位，算總帳的日子不遠了，屆時人們將不再向暴君與專制統治者低頭。

這是我的信念，也是我向工人散播的信念，我始終秉持這份信念，至死方休。

你們已將我定罪，也可能判我入獄，但我告訴你們，我痛恨你們的法律。我痛恨你們的「秩序」，因為我只知道一種「秩序」，那是最具力量的秩序——無政府狀態。

這些講辭，高德曼那天一個字都沒說。被問及是否要談談法院為何不應判她入獄時，她只說法院的判決再糟糕，都改變不了她的觀點。如果她真的發表了原本打算發表的演說，是否會面臨更嚴厲的判決？畢竟檢察官主張，若高德曼獲釋，會有許多人的財產被摧毀、富人的孩子被謀殺、街道將血流成河。一篇談及絞刑架、溫徹斯特步槍與加特林機槍的演說（儘管她說這些是用來對付工人階級，而非富人），可能會讓情勢對她更不利，讓她被判更長的刑期。

高德曼沒有發表這篇演說，這樣的克制反而讓她更快受到公眾注意，也產生了更大的影響力。她進入更積極從事公眾事務的人生階段，不僅以大膽反抗的姿態倡議言論自由，也倡導婦女解放、自由戀愛、節育與社會主義。

高德曼的倡議還催生了美國最重要的言論自由捍衛團體之一——美國公民自由聯盟（ACLU）。一九〇八年，羅傑．鮑德溫（Roger Baldwin）在聖路易聽到高德曼的演說後深受感動，決定畢生致力追求自由大業，於一九二〇年創立了美國公民自由聯盟。他曾在一封給高德曼的信中寫道：「您始終是啟發我至深的人之一，您激發我瞭解自由的真義。」鮑德溫晚年時曾說：「艾瑪．高德曼不僅讓我接觸到未曾接觸的資訊，還有我未曾接觸過的人群，他們當中有人自稱無政府主義者，有人自稱自由意志主義者，也有人是自由愛好者……而將他們凝聚在一起的共同信念就是——免受脅迫的自由。

——

高德曼不僅催化了美國公民自由聯盟的誕生，也啟發海倫・凱勒的政治意識。一八八六年凱勒六歲時，父母帶她從阿拉巴馬州的家遠赴巴爾的摩看一位眼科醫生，以為他能幫助凱勒恢復視力。這位眼科醫生則要他們去拜訪世界知名的發明家貝爾（Alexander Graham Bell）。貝爾對研究言語、聽覺和發聲很感興趣，也在華府協助聽障孩童。他敦促凱勒一家人造訪波士頓的帕金斯盲人學校，讓凱倫有如命定般遇見了日後改變她一生的老師安妮・蘇利文（Anne Sullivan）。

凱勒十四歲時，在一場午餐會上認識了馬克・吐溫。吐溫當時已經舉世聞名，他對於凱勒用指尖摸索他手勢的動作十分著迷。*午餐後，吐溫寫了一封信，請他的富人朋友們資助凱勒上大學，也成了凱勒的朋友與支持者中第二位世界知名的人士。

凱勒就讀拉德克利夫學院期間開始撰寫《我的人生故事》（*The Story of My Life*），並分次發表於《婦女家庭雜誌》（*Ladies' Home Journal*）。這本書與之後的演講活動，讓她憑自身條件成名。但凱勒成年後開始陷入沮喪，人人都想聽她從殘疾的孤立狀態中獲得解救的童年勵志故事。他們樂於聽她呼籲慈善捐助聽障與視障人士，但很少有人想聽她將這些殘疾說成民權議題，更幾乎沒人想聽她談論個人政治觀點。她發現，她談自己的殘疾時，輿論會讚美她聰慧；但當她談論自己的政治信仰時，報紙的報導會把她當成小孩，說她被「利用」，並不完全瞭解自己在倡議的事。

一九一二年十一月，凱勒發表了題為〈我如何成為社會主義者〉（How I Became a Socialist）的文章。幾個月後，她決定為自己發聲。她同意到華府參加一場倡議婦女選舉權的大型集會，這場集會計劃「以盡可能公開的方式，向國家表達『修訂《美國憲法》、賦予婦女選舉權的全國要求』」。

集會原訂於一九一三年三月三日舉行，也就是威爾遜（Woodrow Wilson）總統就職典禮前一天，以確保會有眾多記者參加。主辦方希望威爾遜能在就職演說提出兩性應享有平等選舉權，並在總統任內支持修憲，† 他們也向威爾遜遞交一封信，表達這樣的訴求。

集會由下午三點在美國國會大廈前的遊行拉開序幕。群眾沿著賓夕法尼亞大道前進，場面相當壯觀：有多個全由女性組成的樂隊；有多位騎著馬的女子；還有多輛花車呈現聖經裡的婦女、血汗工廠中的婦女等各種情景；有來自各州的婦女代表團；以及不同組織與職業的婦女穿著同種顏色的服裝，遊行於橫幅標語後方。

雖然集會時間安排在下午，讓新聞媒體能大幅報導，但也因此讓大批喧嘩醉酒的群眾有時間聚集。

---

* 吐溫後來說：「十九世紀最有意思的兩個人物就是拿破崙和海倫・凱勒。」

† 威爾遜直到第二個總統任期才全力發聲支持婦女選舉權。

總數約五千人的遊行隊伍迅速被百倍於此、大約五十萬名的旁觀群眾淹沒。

群眾幾乎是立刻就湧入了遊行路線，倡議婦女選舉權的隊伍被迫從一整列四散成多個小群，飽受群眾的言語嘲弄與身體騷擾。男人試圖從遊行婦女的外套上摘走花朵，或把花車上的花扯下來；遊行婦女則向他們丟擲點燃的香菸。有人將口中叼著的香菸往一名遊行婦女身上吐，這名婦女於是向身旁一名警察求助，警察卻回答：「要是你們女人都待在家裡，就不會發生這種事。」

警方沒有採取任何措施保護這些婦女，唯一挺身而出的團體是由美國童軍和馬里蘭州農業學院的學生組成的小隊，這一小群男童與青年試圖保護遊行婦女免受聚眾鬧事的成年暴民攻擊。最後，位於附近的邁爾堡（Fort Myer）的騎兵部隊被召來，士兵與馬匹開始在遊行路線上前後奔馳，令遊行人士和旁觀群眾都備受驚嚇。

原本計劃遊行後在白宮附近的「大陸紀念館」(Memorial Continental Hall) 發表的演說，最終成了一場「義憤填膺會議」。會中通過一項決議，呼籲總統當選人威爾遜要求國會進行全面調查。《巴爾的摩太陽報》報導：「知名的聽障和視障女子海倫．凱勒小姐，對於她嘗試走向大陸紀念館觀眾席的過程中所經歷的一切深感疲憊與氣餒；她本來要以榮譽貴賓的身分發言，最後卻無法發表演說。」

凱勒原本要說什麼呢？

講稿用她最震撼人心的幾句話作為開場：

能和各位一起參與倡議婦女解放的英勇事業，我深感光榮。我成功戰勝黑暗，也為大家在全世界爭取光明與自由的奮戰加油打氣。我雖失聰，但我聽到了婦女解放的喜悅潮聲，這股浪潮將迅速傳遍這片土地，繼而向海外擴散。我雖失明，但我看到了新時代的曙光，屆時婦女將不再被奴役，孩子將不再為餬口而被剝奪甜美快樂的童年。世間一切的阻力都無法讓我們停下持續前進的步伐。

這裡使用的修辭手法稱為「對照」(antithesis)，是採用相似的句型結構，以「但」或「不再」來展現對比，呈現的節奏與對照能吸引聽眾。凱勒結構精巧的講稿本身已頗具力量，如果當時能以她獨具一格的方式發表，或許會更加有力。凱勒曾解釋，她畢生最失望的事就是無法「正常說話」。聽凱勒的錄音，可以聽出學會說話的聽障人士的獨特發音與聲調。但帶有口音或罕見語調的說話方式，有時反而能讓觀眾傾身向前，更專注地聆聽。

不過，在這場倡議婦女選舉權集會中未能發表的演說，產生的影響力可能比任何當時發表的演說還大。根據亞利桑那大學新聞學教授拉姆斯登（Linda Lumsden）對這場集會相關報導的全面分析，事件的後續餘波與參議院針對此事的聽證會顯示「這場騷亂讓反對婦女選舉權的報紙都承認，婦女是有權舉行和平集會的公民。媒體一旦承認此事，它們就更接近達成女性擁有投票權這個勢不可擋的結論」。

凱勒那天沒有發表演說，但她的沉默並未維持太久。根據托雷多大學歷史學者尼爾森（Kim

Nielsen）的記載，凱勒持續推動重要的社會與政治議題，敦促公衛官員別再「佯裝正派」，好好教育婦女有關性傳染病的知識，因為母親垂直傳染性病給胎兒是當時美國人的失明主因之一。凱勒也為勞工權利發聲，並表態反對第一次世界大戰，以及那些從一戰中獲利的人。凱勒經常與高德曼通信。一九一六年，她致函《紐約呼聲報》編輯，反對因為高德曼教導女性節育就將她判刑。信中說：「她（高德曼）畢生奉獻於救贖受壓迫者，如今正與施加壓迫的當權者搏鬥。若我們袖手旁觀，任由她被判入獄，你我也將同樣被囚禁。」高德曼則曾經形容，一九一六年聽到凱勒在卡內基音樂廳的演講是她「畢生遇過最受鼓舞的事件之一」。

凱勒也持續為爭取婦女選舉權提出論證。在演說被取消七個月後，她發表了一篇文章，認為婦女選舉權對男性而言亦屬必要，並毫無顧忌地評論道：「女人能投票，男人就不用被迫猜測她們想要什麼——而且還猜錯。」

她接著提出較為嚴肅的看法：「女性將能夠保護自己，不被男人制定的、敵視女性的法律侵害。有些人樂於想像男人會受到俠義本性的約束，因此以人道方式對待女性、捍衛女性的權利。確實有些男性保護了一部分女性，但我們要求的是所有婦女都擁有保護自己的權利，男人就不必再承擔這種封建責任了。」解除他們的責任，也就解除了他們一定程度的權力與控制。也許這便是歷史上出自女性的這些（以及其他許多的）演說引發憂懼、阻撓和斥責的原因。

同時，女性的演說遭遇阻撓並非因為當權者無法容忍她們的言論，而是因為我們始終很清楚：言論可能促使人們產生行動。

——

希望（或害怕）一個人說的話能讓另一個人邁出步伐，從一開始就是雄辯之辭的核心。薩菲爾在其著作《請聽我說》中引用了據說出自古希臘政治家伯里克利（Pericles）的話，後者將自己的演說與同胞狄摩西尼（Demosthenes）的演說相比：「伯里克利演說時，人們說『他講得真好』；但狄摩西尼演說時，人們說的是『我們去遊行吧！』」

這是一段很棒的引言，而且為演說撰稿人帶來兩大寶貴教訓：首先，演說的目的是激發聽眾採取某種行動，這行動可以是開一張支票，也可以是攻城略地。

第二個教訓是，永遠要檢查自己引用的句子。伯里克利死於西元前四二九年，而狄摩西尼生於四十五年後的西元前三八四年。伯里克利從未聽過狄摩西尼演講。

縱觀歷史，言語可能激發行動這件事，經常讓當權者感到憂慮。畢竟，如果言語能讓人採取行動，雄辯之辭不就成了一種催眠術或黑魔法？歷史上，人們怎麼稱呼那些會施黑魔法的人？女巫。

性別的差異就在此處顯現，讓手無寸鐵的艾瑪．高德曼被認為比許多丟炸彈或開槍的男性同輩還危險；這也是為什麼有這麼多人意圖干擾倡議婦女選舉權的遊行和集會，這種意圖強大到讓三百名遊行人士受傷。歷史上有許多時期，女性若對人施以魔法（無論是字面或象徵意義上的魔法），就會被貼上「女巫」的標籤。我們的社會一直抗拒讓女性獲得表達意見的力量。

作家瑪德琳（Madeline Miller）指出，聖女貞德被英國人俘虜後，後者以她行使巫術為由審判她，「她在審判辯論時能機智應對法官一事……竟被當作片面證據。」女性領導國家或社會運動的結局往往相同，無論是埃及豔后克麗奧佩脫拉還是安妮・博林（Anne Boleyn）。* 對於掌握或尋求權力的女性，我們一直心存畏懼並施予懲罰。

亞里斯多德在他探討演說的開創性論著《修辭學》（*Rhetoric*）中，就擔憂雄辯之辭會像任何工具一樣被濫用，無論演說者是哪一種性別。但他認為，雄辯之辭帶來的好處，也就是讓聽眾相信某些政策或某些人是好的（或壞的），仍然大過它被濫用的風險。他認為，避免雄辯之辭遭濫用的最佳防範措施，是幫助聽眾找出他們腦中哪一根槓桿被拉動了。我們在這裡學到邏輯論理（logos）、精神氣質（ethos）與情感（pathos）等概念，† 它們基本上就是在描述演說者拉動了聽眾腦中的哪一根「弦」。

直到今天，演說可能扭曲真相，也可能激發行動的事實依然讓我們掙扎不已。我們對於哪些人擁有這種權力憂心忡忡。愛默生（Ralph Waldo Emerson）就曾在一次桌邊談話中說：「演說就是力量——演說就是要說服聽眾、讓他們改變信念、讓他們不得不採取行動。」

高德曼在服刑期間成為愛默生作品的擁護者。她、凱勒和很多其他的女性（還有許多詆毀她們的人）都體認到，說服他人、改變他人的信念、令他人感到非去做某事不可的能力是擁有極大影響力的工具；如果被濫用，也可能構成極大的威脅。

如果我們以為提升女性地位就會壓縮男性可以施力的空間，因此對於讓女性擔任領導者躊躇不前，那麼我們必須記住，將權力賦予任何演說者，無論男女，並不會奪去我們的責任和力量。真正危險的是，我們作為聽眾時表現得彷彿毫無權力。

＊ 譯註：安妮・博林是十六世紀英格蘭國王亨利八世的第二任妻子，也是女王伊莉莎白一世的生母。她成為王后後，引領王宮裡的奢華風氣，並對付亨利八世與第一任王后所生的長女瑪麗公主。她最後遭斬首處決。

† 想瞭解更多，請見第十四章。

第四章　撰稿人的兩難：

尼克森總統的拒絕下臺聲明

「比總統被定罪撤職更具殺傷力的是，總統未經彈劾與審判程序就被免職，讓國家陷入亂局。」

一九七四年七月二十七日、二十九日及三十日，美國眾議院先後通過三項針對理查．尼克森總統的彈劾條款。尼克森在眾議院的盟友估計，贊成彈劾他的票數將大幅超過門檻；他在參議院的盟友也認為，當時剛曝光不久的一段錄音，已證明尼克森下令隱瞞民主黨全國委員會遭人擅闖並竊聽的事件。他的聲勢正在下墜。同意將他解職的參議員即將超過總席次三分之二的門檻。大勢或許還未底定，但輪廓已然浮現。

尼克森也心知肚明。他隨後就跟他的演說撰稿人普萊斯（Ray Price）說：「我得想想參議院審判意味著什麼。」他得考慮辭職。到了八月一日，他已決定要這麼做，雖然只通知了少數幾名親近幕僚。

當時的計畫是，讓這位美國總統在八月五日星期一宣布辭職，次日中午生效。

於是普萊斯秘密著手撰寫辭職演說稿。他後來在《伴隨尼克森》(*With Nixon*)一書中回憶,「必須完全保密的部分原因是要讓準備工作有序進行,別讓一切在此時陷入紛亂。」普萊斯當時不知道,他的一名新進年輕助理正不停地見人就說自己「無法談論」正在參與的極機密計畫,因此讓某些人對普萊斯在做的事頗為清楚!

不過,除了要維持表面如常之外,普萊斯必須秘密撰寫尼克森的辭職演說稿,也和尼克森做決策的習慣有關。在正式宣布前,所有決定皆非「定案」*——「這是他總統任內最後且最事關個人的決定,尼克森顯然會不斷重新評估、重新審視,很可能改變心意」。

八月三日星期六,事態果然有變。普萊斯被叫去幕僚長海格(Al Haig)的辦公室。尼克森改變主意了,他仍然會在週一發表演說,也會將法院下令他交出的多捲錄音帶謄抄為逐字稿公開,但他不會辭職。

——

歷任總統的講稿都有幕僚協助撰寫,漢彌爾頓(Alexander Hamilton)就曾為喬治·華盛頓撰稿;但首位明確獲聘為演說撰稿人的幕僚是威立佛(Judson Welliver),當時是一九二〇年代,哈定(Warren G. Harding)總統執政期間。威立佛的實際職稱是「文員」(literary clerk),至於那個準確但稍具誤導性的職稱「演說撰稿人」(speechwriter)則捕捉了這份工作的某種特有張力:它透露出一股自信。曾有很長一段時間，大家都認為演說撰稿人所寫的講稿應該被聽見，但他們的意見和有關他們的事情則不應被聽到。

別人問到我的工作時，我常說它有點像浮士德的交易，因為必須放棄自我意識與自己的聲音，換取見證（和協助陳述）歷史的機會。但演說終究是屬於講者的。演說撰稿人如果想因某個新穎論點或金句而邀功，被當作不諳人情世故已是最好的結果，最糟的後果則是被視為缺乏忠誠。演說撰稿人佛拉姆（David Frum）對此說過一個警世（但也許不全然準確的）故事。根據這個故事，小布希總統在二〇〇二年的國情咨文使用「邪惡軸心」一詞之後，佛拉姆的妻子發了電子郵件給幾個朋友，分享她「身為賢妻的驕傲」，因為這句話出自她丈夫的手筆。這封郵件後來被人公開，不久佛拉姆便離開了白宮。雖然他宣稱自己在撰稿期間就提前一個月遞交辭呈，但這個故事有如「用一隻死烏鴉嚇跑其他烏鴉」的職場版，警示我們：千萬別為演說稿邀功。

不過，演說撰稿人後來逐漸成為政治圈小有名氣的人物，這種規矩也沒那麼嚴格了。在美國，多位總統演說撰稿人的姓名已眾所周知。諷刺的是，在這份工作的可見度提升之際，它的重要性卻日漸式微。

＊ 直到今天，我還是會告訴員工：在講稿真正發表前，絕對不要說它是「定案」。即便發表後，我也希望他們稱之為「已發表版本」。對我來說，一份講稿幾乎從來沒有「定案」的時候。

在泰德・索倫森（Ted Sorensen）和小亞瑟・史萊辛格（Arthur Schlesinger Jr.）為甘迺迪總統撰寫講稿的時代，演說撰稿人往往首先是政策制定者，其次才是詩人；他們是總統的思想夥伴，而不僅是代筆寫手（或是「抄寫員」〔scribes〕，我的前上司高爾曾在他的辦公室怒吼這個詞，用來叫喚我和我同事）。但近年來，演說撰稿的職務愈來愈符合記者馬克斯（D. T. Max）在小布希執政時期的描述：「白宮政策制定和文章撰寫是在不同的軌道上分別進行，兩者僅在較高層級的會議中整合。」

光是演說撰稿人這個職位的存在，就已讓許多人備感訝異。就如我讀努南（Peggy Noonan）的精湛著作《我的革命見聞》（*What I Saw at the Revolution*）時，才非常驚訝地發現這個為雷根總統某些最鏗鏘有力的演說執筆的女子，與雷根本人幾乎毫無聯繫。

這就產生一種情況：演說撰稿人有時會被要求為他們不瞭解或不同意的政策或行動辯解。

尼克森覺得，如果他能說明那些對他不利的證據並不如表面上那麼確鑿，或許還能保住總統大位。他有理由這麼相信，他的說服力也值得他這麼相信。

二十二年前，時任參議員的尼克森被控不正當募款時曾發表談話，後來被稱為「格子演說」（Checkers speech）。當時他被指控擁有一個非法政治基金，雖然那些指控的說詞相當薄弱，但對他尋求成為艾森豪競選總統的副手十分不利。

尼克森決定略過對他不友善的媒體，買下高收視率喜劇節目《德士古明星戲院》（*Texaco Star Theater*，後來更名為《米爾頓．伯勒秀》〔*The Milton Berle Show*〕）之後的三十分鐘時段，直接向美國民眾講述他的說法。這也是美國史上首次在全國電視網播出的政治演說。尼克森刻意將布景安排得像家裡的客廳，他發表演說時，妻子派特也在這個客廳布景中（而且還在鏡頭前露面）。

他發表演說的媒介是新的，演說修辭的調性和質感也是新的。整場演說貼近個人，也表達了懺悔之意，頗具感染力。

尼克森在談話中說明了那個基金的性質與用途，並指出他和許多同僚不一樣，並無個人財富，而且當了參議員後又不能繼續擔任執業律師；如果讓妻子領政府薪水（像當時許多民選官員一樣），他也覺得於心不安。

他描述自己家庭環境有多儉樸，並以我們今日會認為貌似謙虛、實為吹噓的方式提及他的軍旅生涯：「這麼說吧，我的服役紀錄沒什麼特別之處。我去了南太平洋。我想我有資格獲頒幾枚戰鬥星章。我也收到了幾封褒揚信。」

他接下來講的這段話，值得今人再次閱讀，因為它預示了當前社會多麼癡迷於政治人物以謙遜敘事展現親民作風的威力：

戰爭結束時，我和派特（派特在戰時當過速記員，在銀行工作過，也曾經擔任一個政府機構的經濟學家），我們在戰爭結束時的存款，包括我當執業律師、她當教師，加上我在整個服役期間領到的軍餉，全部相加後總額略低於一萬元。順帶一提，我們把每一分錢都投入政府債券。我最初進入政壇時，這就是全部的身家。

那麼，我從政至今賺了多少錢呢？來，我算給大家聽。我寫下來了，容我唸一下。首先，我有眾議員和參議員的薪水。其次，我和我的律師事務所脫離關係後，六年來我從留在事務所的資產中總共領到一千六百元。順帶一提，剛才說過我已不再執業，自我從政以後，事務所接到的業務收入都沒有進到我的口袋。我每年從非政治性的演講活動和講課賺的錢平均約一千五百元。

尼克森還鉅細靡遺描述他們的住家、他家的租金、他開的奧茲摩比汽車，然後他說：

好了，差不多就是這樣。我們擁有的，和我們積欠的，就是這些。我們擁有的不算很多，但我和派特對於我們每一分錢都是老實賺來的非常滿足。我應該這麼說，派特沒有貂皮大衣，但她的確有一件尊貴的共和黨毛呢大衣，我總是告訴她，她穿什麼都好看。

還有件事也許我應該告訴大家，因為我如果不講，他們大概會拿來說三道四。在選舉結束後，我們確實收到一樣東西，是一份禮物。德州的一個男人從電臺廣播聽到派特說，我們的兩個孩子想養狗。信不信由你，我們這次競選行程到巴爾的摩時，在離開前一天接到巴爾的摩聯合車站通知，說有一個要給我們的包裹，於是我們就前往領取。你們知道是什麼嗎？是一隻裝在板條箱裡的可卡幼犬，他大老遠從德州寄來的，有著黑白相間的花紋。我們的六歲小女兒特莉莎幫牠取名叫「格子」。你們知道的，我們的孩子就跟所有小孩一樣喜歡狗。我現在只想說，不管別人怎麼講，我們會繼續養牠。

政治專家相當厭惡這場演說。大名鼎鼎的記者兼評論家李普曼（Walter Lippmann）就認為，這是將政治程序過於民粹化。斯克利普斯—霍華德新聞社專欄作家魯亞克（Robert Ruark）寫道：「迪克．尼克森（Dick Nixon）* 在全世界面前把自己脫得一絲不掛，將女人、小孩、狗和他的參戰紀錄都拉進他的表演裡。」（講句公道話，魯亞克也對尼克森略表同情，指出這次演說是「一個小男人的奮力掙扎」，為了挽救自己的政治生涯。）為尼克森作傳的作家威克（Tom Wicker）則寫道，這次演講是「某種滑稽而低下的公開脫衣舞，自此將尼克森定型為鄙俗的政治騙子……利用老婆和小孩的狗來搶選票」。幾年後尼克森出現在國家廣播公司的《今夜秀》，作家法蘭克（Jeffrey Frank）在《艾森豪與尼克森》（*Ike and Dick*）一書中描述，此舉「讓人們瞥見了品味低劣的未來，莊嚴的政客厚顏無恥地上喜劇節目」。（還是要講句公道話，尼克森在《今夜秀》中的「表演」並非有失尊嚴之舉，他還演奏了親自譜寫的鋼

* 譯註：迪克是理查的暱稱。尼克森參與一九五〇年加州參議員選舉時，隱瞞共和黨員身分參與民主黨初選，被民主黨取了「狡猾迪克」（Tricky Dick）的綽號。

琴協奏曲。）

尼克森也對自己的表現頗為失望，不是因為談話內容，而是因為沒掌握好演說結束的時間。他的目的是要呼籲民眾致函共和黨全國委員會，表達是否應讓他維持艾森豪競選副手的身分（也就是反抗艾森豪希望他棄選的要求，讓艾森豪失去決定權），但他忘了說寄信地址。他離開講臺時把講稿扔在地上，說道：「我搞砸了。」

但觀眾非常喜歡這場演說，寄出了大批回應信件。根據一項記載，當時民眾約寄出四百萬封回應尼克森談話的信，其中有大概三十萬封信成功寄達共和黨全國委員會，支持尼克森的信件是反對信的三百五十倍。

艾森豪最後重新接受了尼克森，至少公開情況下如此。艾森豪與尼克森這組搭檔也成功贏得總統大選。

雖然「格子演講」的主要內容是真的，但關於那隻狗的細節多為虛構。「格子」這隻狗並非驚喜禮物，也不曾出現在巴爾的摩；尼克森發表那場演說時，幾乎沒見過這隻狗。

不過，曾在尼克森執政時擔任白宮演說撰稿人、後為《國際先驅論壇報》發行人的休布納（Lee Huebner）指出，尼克森提到那隻狗、提到家人，以及將家庭與財務生活攤在大眾目光下，「預示了新保守民粹主義在美國的崛起，強調社會和文化『認同』的訴求，而非經濟利益的訴求。」記者坎普頓（Murray Kempton）嚴苛但準確地總結：「五〇年代不是艾森豪的時代，而是尼克森的時代。在那十年間，此人代表美國中下階層，將美國的聲音、其顫巍巍的精神、自怨自艾與妒羨之情，銘刻在它的歷史中。」

沉默的多數確實存在，他們清清楚楚地聽進了尼克森的話，決定團結起來力挺他。

二十二年後，尼克森再度面對另一樁醜聞，也想再次發表談話，直接說服人民。他改變了辭職的想法，身邊核心圈子的人也大多如此。這讓普萊斯憂心不已。他覺得尼克森最親近的幕僚只是在附和總統，並未提出建言。普萊斯擔憂的是，尼克森在政治上已無倖存之路，下臺還能保住尊嚴的唯一途徑就是立刻辭職。他向幕僚長海格提出了不同意見，然後「心煩意亂、憂心如焚地回到我的辦公室，轉換思路寫下一篇我認為會鑄下大錯的演講稿」。

——

我常被問到是否曾為意見不同的人寫過講稿。我的確有幸選擇為我贊同且欽佩的人寫講稿，但確實也有些時候，我欽佩的人想發表的談話是我不能同意的。

二〇〇一年九一一攻擊事件發生時，我正為參議院多數黨領袖達修爾（Tom Daschle）工作。當時，各種制定新法的提議迅速瘋狂地湧來；從（過度）授權總統出兵對付發動攻擊者的動武決議，到（同樣過度授權的）《愛國者法案》（Patriot Act），該法案打算以國家安全之名，對美國人民實施不受限制的監控。在每一種情況中，達修爾參議員都努力試著限制與調節政府的權力。在國家陷入巨大傷痛與激憤之情的時刻，這並非易事。但政治的現實就是，打每一場戰役都無比困難，尤其在挑戰紛至沓來的時刻。

其中一個立法提議是允許航空公司的機師在駕駛艙內帶槍。我記得我問了達修爾我們對這件事的立場是什麼。

達修爾是有執照的飛行員，曾在空軍國民警衛隊服役。他說，訓練有素的飛行員開飛機遭遇狀況時，唯一職責就是讓飛機安全降落；此時的飛行員最不想讓自己變成牛仔（他說到這裡還做出面朝前方、持槍朝背後射擊的手勢）。他又說，想像一下在加壓的機艙裡，若槍枝誤射會發生什麼事。「所以我們要反對囉？」我問。他嘆了一口氣說：「不，我們要贊成。」

我問過我的一位導師、知名政治戰略家卡維爾（James Carville），要怎麼寫一份講稿，裡頭提倡的是我個人覺得錯誤的主張？「我告訴你要怎麼寫，」他以特有的直率風格回答：「你可以為一個你九成時候都同意，而且能拿到百分之五十一得票率的人寫一篇你不樂意寫的演講稿……或是可以找一個你百分之百同意，但你無法為他們寫講稿的人，因為他們僱用不了你，因為他們只拿到百分之四十九的選票。」

後來我寫了那篇講稿，好在達修爾沒有發表。他把心力放在確保法案規定想帶槍上飛機的機師必須接受專門訓練；此外也規定機師在飛行期間必須鎖上駕駛艙門；他還修改了其他許多規定，極力降低商用客機內有人開槍的機率。以後見之明來看，這是一次技巧純熟的立法。他之後和八十六名同僚一起投票贊成該法案。

投下這一票表示「贊成擁槍」嗎？在我看來是的。但是，在我代表那個真正必須在此議題上投票的人，將他要說的話形諸文字時，我成功說服了自己相信它不是。那是我的工作。我很感恩的是，只能出於理智而非發自內心撰寫講稿的情況不常發生。*

——

此時，普萊斯就被指派了一項他認為並不明智的任務，而尼克森總統希望隔天就在大衛營見到他。於是普萊斯寫了一篇不辭職演說稿。

他也寫了一份他稱之為「選項B」的講稿——也就是宣布辭職的演說稿。他加入了一些他推測「比較接近事情真相」的言論，認為可能藉此說服尼克森辭職。

這是演說撰稿人時常不得不做的事情。做這份工作，你必須成為老闆的化身，成為附身於老闆的方法演技演員。我寫講稿時，腦中總會聽到要發表這篇演說的人在說話。但我腦中出現他們的聲音，不代表我確切知道他們的腦子裡在想什麼。因此我和同事在撰寫講稿時，都堅持要訪問演說主角。如

* 並非人人如此。我一直很欽佩羅伯．甘迺迪的幕僚艾德曼（Peter Edelman）與貝恩（Mary Jo Bane）的勇氣。他們都覺得柯林頓（Bill Clinton）同意簽署的福利改革法案太過殘忍，因此在一九九六年辭去衛生與公共服務部的工作。

果無法訪問，就必須盡可能推測最接近的答案。普萊斯此時就是這麼做的，他希望能建構出一個讓尼克森讀到時不得不承認的事實。

普萊斯深知，尼克森最直言不諱的時候給人的印象最好。於是他寫道：

我知道侵入民主黨全國委員會是件蠢事，也是件錯事。但當它發生時我就明白，後果必須由我承擔——由於牽涉到總統職位，事情可能引發的後果會衝擊全國，乃至全世界。

現在回頭看，在去年稍早水門案和它被掩蓋一事再次受到全國矚目時，如果能完整坦率地解釋一切，或許會更好。然而，當時掩蓋水門案風波的規模已超出我的理解，我覺得自己身陷困局，於是選擇了另一種方式，試圖朝我認為有利於總統職位的方向辯解，嘗試維持我的職權，以履行我認為有利於國家的職務。

我說這些不是要為自己辯護，只是要解釋發生了什麼事。

這份講稿也試圖提醒聽眾尼克森有哪些成就。他還宣稱，真正的濫權行為是一九七〇年代初期讓全國陷入劇烈震盪的抗議與暴動。

我們已經聽過很多所謂濫權的事——特別是關於我在一九六九、一九七〇和一九七一年採取的措施，當時是要應對我認為嚴重威脅國家安全和福祉的行為。在今天相對平靜的情況下，人們很容易回頭譴責那個時候的解決辦法，而忽略了它所要解決的病灶。人們很容易忘記當時城市在燃燒、校園被摧殘、大學院長被圍困在辦公室，以及刻意要讓全國各地都陷入恐慌的暴動與大規模暴力示威。這不是民主的行動，而是對民主制度野蠻而危險的攻擊。

這份「選項B」講稿如此作結：

奮戰有時，離去有時。在一路上邁出的每一步，我都盡力去做我認為對國家最有利的事。當我相信奮力保住職位對國家最有利時，我奮力保住了職位。而現在我相信，辭去職位才最有利於國家，因此我將離去。（講稿結束）

「選項B」講稿與尼克森最終發表的辭職演說完全不同。前者一開頭便宣布辭職，接著花費許多篇幅解釋為何他理應不必辭職。尼克森最後的辭職演說則幾乎沒有為水門案醜聞辯解，甚至連提都沒提到幾句。

與此同時，普萊斯確實還有要務在身。他依尼克森要求，寫了一份拒絕辭職的演說稿。這份講稿就如同格子演說，有點像在跳脫衣舞，把他的資產和負債都攤在陽光下。例如，講稿內容並未迴避讓他顯得有罪的最有力證據。普萊斯的講稿要讓尼克森這麼說：「我也要告訴各位，我發現了一項新證據，亦已體認到它對我的案子並無益處。」

寫到這裡，尼克森為自己提出的辯解聽起來實在沒什麼說服力，或許因為如此，普萊斯把彈劾他的後果講得更嚴重；說它攸關政府穩定，並稱在甘迺迪被暗殺後，繼任總統（詹森）深蒙其害，選擇不尋求連任，如果下一位總統（尼克森）又辭職，就等於主動放棄我們對全世界應負的責任。

這套立論實在不怎麼樣，但普萊斯已經盡力了，於是他決定就這麼交出去。

晚安。

隨著眾議院司法委員會的審議結束，正等待全體院會針對他們所提出的建議採取行動，不少人詢問我自己打算如何處理彈劾問題。

我要求安排讓我發表談話的時段，要告訴大家我打算怎麼辦。

眾議院針對司法委員會彈劾我的建議，已排定要在兩週後進行辯論，也就是八月十九日。

司法委員會的行動，已讓我在眾議院維持地位所需的政治基礎受到嚴重危害。因此，現在幾乎可以斷定眾議院將表決通過一項或多項彈劾條款，之後全案會送交參議院進行審判。今晚我的目的並非提出辯解，這事之後會找時間進行。我現在是要說明接下來打算怎麼做。

我也要告訴各位，我發現了一項新證據，亦已體認到它對我的案子並無益處——但我已指示律師團隊立刻將它送交司法委員會。

過去幾天，我密集核查特別檢察官下令呈交的六十四捲對話錄音帶，最高法院也下令將它們呈交給西利卡（John Sirica）法官。我發現這些錄音對話，除了其中一段之外，全都證明了我在四月二十九日宣布將公開對話逐字稿時所說的：就總統所知或介入程度，我提交給司法委員會的證據已完整呈現了水門事件的全貌。這六十四捲額外的錄音帶將呈交給西利卡法官……在它們公開後（它們必然會被公開），真相也將顯而易見。

至於那例外的一段錄音，是我在一九七二年六月二十三日與哈德曼（H. R. Haldeman）的談話，內容是關於我指示聯邦調查局與中央情報局協調合作。我檢閱錄音時才明白，我跟哈德曼先生的確談到了相關情況的政治層面，我們也完全意識到，限制競選連任委員會的相關人士牽涉（侵入民主黨全國委員會）一事可能的曝光，這樣的行動對我們有利。由於這次談話發生在侵入事件後幾天，我知道人們將普遍把它詮釋成我自始就參與掩蓋事實的證據。

容我花幾分鐘解釋我為什麼沒有早一點公開此事，雖然我應該要早點公開。今年五月，我開始核查特別檢查官調閱的六十四捲錄音帶，但因十二天前最高法院做出的最終判決而延後完成審視工作。先前核查部分錄音帶時，我聽過這捲帶子，但未特別重視。我當時不認為它和我之前的說法不一致，沒有要求將它謄寫成逐字稿，也未告訴幕僚或律師這捲錄音帶可能存在隱憂。

現在我體認到這是嚴重錯誤，因為這導致我的律師、幕僚，還有包括眾議院司法委員會成員等其他為我辯護的人，都是基於不完整的事實在為我說話。現在讓我談談我未來的打算。

很多人推測我會辭職，不會面對參議院的審判。某些人提出的原因是我的政治基礎已受侵蝕，我在參議院獲判無罪的機會渺茫或是無望；某些人則說，參議院審判會使整個國家陷入重心分散且不確定的狀態長達數月；還有些人說我不應走完全部的《憲法》程序，因為即使獲得參議院平反，我的政治力量也將大幅衰退，餘下的任期已無法有效治理國家。

某些人認為，如果我不屈不撓地堅持下去，不僅無視他們認為必不可免的結果，也將承受可觀的政治風險。

沒錯，當我重聽六月二十三日那捲錄音帶，體認到外界可能如何詮釋它之後，我的確曾經認真考慮辭職。

我對所有的問題認真思考了很久……我也和家人一起徹底考慮了這些問題。他們和我一樣相信，已經啟動的《憲法》程序不能中止或縮短，必須進行到底，也就是由參議院進行公平審判。如果我辭職，整個國家將免於耗費幾個月的時間在彈劾與審判總統的磨難中。

但這也將使那些讓全國陷入焦慮、分化、不確定的狀態而付出太多代價的問題就此無解。更重要的是，我們的《憲法》架構將留下一道永久的裂痕，就此建立一項原則：在壓力之下，總統可能在《憲法》提供的手段付之闕如的情況下被解職。若建立了這樣的原則，未來每一位可能因任何原因在一段時期內不得人心的總統，都將面臨這種壓力。

無論發生了什麼錯誤（確實有很多錯誤），或我該為這些錯誤負多大責任，我都堅信自己的任何作為或不作為，都不足以讓身為正當民選總統的我被解職。如果我真的相信我曾經犯下這類行為，我早就辭職了。

讓我走完全部程序，短期內會讓國家付出代價。未來幾個月對任何人來說都不會好受。但長遠而言（無論彈劾案結果為何），終將產生更穩定的政府。比經歷參議院審判的煎熬更具殺傷力、甚至比總統被定罪撤職更具殺傷力的是，總統未經彈劾與審判程序就被免職，讓國家陷入亂局。

放眼整個西方世界，各國政府的不穩定已如同流行病一般普及。在美國，過去十幾年間有一位總統遭暗殺；繼任總統在未尋求連任的情況下，實際上是被迫去職；如今第三位總統處在遭眾議院彈劾的邊緣，有呼聲要他辭職以簡化解職程序。

這個國家對自己、對全世界都肩負巨大責任。如果我們要讓現在和未來的總統妥善履行這些責任，就不能讓這一任總統的職位被摧毀，也不能讓這個職位淪為獵物，輕易落入那些會歡慶總統垮臺的人手中，令這種遊戲成為國家慣例。

因此，我要完整走完《憲法》程序——無論最後結果是什麼。

我要坐在全體參議員面前，宣誓回答所有詢問我的問題。

普萊斯撰寫這份講稿的同時，也構思了兩個反對這份講稿的主要論點，是他希望能向海格和尼克森本人提出的主張。都已經有對他不利的新證據出現了，為什麼還要用黃金時段的全國演說宣告要繼續奮戰下去？用黃金時段演說來緩和新證據公開後的輿論反應，不是比較好嗎？況且，尼克森若矢言要走完接受參議院審判的程序，豈非無謂限制了自己的選項？無論如何，這已經是普萊斯能寫出的最佳版本的演說稿了。在幕僚群抵達大衛營後，尼克森把幕僚長海格找去密商，讓普萊斯和其他人待在旁邊的房間裡枯等。海格回來時，尼克森的對策改變了。他仍決定暫不辭職，但也不發表演說了。

普萊斯寫好的講稿，直到二十二年後才公諸於世。

——

一九七四年八月六日，有兩場高空走鋼索的表演正付諸實行。菲利佩・普提（Philippe Petit）正在進行最後的準備工作，要在紐約的世貿雙塔之間偷偷牽起一條鋼索，計劃第二天一早從上面走過去，完成「世紀僅見的犯罪藝術」；在華府，尼克森則向內閣保證他會繼續奮戰，而且他確信辭職是「超出憲法」之舉。

但此時的尼克森心知肚明，他的表演即將落幕。就在《華盛頓郵報》準備刊出尼克森不會辭職的大字標題時，他已做出辭職的決定。普萊斯在回憶錄中寫道，當天下午四時許，他被叫到海格的辦公室。海格提出的要求非常簡單：「我們需要一千字。」

「他終於做出決定了？」

「是的。」普萊斯當晚寫了一份講稿，讓總統翌日一早就能看到。這份講稿和他四天前才寫的「選項B」初版講稿大相逕庭，少了辯解、多了反省，體認到「國家利益永遠必須置於個人考量之前」。它也讚揚尼克森任內與中國建交等成就，亦提醒美國人他「擔任眾議員、參議員、副總統與總統」的公職生涯都在為民服務。

普萊斯在這份講稿封面加上他個人寫給尼克森的便箋，簽署日期是一九七四年八月七日：

附上演說初稿，我會再加入更多想法。相信您明白，我認為在此情況下，這是令人遺憾卻不得不然的決定。但我真切希望您卸下總統職位時，以您達成的種種成就為榮，我也以自己能參與其中並與您相交為友為榮。願上帝保佑您，祂必將保佑您。

第五章　修辭的技巧：
波士頓市長與種族融合校車

「一個公職人員又驚又怕，不敢朗聲說出他真誠相信的事，這比死亡之外的任何氣味都要臭不可聞。」

波士頓市長凱文．懷特駕著他的福特野馬跑車，在州參議員比利．巴爾傑（Billy Bulger）家門外停下，沒有平日的警察隨扈陪伴。此時是一九七四年九月十六日星期一的凌晨一點三十分。懷特進入屋內，他的幕僚長傑克遜（Ira Jackson）則留在車上。此時，市議員希克斯（Louise Day Hicks）與州眾議員傅萊赫提（Michael Flaherty）已在屋裡。市長想和他們談談自己與幕僚聽聞的一項威脅。

此前一週，波士頓已實施了兩天法院下令進行的種族融合校車制度，以消除全市各中小學的黑白種族隔離現象。在地方法院法官蓋勒提（Arthur Garrity）下令實施的種族融合校車第一階段中，包括將南波士頓區的白人學生載往黑人聚居的羅斯伯里區（Roxbury）就讀，以達種族融合之效；黑人學生則坐上反向路線的校車，融入以白人為主的南波士頓。最初兩天並不順利，街頭一片混亂，好幾輛校車被破壞，六名學生和一名警察受傷。此時坊間流傳的消息是，在開學後第一個完整星期的週一（也就是天亮後的早上），波士頓惡名昭彰的愛爾蘭裔黑幫「冬山幫」（Mullen Gang）打算收編原已計劃進行的反校車遊行，並採取暴力手段，甚至可能試圖開槍擊斃黑人學生。

市長完全有理由相信此威脅的真實性。就在那個夏天稍早，有一間小學被人縱火，距離蓋勒提法官在市郊富裕地段威爾斯利（Wellesley）的家僅八百公尺。剛過去的那個星期，一枚汽油彈被扔進「約翰．甘迺迪國定歷史古蹟」（即這位美國已故總統的童年舊居）的後窗，有人在外頭的人行道塗寫下大字「校車泰迪」（Bus Teddy）——指的是參議員泰德．甘迺迪（Ted Kennedy）*支持融合校車。這兩起攻擊事件的主使者據傳就是與冬山幫共同主宰南波士頓的犯罪組織首腦白毛．巴爾傑（Whitey Bulger）。

白毛的弟弟、州參議員比利．巴爾傑也不贊成實施種族融合校車，但他的主張多了一點智識成分。他像許多人一樣，以兼具影響力與爭議性的一九六四年聯邦政府《柯爾曼報告》其中一項結論為憑據。這份由社會學家柯爾曼（James Coleman）主導的研究報告，發現社經地位（階級）是學生成就的關鍵決定因素。因此巴爾傑認為，實施種族融合校車讓低收入的白人孩童與低收入的黑人孩童交換就學，並無益處。不過，市長不是來巴爾傑家討論政策的，他是要阻止一場動亂發生。一如預期，其他兩名與會者沒起什麼作用。市議員希克斯和州眾議員傅萊赫提都說遊行與他們無關。無論如何，懷特市長已經把話帶到，要讓身為州參議員的哥哥知道聯邦調查局會出動。如果那天早上或那一週，有任何黑幫分子主動採取暴力行為，或干擾種族融合校車，聯邦調查局將在聯邦政府的全力支持下對付他們。

揚言聯邦調查局會參與也許有嚇阻作用，但懷特其實不確定自己是不是在虛張聲勢。懷特市長辦公室得知可能發生騷亂的傳言後，他首先打電話給美國眾議院議長歐尼爾（Tip O'Neill），請求歐尼爾聯繫福特（Gerald Ford）總統，要求下令美國陸軍第八十二空降師待命——一九六七年的底特律暴亂就是被這支部隊平息的。但福特拒絕了。福特並不同意蓋勒提法官的命令，這也是反對種族融合校車運動者的宣傳話題之一。

懷特要求幕僚長傑克遜打電話到蓋勒提法官家，請求他下令聯邦法警介入。如此一來，如果黑人學童的權利受到任何形式的侵犯，都是違反聯邦民權法律的行為，可視為聯邦重罪施以懲罰，而非南波士頓區域法院判處二十五美元罰款就能了事的輕罪。蓋勒提的妻子接起電話後，傑克遜傳達了懷特的請求，接下來發生的事突顯了市長辦公室和蓋勒提法官之間的關係有多惡劣，蓋勒提太太傳話之後重拾話筒說：「我丈夫要我告訴你，如果你再打電話到家裡來找他，他會裁定你藐視法庭。」

懷特大發脾氣：「那個狗娘養的蠢貨，他下達了那該死的命令，然後就隱居在自己的郊區大宅裡，

* 譯註：泰德．甘迺迪是約翰．甘迺迪的弟弟。

拒絕和唯一能執行他命令的人溝通。」

曾任中央情報局特務的基利（Bob Kiley）是懷特的副市長，他已致電聯邦調查局局長凱利（Clarence Kelley），同樣請求他協助，但還不清楚聯邦調查局會怎麼反應。

因此，懷特在凌晨兩點三十分離開比利．巴爾傑的家時，已別無選擇，只能自己設法阻止遊行發生。接下來的幾天將攸關波士頓的未來，也攸關懷特市長的連任機會。幾個月後，懷特市長還必須在市議會發表城市概況報告。

此前近十年間波士頓中小學的種族失衡情況，以法律用語描述就是「法律未承認但事實上存在」（de facto）的種族隔離，也就是種族隔離的情況因偏好、偏見與社會常規而存在，但不是法律規定的（de jure）種族隔離；而根據麻薩諸塞州議會制定的《一九六五年種族失衡法》，事實上存在的種族隔離就已經違法。自該法通過以來，波士頓學校委員會一直未遵從州教育委員會的命令制定並實施種族融合校車計畫。該委員會能夠抗命的其中一個原因是，委員會的五名成員並非分別代表不同地區，而是每名成員都代表整個波士頓市。根據以往經驗，這表示五名委員都會是白人，主要是愛爾蘭裔。

一九七二年，美國全國有色人種協進會代表十四名黑人家長與四十四名黑人學生，對公立學校委員會主席漢尼根（James Hennigan）提起訴訟。原告以有三個孩子的黑人母親塔露拉（Tallulah Morgan）為首，指稱「波士頓市和麻州持續刻意建立並維持種族隔離的教育體系，藉此剝奪黑人孩童平等接受公立學校教育的機會」。

一九七四年六月二十一日，蓋勒提公布裁決。他判定波士頓學校委員會「有意實施一套系統性的種族隔離計畫，影響該市所有學生、教師和學校設施，且刻意施行並維持雙軌制的學校體系。因此，波士頓的整個學校體系都在違憲實施種族隔離」。

但是，蓋勒提花了十五個月才做出裁決，距離學校必須在新學年實施新制只剩下三個月。

實施新制的任務落在麻州平等教育機會局局長葛蘭（Charles Glenn）身上。根據盧卡斯（J. Anthony Lukas）獲得普立茲獎的歷史著作《共同點》(*Common Ground*)，葛蘭描述當時的情況：「我們只是拿出一大張地圖，從城市的西北到東南畫出一個大圓弧，劃分成多個學區，好讓每間學校的黑人和白人學童數量都呈現正確比例。圓弧區域劃分完畢後，只剩下南波士頓和羅斯伯里這兩區。我們別無他法，只能將這兩區配對。」

這麼做的結果，就是將學生從波士頓最與世隔絕的白人飛地之一，送到黑人聚居地帶的中心，反之亦然。學區全面重劃總共影響到八十間學校、共一萬八千名學生，其中南波士頓和羅斯伯里兩區的配對注定會引爆衝突，因為這是迫使兩個在種族與地理位置上都與外界隔絕最深的社群結合在一起。很多人認為這不僅是計畫，也是懲罰，等於是羞辱波士頓學校委員會裡敵視種族融合校車的偏執狂。

在傑克遜看來，蓋勒提就像晚年的馬瑟（Cotton Mather）[*]牧師一樣，報復心重、自以為是，而且鐵了心「要對方付出代價，簡直像波士頓公園裡的頸手枷刑具一樣」。[†]或者，就像南波士頓高中校長芮德（William Reid）博士的生動比喻：「有如中世紀的人質制度一般，兩個對立王國的王子被扣在對方國王的王宮裡，以防止戰爭發生。」

然而，這項計畫不但沒有阻止戰爭，反而引發了一場戰爭。那個暑假，蓋勒提法官曾給過學校委員會機會，請他們修改校車計畫，但委員會拒絕提交任何要求實施種族融合校車制的方案；而蓋勒提本人也拒絕為這套因為他的裁決而即將實施的計畫提供意見，甚至連稍微審閱一下都不肯。

市長和他的團隊必須盡一切努力，讓波士頓市民對接下來即將發生的事情有所準備。更糟的是，一九七四學年度的開學日，只是法院下令的種族融合校車計畫的第一階段。第二階段將於次年生效，屆時將擴展到同質性更高的種族飛地查爾斯頓區（Charlestown）和東波士頓區，懷特形容這些地方是「地域意識強烈、仇外心理根深蒂固的愛爾蘭和義大利裔社區」。《紐約時報》也將查爾斯頓描述成「一個一英里見方、對外隔絕的地區，相較之下南波士頓簡直是國際化都市」。

整個夏天，波士頓都在為種族融合校車建立基礎。市長在全市各地的民宅客廳與社區中心主持了超過百場社區咖啡聚會和黃昏茶會，見了兩千多位家長。該市還額外僱用數百名導護人員來引導和保護學生。市長在開學前三天發表電視演說，懇請所有波士頓市民體認到「市府已窮盡所有上訴途徑……法官的判決已成立，無法推翻，也不能再上訴了……這個計畫必須執行，也將會執行」。懷特列舉了他認為法官判決中存在的種種問題，但又提及尼克森一個月前辭職一事，說道：「現在這已經是法律了。過去幾個月來，華府發生的那些折磨人心的事已告訴我們，我們是法治政府，不是人治政府。沒有人可以凌駕於法律之上，即使是總統也不行。我國任何城市或團體都不能藐視法律。」他提醒聽眾：「遵守一項法律不表示認可這項法律，容忍不代表支持。」並懇請市民不要「因種族而分化，或因恐懼而癱瘓」，且「片刻都別忘記我們對學童的責任，若發生破壞和暴力，損失最大的是他們」。

這是非常有力的表態。

與此同時，甚至就在同一天，反種族融合校車的團體如「恢復我們的孤立權」組織（Restore Our Alienated Rights，ROAR）大舉反擊市長的各種努力和他的演說內容；民意代表如雷伊．弗林（Ray Flynn）亦然，他是波士頓的籃球英雄，當時選上了代表南波士頓區的州議會議員，後來當選波士頓市長；波士頓學校委員會也加入反擊行列。

他們稱懷特市長（Mayor White）為「布萊克市長」（Mayor Black），逮到機會就試圖破壞他為種族融合校車所做的準備，甚至到最後一刻還在主張可藉由華府立法、遊行集會、杯葛行動來阻止校車計畫，或三種手段全都用上。

---

* 譯註：馬瑟是十七世紀波士頓的清教徒牧師，知名事蹟包括指控人們行使巫術，並協助法官將他們定罪。

† 譯註：波士頓公園建於一六三〇年，是美國歷史最悠久的開放式公園，也曾被當成刑場使用。

九月十二日，波士頓的公立中小學正式開學，天氣晴朗宜人。孩子們穿上新衣前往搭乘校車。羅斯伯里的黑人家長聚集在一起，準備歡迎來到新學校就讀的白人學童。

然而抵達這裡的校車幾乎空無一人：全市近半數白人學童留在家裡，響應抵制行動。

南波士頓則出現截然不同的場景。市府的計畫是讓校車在羅斯伯里沿線接了學童之後，將他們載往一處閒置商場，集合成一支單一車隊後再開往南波士頓。

校車車隊駛近南波士頓時，直升機在空中盤旋，當地群眾已經聚集，舉著標語和香蕉，高喊「黑鬼回家」，還出現運動賽事觀眾會喊的口號：「我們必勝！南波士頓人，我們必勝！」校車駛近學校時，人群湧入街道阻擋校車並丟擲磚頭。學童尖叫哭喊，因為校車窗戶被砸碎，玻璃如雨點般落在他們身上，抗議人士則試圖從校車後門闖入。

部分校車被迫轉往麻薩諸塞灣交通局管轄的安德魯火車站。在那裡，醫務人員已經集合好，準備照護被飛濺玻璃割傷的學生；警察也集結起來，要護送校車再次嘗試開到學校。

最後，校車終於開到南波士頓中學的前門，學生們也都進了校門，這兩件事皆受到大批新聞攝影機和警察的密切關注與保護。圍在校外的群眾中，有許多是應該在學校裡面上學的中學生。芮德校長催促他們回家，或進入學校上學。

傑克遜當天也在場，充當懷特市長的耳目。事情發展至此時，他用無線電向市長報告好消息：沒有人遇害。

載學童回家的路上情況更糟。群眾再次聚集在南波士頓各中小學前面，怒氣更盛，吼聲更大，很多人還喝得爛醉。他們拿石頭和罐頭砸校車。某些當天早上還覺得害怕的黑人學生這時膽子大了起來，對鬧事群眾比中指，高喊：「我們在你們的學校裡了！」

群眾對那些被派去保護學生的警察口出穢言，群起湧向他們，最後衝破警方防線。很多警察都是這些群眾的朋友或鄰居，有人看到認識的警察時，還大叫要他們辭職。

開學日這天，總計有六名學生和一名警察受傷，六輛校車受損。

市長當晚宣布會逮捕任何擾亂學生、校車或交通的人；公立中小學附近禁止三人以上聚集；所有進出南波士頓的校車都將由警方護送。

市長隨後前往格羅夫霍（Grove Hall）一帶參加黑人家長的聚會，當地位在羅斯伯里和多徹斯特之間。誰都沒料到當天發生的暴力會如此嚴重。家長群起指責市長和警方未能保護他們的孩子，揚言要抵制校車計畫；市長則請求家長們再給他一天時間，再給他一次把事情做好的機會。

儘管如此，《波士頓環球報》第二天的新聞標題仍是「波士頓中小學廢除了種族隔離制度，開學日整體狀況平和」。

以全市的情況來看，這種說法沒錯；但在南波士頓的學校內外，情況絕非如此。

註冊的中小學生共四千名，但開學首日發生暴力事件後，第二天只有不到四百名學生上學。南波士頓的街頭群眾比校內的人還多。經過開學頭兩天，市長開始擔心即將到來的週末不但無法讓情勢緩和，反而讓那些最暴力的反校車勢力有時間集結組織，準備在開學後第一個完整週的週一發動遊行。教會領袖在週日禮拜中要求民眾不要遊行，冬山幫和其他人則號召民眾加入遊行。多輛宣傳車在南波士頓附近繞行，也呼籲民眾出來遊行。各種有關槍枝、幫派、廂型車裝滿汽油彈的傳言四起。這樣的惡劣情況，就是懷特市長來到州參議員巴爾傑家的原因。也因為如此，他在凌晨時分離開時，不得不決定要盡一切手段阻止遊行發生。正如懷特向高級警官喬丹（Joe Jordan）所說：「明天面臨的考驗不是南波士頓能否克服群眾的怒氣爆發，而是我們是否會陷入像貝爾法斯特一樣的長期問題。」*傑克遜將這個星期一稱為戰鬥日（D-day）。

懷特做了決定：酒吧週一關閉，†武裝警察將進駐南波士頓。那天，有直升機在空中搜尋群眾聚集之處，再由警察出動前往驅散群眾，部分警察還帶著警犬。有群眾砸磚頭和石頭，多人被捕，一整天不斷發生小規模的衝突。當天共二十二人被捕，九人受傷（包括三名警察），一名警員心臟病發，數週後死亡。

不過那天沒人開槍，沒人丟汽油彈，也沒有學童遇害。已經稱得上是成功的一天了。

波士頓全市逐漸接受了新的種族融合校車制，但南波士頓仍繼續抵抗。老師們每天要排解十到十五場打鬥紛爭，學校裡安裝了機場會看到的那種金屬探測器。

到了十二月十一日，其中一場校園互毆事件導致白人學生費斯（Michael Faith）被刺傷。救護車抵達時，流言已在南波士頓火速傳開，說這名學生已經喪生（他其實還活著）。群眾迅速聚集在校門外，怒氣衝天，激動不已。

平時派駐在該校的州警部隊當天早上恰巧前往沃波爾（Walpole）一間監獄處理騷亂事件，在場值勤的六十名員警很快就被十倍於此的群眾淹沒。當局下令白人學生離開學校，結果讓更多人聚集在校外。

一輛巡邏警車被砸毀，另一輛被掀翻。警方下令學校在增援部隊抵達前不要疏散黑人學生。警察騎馬、騎摩托車試圖驅散人群，群眾開始鬥毆。與此同時，一百三十多名黑人學生受困校內將近四小時。

另外兩輛救護車抵達，要救助在衝突中受傷的人們。《紐約時報》描述了接下來發生的事情：「突然間，前面那輛救護車的年輕司機倒下了，他被一塊石頭擊中頭部。警察把這名司機送上他開來的救護車後車廂，另外找人將救護車駛離現場。「黑鬼，黑鬼，」群眾中有人對著警察大喊，「你們竟然保護那些黑鬼孩子，看看你們對白人做了什麼。」

最後，為了疏散黑人學生，當局派出幾輛欺敵用的巴士到校門前，轉移群眾的注意力。學生們則

* 譯註：此處是指北愛爾蘭天主教民族派與新教保皇派自一九六八年至一九九八年間的暴力衝突。
† 有部分酒吧違抗命令。

從側門撤離，搭乘學校後方的另一列巴士離開。

校長雷利（William Leary）下令關閉學校至那一週結束。結果學校一直關閉到聖誕節，直到進入新的一年都未重啟。

這件事掩蓋了同一天發生的另一則新聞：在曾屬羅斯伯里區域的羅斯林代爾高中，六百名學生試圖離校罷課，該校也因此關閉。

兩週後，波士頓學校委員會過半數的三名成員拒絕批准全市中小學的廢除種族隔離計畫。這項決議可能使他們被判藐視法庭。

傑克遜稱之為「我們的塞爾瑪（Selma）」，* 懷特則再次提到貝爾法斯特。據報導，他向一名幕僚說：「有時我望向窗外，覺得看到了貝爾法斯特的景象。」

無論在地理或歷史上如何類比，這就是當時波士頓公立學校的情況，而懷特市長正開始準備他第八次的年度城市概況演說，要在三週後的一月六日發表。在準備演說稿時，懷特市長要面對兩個現實。第一是，他要處理一項法院命令，這項命令已經確定，無法撤銷，而且必須由市府執行。第二個現實則是他後來向《美國新聞與世界報導》記者說的：「波士頓有八成民眾反對種族融合校車制。如果波士頓是一個主權國家，這套制度會引發革命。」

事實上，那年九月，在懷特公開談到實施校車計畫有多困難後，蓋勒提法官的回應是將懷特列為校車案的共同被告。法官似乎認為這種言論是在鼓勵學校抵制校車計畫。然而，懷特其實是徹頭徹尾的進步主義者，和冥頑不靈的學校委員會並列為同案被告，對他來說是嚴重的侮辱。在一九七二年時，懷特曾一度是麥高文競選總統的搭檔首選。他除了是進步派的理想主義者，也熟諳政治操盤。在種族融合校車制第一階段實施前那個夏天，懷特一直試著讓法官知道計畫必須修改，必須讓那些心懷憤懣的白人參與某種談判協議。懷特承認他過去一直反對種族融合校車，但他仍竭盡所能執行法官的命令——他自認是能讓校車計畫成功運作的唯一人選。

然而當他開始撰寫城市概況講稿時，他已沒有那麼確定。此時的他四面楚歌，受到來自各方的指責和辱罵。他經常熬夜操勞，在劍拔弩張的社區會議中面對憤怒的家長，這樣的生活已經過了將近半年了。那年九月，懷特接受《波士頓環球報》訪問時，在又一次的深夜會議中打著哈欠承認：「我沒想到這一切會對我的身體造成這麼大的負荷。我沒想到南波士頓的政治領導層會這麼快就失控，也沒料到南波士頓會抵抗這麼久。」

懷特之前從未將學校事務視為他的首要職責，管理學校事務本來是成立學校委員會的目的。那一年曾有幾項提案，讓選民決定要廢除或改革學校委員會、賦予市長更大的控制權，但選民選擇維持學校委員會的原有職責。除了這些，懷特還有其他問題必須處理。經濟正陷入困境，犯罪率節節攀升。

＊ 譯註：一九六五年三月，金恩博士等黑人民權運動領袖組織了三場自阿拉巴馬州塞爾瑪市到首府蒙哥馬利市（Montgomery）的遊行，爭取黑人選舉權。同年八月，詹森總統簽署了保障少數族裔投票權的《選舉權法》。

他一直認為自己的首要職責是維護公眾安全，而過去幾個月的情況顯示，要維護學生、市民、媒體甚至他自己的警隊安全，已經愈來愈困難。

他該傳達什麼訊息？他又要如何處理校車計畫引發的社會分化問題？

《大西洋月刊》前總編輯墨菲（Cullen Murphy）曾說，初稿的撰寫往往出於情緒宣洩，不是為了真正發表而寫。在南北戰爭的蓋茲堡戰役後，米德（George Meade）將軍未能成功追擊羅伯・李（Robert E. Lee）將軍的軍隊，當時林肯總統寫給米德的信就是知名事例。林肯的批評在今天看來砲火猛烈，他寫道：「我認為你並未理解到讓李逃脫的嚴重後果。他當時就在你能輕易掌握的範圍內，若能追擊到他，連同我們其他戰役的成功，就能終結戰爭了……你錯失了千載難逢的良機，我因此感到無比煩心。」林肯始終沒有在這封信上簽名，也未曾寄出。杜魯門總統喜歡寫信也是出名的，但那些信從未真正寄給收件人。歷史學家麥卡勒（David McCullough）這樣寫道：「他把寫這些信稱為他的書寫痙攣症，其中似乎有一些突如其來、不由自主的成分。寫信似乎是要滿足他某種深層的心理需求，是用來發洩怒氣，幾乎都不是要寫給別人看的。」

懷特在撰寫他的城市概況演說初稿時，似乎也是為了宣洩情緒。但他好像也準備貫徹到底，幕僚至少已完成實施其政策前的某些必要基礎工作。

懷特準備初稿時，第一件事就是決定把種族融合校車議題放在後面，讓聽眾多等一會兒。他想利用聽眾期待的時間，先讓他們聽聽他的預防犯罪計畫（過去一年波士頓犯罪率飆升，幾乎和校車計畫引發同等的關注與憂慮），以及他打算如何「紓解國家經濟危機帶來的困境」，還有他計劃如何維持低稅率，接下來再談校車問題，同時也想宣布幾項若真的施行，將永遠改變波士頓歷史的措施。

為了替這件事定調，他首先譴責「郊區自由派人士……他們認為種族融合校車是達成種族平衡的解決方式——只要這制度只在市區內實施就沒問題」。

他本想在此時宣布，已聘請法律顧問來代理支持種族隔離的波士頓學校委員會，並準備任命備受尊崇的憲法學者柯蘭（Philip Kurland）針對蓋勒提法官的判決向最高法院提出上訴，同時要求暫停實施校車命令，直到最高法院做出裁決。

他還想宣布，將指示市府資助「家庭與學校協會」，協助這個向來對學校採取保守態度的家長組織大幅限制校車計畫。以市長初稿裡的話來說，就是要「確保法院強制執行的補救措施僅限於故意違憲的地區」。這樣的法律語言背後隱藏著翻天覆地的變革。麻州州議會一九六五年通過的《種族失衡法》（Racial Imbalance Act）早已將法定種族隔離（de jure segregation）宣告為非法。法院對整起案件的判決是針對事實上（de facto）、也就是民情導致的種族隔離，而非故意實施種族隔離。市長主張，法院只能對以法律規定實施種族隔離的地區採取行動，而這樣的地方並不存在。兩者之間的區別至關重要。曾任美國國防部部長與中央情報局局長的潘內達（Leon Panetta）早年曾是尼克森總統任內的民權辦公室主任，他曾說：「不讓聯邦政府干預北方的學校體系，說它們只是事實上的種族隔離，而非某些官方行為導致的法定隔離，這種假鬼假怪的陳舊手段根本是騙局……純粹只屬於事實隔離的情況極少，甚至根本不存在；掀開所謂『事實上』的石頭，就會有醜惡的、充滿歧視的東西爬出來。」

懷特似乎要向那些從石頭下面湧出的勢力投降了。他的下一段話清楚說明了他希望能解決問題的做法：「這樣的主張，加上健康與安全方面的考量，應可提供頗具說服力的理由，將東波士頓區、查爾斯頓區和北區排除在第二階段之外。」基本上，懷特就是想把最反對校車計畫、最有可能發生暴力行為的社區移出校車計畫。

他還想建議蓋勒提法官成立一個「市民委員會」來提出補救措施，並且提供「社區參與機制」。懷特本來想說：「州委員會犯了傲慢的錯誤，因為它沒有遵循自己的聽證官的建議，改變在南波士頓區的做法。如果法官現在沒有廣泛徵求市民參與，也將會是嚴重的錯誤，他的一切舉措都可能因此功虧一簣。」

基本上，懷特是在將南波士頓暴力事件歸咎於法官，並威脅蓋勒提如果不聽家長的建言，會發生更多暴力事件。可以想見，對懷特來說，若實施他提出的主意，還能讓在他眼中與人民脫節的高冷法官承受一部分政治壓力，像懷特自己承受的一樣。

最驚人的是，懷特市長原本還打算宣布他要下令永久關閉南波士頓中學，將大多數學生轉移到市中心不同區域的學校。這基本上是要把南波士頓中學移出南波士頓，希望讓那裡的中學脫離毒害人心的社區環境——這個社區的氛圍每況愈下，警民之間的對立日益嚴重，儘管有許多警察都是來自同一個社區的自己人。懷特也說明了他正在努力解決的內部衝突，寫下許多他認為外界必須瞭解但「尚未理解的事實」，例如他提到「事實是，法庭的僵化和麻木不仁絕不能正當化教室裡的偏狹與暴力行為」，以及「事實是，一再強烈抵抗法院命令，會導致暴力專制的暴民統治」。

仔細看他講稿裡的「事實」段落，會發現演說藝術裡的一個重要技巧，名為「連續重複法」(litany)。連續重複法是指一連串重複的句子，可以是句子開頭不斷重複，這被稱為「首語重複法」(anaphora)，可見於《獨立宣言》，其以十三個句子列舉喬治三世國王的罪行，每個句子都以「他有」開頭；句尾不斷重複則是「結句重複法」(epistrophe)，典型例證是歐巴馬二〇〇八年的勝選演說，有連續五個句子都以「是的，我們可以。」(Yes, we can.)作結。

人類的大腦非常擅於辨認模式，因此帶有語言模式的演說會讓聽眾更加投入其中，也更心滿意足。而且，連續重複法能向聽眾展現講者有大量支持他們理想的證據，讓他們能明確朝目標前進。

懷特還展示了另一種名為「桶裝法」(bucketing)的講稿寫作技巧。他創造了一個盛裝論點的桶子，也就是一份事實清單，他可以把很多資訊丟進去，但不會讓人覺得演說內容的密度過高。

在多頁的演說稿和註釋中，至少列出了十一項「事實」。從「事實是，某些社群領袖，包括白人與黑人，都更關心新聞怎麼報導而非百姓的痛心疾首」，到「事實是，這個城市與其他城市並無二致……偏見與排斥其他種族都是不對的」。

懷特列舉這些「事實」時，試圖達成微妙的政治平衡，努力對各族群的選民都提供能讓他們產生共鳴的「事實」。他還試著運用一些政治手法，藉著這些「事實」告訴所有人他同意他們的觀點，卻又不見得會因為同意而採取行動。

無論列舉的事實有哪些，事實是，這些言論一旦發表，就等於市長對種族融合校車的態度出現巨大轉變。如果市長說出這些事實，他將與反對校車的學校委員會聯手，向反對種族融合校車的最高法院提出上訴（懷特後來的確同意這麼做，不過是以更謹慎的方式），並且試圖將全市最反對校車制的社區排除在外，同時只要一有機會就犧牲蓋勒提法官。

然而，當懷特市長走進座無虛席的市議會議場，開始發表城市概況報告的演說時，他發表的卻是截然不同的內容。聘請外部法律顧問、關閉南波士頓中學、資助「家庭與學校協會」等段落都消失了，取而代之的是比較溫和而籠統地承諾要「採取一切必要行動，為我們的孩子提供教育與安全，以及任何符合公共利益的措施」。

在最終版的講稿中，「事實」清單已修改精煉成七個事實。被刪除的事實包括：「第一階段之所以失敗，是因為民眾被排除在規劃過程之外、政治人物百般推託、法官心態僵化且對社區的憂慮麻木不仁。」加入的事實是「黑人應該被允許走在這座城市的任何一個區域，白人亦然」。

刪去的事實還有：「如果繼續將家長排除在規劃程序之外，那麼第二階段也注定失敗。」增添的事實則是：「我們必須遵守法律，除非經由合法手段修法。」

「一再強烈抵抗法院命令，會導致暴力專制的暴民統治。」也被刪去，加入：「最重要的事實是，我們有技能、資源與人才，可以得體地解決……這個問題。」

整個演說的調性大幅改變。

有意思的是，關於種族融合校車的整個討論最後是移到演講的開頭，而非如初稿放在結尾。這是撰寫講稿時經常出現的論辯：大家最想聽的那個話題，是要用於開頭，還是放在結尾？以這個「新聞」作結的好處是，可以強迫聽眾聽完你想說的其他內容；拿它開場的好處則是可以一開始就「戳破膿瘡」（這是演說撰稿人圈子的用語），缺點則如同傑克遜所說，「之後我們就難以維持聽眾的興致」。

懷特初版講稿裡保留到實際發表的最強硬言論是他對其他民選官員的批評。他說他們「對這件事怕到極點，怕到他們甚至會參加處決自己的集會，只要集會規模夠大」。

懷特更用一句話彰顯他的想法，也讓自己的腰桿挺得更直：「一個公職人員又驚又怕，不敢朗聲說出他真誠相信的事，這比死亡之外的任何氣味都要臭不可聞。」

那麼，是什麼讓懷特改變心意？

簡單來說，就是政治上的精明判斷。這麼做或許看起來十分違反直覺，因為波士頓有八成的人都反對種族融合校車，但懷特明白，有一件事比支持校車制對自己的政治地位危害更甚，那就是口頭上反對校車制，實際上卻阻止不了。

在南波士頓區剛開始頑抗時，懷特就是這麼對幕僚說的：「我不喜歡放話威脅。說出來的話，就必須兌現。」

傑克遜的說法則是：「我們缺乏能令蓋勒提信服的角色或地位，沒有足以讓他改變決定的影響力，所以我們不想讓自己看起來比實際上更不稱職或更無能。」

懷特和他的團隊最後決定不要求排除某些地區，因為這是辦不到的。「我們最不樂見的就是提高公眾的期望，然後讓我們看起來比現在更無法維護公共安全、秩序和安寧。」

然後，他們當然還想繼續掌握好那條讓情況避免失控的界線——儘管那條線已瀕臨斷裂。市長希望能讓家長表達他們合理的憂慮，但不要激起憤恨之情，讓人以為違憲的種族隔離應該繼續存在。

這種應對種族融合校車的方式，也將被柯林頓總統在二十年後採用。他對於優惠性差別待遇*的態度就是「改良但不終結」。

如果懷特發表的是初版講稿，他會把自己和城市裡聲音最大、行徑最暴力、思想最倒退的一群人牢牢綁在一起。他不會留下帶有進步理念的政績，反而可能被世人銘記為北方的喬治．華萊士（George Wallace），†彷彿跟他一樣站在校舍門口捍衛種族隔離。

——

懷特實際發表的演說並未掀起太大的波瀾。次日早上出刊的《波士頓環球報》，報導聚焦在懷特籠統承諾要「採取一切必要行動，為我們的孩子提供教育和安全」，以及他同樣籠統地宣示要「讓這座城市團結起來，和平解決我們的歧異」。

懷特最後實現了這些承諾，不過變化來得很慢。同年十一月，他再度當選，續任四年。雖然這場選舉他僅以微幅差距險勝，但洗刷了他過去所受的責難。一九七七年，歐布萊恩（John O'Bryant）當選波士頓學校委員會成員，取代了反校車制的帕拉迪諾（Pixie Palladino）；一九八一年，波士頓決定將學校委員會擴大為十三名成員之後，麥奎爾（Jean McGuire）當選為委員之一。歐布萊恩與麥奎爾都是非裔美國人。懷特的前教育幕僚史華茲（Robert Schwartz）曾開玩笑說，不知道南波士頓區有多少選民是因為這兩人的姓氏聽起來像愛爾蘭裔，就不小心把票投給他們。

新任的學校委員會成員與新任的多位體制外進步派督學，開始促成改變。一九八二年，在《波士頓協定》（Boston Compact）訂立後，商界與民間領袖開始投資波士頓的中小學，相關的各方單位開始努力幫助這些學校，讓它們從徹底失落的十年中恢復生氣。

一九八九年，波士頓的種族融合校車制劃下句點。曾經反對該計畫的議員弗林此時成為市長，與

* 譯註：優惠性差別待遇（affirmative action）是對種族、性別、宗教等方面的弱勢族群提供優惠待遇，藉此達到各族群平權的目的。此處譯名參照臺灣大法官解釋文與高中公民教科書，另有「積極平權措施」、「糾正歧視行動」等譯法。

† 譯註：喬治・華萊士在一九六〇至八〇年代擔任過四屆阿拉巴馬州長。身為民主黨人，他堅定支持種族隔離，一九六三年首次當選州長時，正值美國黑人民權運動風起雲湧，他在就職演說中矢言「現在要種族隔離，明天要種族隔離，永遠都要種族隔離！」。同年六月，華萊士擋住阿拉巴馬州立大學一處校舍的大門，試圖阻撓該校依法院命令同意黑人學生入學報到。

波士頓首位黑人督學合作，將該市的中小學學籍分配改為「家長選擇」制。

種族融合校車制度究竟留下何種影響，是相當複雜的問題，直到今日的政治論辯依然可見相關討論。愈來愈多白人就讀郊區中小學與非公立宗教學校。一九七二年，波士頓的中小學有六〇%的學生是白人，三十三%是黑人，五%是西裔，二%是亞洲人。到了一九九三年，波士頓四十八%的中小學生是黑人，二十三%是西裔，十九%是白人，九%是亞洲人。換句話說，波士頓的中小學學生已從六〇%都是白人，變成八〇%都是少數族裔，諷刺地讓更多學校實際上出現「種族隔離」的情況。

不過到了一九八一年，南波士頓中學的校長仍能宣布「去種族隔離」已不再是問題。整座城市擁有更多且更均等的教育投資，讓各族裔的學生都受益。比較隱而不顯的改變則是波士頓因為種族融合校車變得更開放，不同的社區能夠彼此接觸，讓波士頓更像一座整體的城市，而不只是許多飛地的集合體而已。一名房屋仲介回憶，她曾為波士頓警察局一名非裔警察找公寓，這名一九七九年就加入警隊的警察聽到她把南波士頓納入建議選擇的區域時，還抱持懷疑態度。但當時已是二〇一二年，他看到南波士頓區的變化後，認為這裡是適合他的地方。他簽署租約時說道：「我的父母絕對不會相信。」

傑克遜則將這件事描述成一個救贖的故事。波士頓直到一九八〇年還被認為會步上密西根州底特律市、紐澤西州卡姆登市（Camden）和印第安納州蓋瑞市的後塵。懷特市長當年說波士頓將成為世界級的城市時，飽受譏嘲，但今天的波士頓的確已是世界級的城市，部分原因就是曾有一位市長在面臨內部質疑和外部壓力時，有勇氣朗聲說出他真誠相信的事。

第三部

危機解除而捨棄的講稿

回顧歷史事件的時候，我們確信事件就是會那樣發生。從事後的角度來看，歷史事件的結果似乎都有定數。

我們並未意識到，歷史可能輕易走上另一條截然不同的道路。接下來的兩篇演說稿，將讓我們一窺另一條路的樣貌。

第六章　公眾人物的私人生活：不願放棄王位的英王愛德華八世

「我決意要和我深愛的女人成婚，在她能嫁我之時。」

一九三七年十月，溫莎公爵愛德華（Edward, the Duke of Windsor）*與他的新婚妻子華勒絲・辛普森不顧英國官員的想法，堅持訪問德國，納粹政權則以國是訪問的規格接待。

訪問柏林期間，愛德華考察了納粹黨衛軍軍事學校的訓練，也造訪為德國即將到來的戰爭提供武器的兵工廠，還參觀了賓士汽車工廠。他離開時行了納粹禮，還說納粹的經濟模式是「奇蹟」。他與納粹高層共進晚餐，包括希特勒的宣傳部長戈培爾（Joseph Goebbels），戈培爾發現愛德華對第三帝國頗

* 愛德華的教名是Edward Albert Christian George Andrew Patrick David。他一生中陸續擁有多個頭銜：愛德華王子、威爾斯親王、愛德華八世國王，之後又改回愛德華王子，然後是溫莎公爵。家人和朋友則稱呼他大衛。為求簡潔，作者在本章中主要稱他為愛德華。

有好感，便形容他是「理性的嫩苗」。愛德華還在巴伐利亞阿爾卑斯山上的元首官邸與希特勒共處。雖然某些會晤有翻譯人員在場，但愛德華其實能說一口流利的德語，對德國的人民、德國的目標大業都深具認同感。＊如果愛德華提早一年訪問德國，就會是以英格蘭國王的身分造訪了。那時，人類歷史上傷亡最慘重的戰爭即將發生，而英國作為歐洲反抗希特勒的最後堡壘，它原本的國王竟然會完全站在支持法西斯主義的那一方。

如果愛德華沒有在一年前百般掙扎後決定退位，沒有在世界即將陷入戰爭前將大英帝國的權柄交給弟弟喬治六世，那場戰爭將會截然不同，這個世界也會截然不同。當時愛德華實在難以下定決心，於是準備了一份直接訴諸英國人民的演說稿，想讓人民決定他的君主身分能否延續。這份演說稿始終沒有發表，而愛德華最後成了英格蘭首位自願放棄王位的國王。他為何做出這樣的選擇？全是為了愛情。

愛德華原本一直是個與多名已婚婦女有染的單身漢，讓王室家族驚惶不安。他的情婦之一是佛內斯（Thelma Furness）。保守黨政客兼作家詹農（Henry "Chips" Channon）曾形容，佛內斯「將他（愛德華）美國化了，讓他變得過於民主、過於隨意，而且有點太像平民」。

佛內斯還做了一件事：將愛德華介紹給自己的朋友華勒絲・辛普森。辛普森是美國麵粉富商的女兒，與第二任丈夫恩內斯特・辛普森（Ernest Al-drich Simpson）住在英國。

愛德華為辛普森夫人癡狂，「她的優雅儀態與舉手投足流露的尊貴氣質，令他為之傾倒」。他開始帶辛普森夫人去度假，送她現金珠寶。他後來寫道：「我仰慕她，因為她是我見過最獨立的女人，如今我更開始期盼有朝一日能與她共度此生。」

然而辛普森夫人是無法獲得認可的妻子人選。當時的英國國教不允許國王迎娶前夫仍在世的離異女子，而辛普森夫人有兩名仍在世的前夫。喬治五世與瑪麗王后都以嘲笑口吻稱她是「那個女人」，曾希望這段關係只是一時迷戀，很快就會結束。如今愛德華卻為了選擇「那個女人」，寧可放棄王位。

一九三六年十二月十日，愛德華與三個弟弟簽署了退位文件。†當天下午，他和最忠實的盟友之一邱吉爾共進午餐。當時並無權位的邱吉爾在一週前愛德華仍拒絕退位時，曾認為有一條可能的退路，不過之後證明這條退路其實是死胡同，邱吉爾在國會全力支持愛德華時被喝倒采，顏面無光地離開。此刻，滿懷愧疚的邱吉爾謙恭地為愛德華翌日要發表的退位演說提出建議。（至於邱吉爾在愛德華未發表的那份拒絕退位演說稿中發揮了什麼作用，至今依然無人知曉。）他們共進午餐的同時，退位法案在下議院宣讀通過，送交上議院後也在短短幾分鐘內通過。愛德華不再是國王，他現在要做的事，只剩下向臣民解釋退位原因。

* 直到一九六〇年代，愛德華才聲稱「沒想到希特勒是這麼個壞胚子」。

† 文件上寫著：「朕，愛德華八世，大不列顛暨北愛爾蘭聯合王國國王、英屬海外各自治領的國王和印度皇帝，在此宣布以朕無可逆轉之決心，正式放棄朕與子嗣之王位，並要求此退位文書即刻生效。特此於一九三六年十二月十日親筆簽名，在場見證者亦簽名為證。」

十二月十一日晚間九點三十分過後不久，這位前國王抵達溫莎堡，英國廣播公司（BBC）總裁萊斯爵士在場迎接。愛德華曾目睹父親首次透過電臺進行皇家廣播演說，對於它發揮的力量深有所感，現在他也想利用同樣的力量向英國人民說明自己選擇退位的原因。技術人員早已在愛德華經常使用的一套房間裡安裝了兩支一組的麥克風和一個「提示燈」。萊斯認為此刻最好的做法是中斷平常的節目，並由他親自介紹愛德華登場演說。萊斯稍早便接獲通知，要稱愛德華為「愛德華王子殿下」，因為他已不再是國王，而弟弟還沒有給他新的頭銜。* 在發表演說前半小時，萊斯建議愛德華「試音」，給他一份晚報讓他朗讀。這份晚報經過小心摺疊，讓愛德華看到的是賽馬新聞，但看不到任何關於他自己的頭條新聞。這位國王隨後去了洗手間，他把門開著，並向在場的人說，不知自己何時才會再使用那地方。接著他著手進行演說稿的最後刪修。曾任喬治五世私人秘書的威格拉姆（Clive Wigram）勳爵當時向萊斯直言，他認為愛德華並不理智，將來會後悔自己的決定。

演說時刻到了。萊斯先讓愛德華站在他稍後要坐著發表演說的椅子右側，自己先對著麥克風說：「這裡是溫莎堡。恭請愛德華王子殿下。」隨後萊斯起身離開播音間。愛德華坐下時踢到桌腳，透過收音機可以聽見聲音，後來有些報導錯誤推測那聲音是出自萊斯嫌棄地甩門。

也許是因為踢到桌腳而驚慌，或是因為退位的重擔壓在心頭，愛德華在演說開頭時有點支支吾吾。不過他很快就重拾自信，恢復平日的語速和音量。他開頭先表示，一直想與英國人民分享內心的想法，「但在今天以前，憲政體制不允許我發表談話」。

他隨後宣布效忠自己的弟弟，然後進入這場演說的核心：

當我告訴大家，我已意識到若沒有我深愛的女人協助與支持，我不可能扛起身為國王的重擔，不可能如己所願履行職責，你們一定要相信我說的話。

然後他談到王室延續的問題，穿插著邱吉爾式的華麗修辭，並譏諷那些強迫他在王位與畢生摯愛之間做選擇的人。

我確信，長期接受國家公共事務的訓練且具備優異人格特質的弟弟，能夠立刻取代我的位置，讓大英帝國的國祚與發展不致受到干擾或損害，這也稍微減輕了我抉擇時的掙扎。他還擁有一份無可比擬的福氣，這份福氣你們很多人也都享有，卻未曾降臨於我——那就是與妻小共組的美滿家庭。

才剛導致國家瀕臨憲政危機的愛德華宣稱，自己「在憲政傳統的孕育下成長」（又是邱吉爾式的華

* 愛德華的弟弟也換了稱號。原本大家都叫他伯蒂（Bertie，譯註：Albert的暱稱），幾天前他的稱號還是約克公爵（Duke of York），如今為了展現承繼父親喬治五世的延續性（並宣告兄長的短暫在位只是反常事件），他的稱號將是喬治六世國王。

麗修辭），他絕不容許情況演變成國王與國會之間的全面對決。

在這段艱難的日子裡，母后陛下與家人們始終帶給我慰藉。王室大臣們，尤其是首相鮑德溫先生，給予我充分的體諒。我和他們之間、和國會之間，從未有過任何憲政體制上的歧見。由於父親的教導，我在憲政傳統的孕育下成長，不應容許任何不合憲的問題發生。

因此，他決定「完全退出公共事務」，將「以私人身分」為新任國王、也就是他的弟弟服務。接著他激動地提高嗓門，「全心全意祝願英國人民幸福繁榮」。

在說出最後一句「天佑吾王」後，愛德華靜默片刻，然後站起身，伸手搭在華特・蒙克頓（Walter Monckton）爵士肩上。在這場磨難中，蒙克頓一直是他的退位顧問與知己。他說：「華特，我要奔赴的遠遠好過這一切。」

就在幾天前，愛德華還抱持不同的看法。他覺得，如果他有機會發表另一番演說，可能會產生不一樣的結果。那樣的結果將對英國王室與瀕臨戰爭邊緣的世界帶來翻天覆地的影響。

——

其實在很早以前，英國政壇領袖與王室相關成員就擔心愛德華不適合當國王。他是個愛好酒色又言行輕率的花花公子——有時瀟灑迷人，但也經常幼稚耍脾氣。他在一次大戰期間擔任軍官，與一名巴黎妓女長年交往，寫了許多情書給她，對方也一直保留著。後來那名女子在倫敦開槍將丈夫擊斃後，外界懷疑她是用這些情書換得無罪釋放。其實在愛德華登基之前，他的私人秘書拉瑟爾斯（Alan "Tommy" Lascelles）便曾坦言他的氣質不適合當國王，「無論是對他還是對國家來說，最好的結果就是折斷他的頸子。」不少人有同樣的看法，雖然不見得希望他的身體受到傷害。

愛德華短暫在位期間的首相鮑德溫（Stanley Baldwin）則形容愛德華「異於常人，一半是孩子，一半是天才……彷彿他大腦中有兩三個細胞完全沒有發育」。

據報導，就連愛德華的父親喬治五世國王也在王子四十歲生日時直言：「我死後，這個男孩將在十二個月內把自己毀掉。」

喬治國王不久於人世時，更說了這番話：「我向上帝祈求，讓我的長子（愛德華）永遠不要結婚生子，讓伯蒂（艾伯特）和莉莉貝（伊莉莎白）日後能成為君主。」

這些憂慮均源於愛德華的個人行徑，以及他頗有意願直接介入政治。後者違反先例，也不符王室成員應遵循的通則。有問題的不僅是他介入政治，還有他個人的政治傾向。一九三五年，愛德華對英國軍團*發表演說時，竟然倡議組織一個代表團前往德國「伸出友誼之手」。之後，愛德華對德國的好

* 譯註：英國軍團是為英軍成立的慈善機構，為英軍的現役與退役軍人、眷屬、受扶養人提供財務、社群等方面的支持。

感還將演變為對納粹的支持。

一九三六年一月二十日，喬治五世去世，愛德華登基。為了讓各自治領（即加拿大、澳洲、南非、紐西蘭等也尊奉英王為國王的國家）的代表有時間進行相關規畫並前往英國，正式加冕日期定於一九三七年五月十二日。

——

一九三六年這一整年，愛德華國王與辛普森夫人的戀情不斷升溫。一九三六年七月，自己也有婚外情的恩內斯特·辛普森搬出他與辛普森夫人的家。八月，辛普森夫人與愛德華國王同乘地中海遊輪時被拍下照片，於是歐美媒體爭相揣測他們的關係。《時代》雜誌在報導中寫道：「威爾斯的愛德華上週與美麗的辛普森夫人在坎城相偕享樂。」英國媒體則遵守一項「君子協定」，不刊登任何與此事相關的內容，因此出現了今天不可能發生的脫節現象——全世界都認識了國王的情婦，許多英國人卻一無所知。

十月，辛普森夫人搬進倫敦攝政公園裡的一棟房子，是國王為她租的。情況愈來愈清楚，他們之間並非一時迷戀。到了十月二十日，首相鮑德溫晉見國王時認為已不能不提此事。相關報導顯示，這次會面彷彿一齣悲喜劇的場景：「首相因駕駛他那輛不甚舒適的小車而疲憊不已，關節炎又令他疼痛不堪，於是他要了威士忌和蘇打水。拿到酒以後，他舉杯說：『長官，無論發生什麼事，我和我的夫人都打從靈魂深處祝您幸福。』這番話讓國王感動流淚，鮑德溫自己也哭了。」

兩人在情緒平復後進入正題。首相表示，國王的戀情讓他承受的壓力與日俱增，他問國王能否低調些。據稱國王的回答是：「這位女士是我的朋友，我不願讓她從後門出入。」他也閃避了首相提出要辛普森夫人延後離婚一事（「那是這位女士的私事」），以及要辛普森夫人離開英國以平息各種傳言（他完全沒回答）。

到了十月底，辛普森夫人的離婚官司在法院審理並獲批准時，法庭裡坐滿媒體——美國媒體的報導聳動無比，英國媒體的報導卻都刻意淡化，頂多只說辛普森夫人「這幾年在倫敦的社交圈頗有名氣」。

十月那次會面時，首相曾向國王傳達了他對這段戀情的想法，如今國王想給予回饋。十一月中旬，他致電鮑德溫，向他表示自己想娶辛普森。

鮑德溫說，嫁給國王的女人就會成為王后，但他認為英國民眾不會接受辛普森坐上后位。國王則回答說，如果政府反對他娶辛普森，他已做好退位的準備。

在此之前，鮑德溫一直希望國王與辛普森分手。但現在情勢已相當清楚：愛德華不是離開辛普森繼續當國王，就是娶了她然後退位。

國王也許意識到他把自己困入牆角，於是開始醞釀一個想法，他認為這想法能讓他既保住王位，又能娶辛普森。十一月二十五日，他再次與鮑德溫會面，提出要與辛普森「貴賤通婚」。

「貴賤通婚」（morganatic marriage）有時也稱為「左撇子婚姻」，是指不同社會階級的人結為連理。

依照王室規矩，王室成員若與平民通婚，其配偶與子女都無權享有王室的頭銜和地位，也無法繼承財產。如此一來，辛普森就不會成為英國王后，她的身分只會是愛德華的配偶。

愛德華貴賤通婚的計畫從何而來，沒有確定的答案。有部分歷史學家認為是邱吉爾在後面為國王出主意。歷史學家布洛奇（Michael Bloch）寫道，邱吉爾在貴賤通婚這個想法中發揮的作用是「在背後指點……這是他之後不會想對外公開的角色」。

那段時間，邱吉爾與鮑德溫的關係頗為緊張。邱吉爾對鮑德溫無甚敬意（他說鮑德溫「像是不小心入閣的鄉下商人」），兩人在政治上也分屬不同派系，但邱吉爾確實於一九二〇年代在鮑德溫手下當了將近五年的財政大臣。鮑德溫一九三五年再度擔任首相時，未再邀請邱吉爾入閣，邱吉爾自己也不會想要。他與鮑德溫早已因為印度的地位問題意見不合，此時又為了英國要如何應對愈來愈不安分的德國而出現更嚴重且影響重大的分歧，邱吉爾也愈發尖刻地嘲諷鮑德溫，說他「不比一具癲癇症發作的屍體好到哪裡去」。

邱吉爾在國王背後出謀劃策的傳聞，是讓鮑德溫改變主意的關鍵。此前他一直希望國王能改變心意，但現在既然可能是他的政敵提出了讓國王既能結婚又能保住王位的想法，他反而開始認為國王只能選擇退位。

貴賤通婚聽起來是簡單明瞭的解決方式，其實不然。首先，這實際上是要國王承認他要娶的女人與他其實並不匹配。其次，由於繼承順位會受影響，因此英國及其領地也都必須制定新法。鮑德溫告訴國王這個計畫不會被接受，但國王仍敦促他向內閣提議。鮑德溫在十一月二十七日照做，而內閣斷然拒絕。之後幾天，各自治領政府也同樣表示反對。

到了十二月一日，媒體再也無法保持沉默。布拉福教區主教布朗特（Alfred Blunt）發表談話，暗示國王需要上帝的恩典才能忠實履行職責，並說道：「我們希望他意識到自己的需要。我們當中的某些人還希望他展現更多已具備這種意識的跡象。」媒體以為這番話是在暗示國王渾然不知他與辛普森的戀情將如何影響國家，於是以布朗特的談話為引子，開始報導國王的戀情。其實，布朗特幾乎沒聽說過辛普森。他不過是在表達他的期待，希望國王更認真看待自己身為英格蘭教會最高領袖的職責。

此時，危機已來到緊要關頭。十二月二日，鮑德溫告知國王，他轄下的各領地政府都不同意他採行貴賤通婚。現在國王有三個選擇：將他與辛普森的戀情做個了斷；或宣布退位然後與她結婚；或者是違背內閣大臣的建議執意結婚，然後內閣將因此總辭。

其中第三種選擇將引發憲政危機，使王室與首相和他領導的內閣對立。在歷史記憶經常迴盪眼前的英格蘭，最近一次出現這種情況是一六四二年的內戰，那是王室與國會最後一次發生對抗。知情人士擔心愛德華可能會自私任性地遵循這個前例，而且他若選擇這麼做，邱吉爾還可能會支持他。

更令人著急的是，英國媒體第二天（十二月三日）終於報導了這件事，愛德華的不倫戀與希望結婚的新聞湧入公眾視野。原本對這些事幾乎一無所知的英國大眾，此時被大量聳動的新聞標題包圍，民眾不只知道了國王的戀情，也知道了這段不倫戀引發的危機。

如今人人都在談論辛普森，國王的未來岌岌可危。

之後國王與首相會面，國王在緊張氣氛中提出要求，希望能允許他透過ＢＢＣ廣播直接向他的臣民（即英國人民）發表談話。愛德華確實握有一些籌碼，才會在面對最後通牒時提出這項要求。他極具魅力又受百姓喜愛，並認為如果能直接向臣民發表談話，或許可以將他們引導向與自己相同的思考方式。

出於情感與義務，蒙克頓協助國王草擬了一份直接面向英國人民的演說稿。

公眾人物發表關於自己的深刻談話是常有的事——他們談自己的健康；談自己為何想要尋求（或不尋求）某項職位；談自己的人生與愛（有時還談他們不夠謹慎地展現了慾望）；談自己希望分享的經驗與教訓。這些談話涉及個人的層面愈深，由他人參與撰寫講稿就愈顯得古怪。然而，演說撰稿人的職責可不是拼湊出一份充滿抽象理想的講稿，而是要幫助講者展露最好的一面；而且通常在演說內容愈涉及個人私密時，愈需要展現這最好的一面。

在我的工作上，曾有客戶請我幫忙準備要在親友婚禮上發表的祝酒辭或葬禮上的悼辭。有客戶想錄製一段身後留給家人的談話影片，甚至要我幫忙寫影片講稿。有同事開我玩笑：「嗯，你要頭一遭成為貨真價實的『幽靈寫手』*了。」

這類要求總讓我覺得不自在，我通常會推辭。畢竟在這些時刻應該發表的是赤裸裸的心底話，而非經過專業打磨的修辭。不過，能在人們最易感而脆弱的時刻參與他們的生命，幫助他們設法分享最私密的想法與反思，其實是一大榮幸。

撰寫這類講稿並非易事——作者必須積極詢問深入講者個人想法的問題，挖掘講者自己都還沒完全承認的真相，並達到一種思想融合的狀態，這樣的思想融合往往跨越所有專業關係的界限（諮商心理師這種專業除外）。事實上，我經常以類似諮商心理師的免責聲明開啟這些對話。我會告訴客戶：「我會問你很多問題，但我要你記住，我不是記者，你仍然握有對故事的掌控權。當你看到自己說的話被寫在紙上，有時可能會覺得很刺眼，覺得太過公開自己的事，於是想要保留一點——那也沒問題。這份講稿終究是屬於你的。」

參議員約翰．麥肯（John McCain）與他長年的幕僚長索特（Mark Salter）之間的關係，是最好也最成功的個人與專業思想融合的範例之一。索特曾為美國前駐聯合國大使柯克派屈克（Jeane Kirkpatrick）工作，麥肯最初聘請他，是為了和他一起處理中美洲與東南亞的政策議題，但麥肯也告訴他：「我希望你負責大量的撰稿工作。」結果兩人在寫作上一拍即合。他們對文學的品味即使不完全相同，也是高度重疊的——他們都喜愛毛姆和費茲傑羅，以及威廉．崔佛（William Trevor）等愛爾蘭作家。對索

* 譯註：原文為ghostwriter，即代筆作家，字面意思是「幽靈寫手」。

特來說，他和麥肯參議員之間從只談政治議題到深入個人生命，轉捩點是在麥肯準備向美國海軍學院一九九三年畢業生發表演說的時候。麥肯參議員的父親是海軍上將傑克．麥肯（Jack McCain），他一九七〇年在海軍學院發表演說時，兒子麥肯正在越南淪為戰俘而飽受凌虐。麥肯參議員受邀在該校發表的演說，似乎曝光了他與父親的關係曾面臨挑戰。

麥肯在演說中引用了父親當年的講辭，但也語帶諷刺地說：「如果當年我沒有忙於其他事務，我本來會非常開心地參加那場畢業典禮。」雖然在那次演說中提及父親，還不至於讓麥肯湧現佛洛依德式的深層心理反應，但這件事讓索特與他的關係更加緊密，索特可以自由詢問麥肯任何問題（雖然麥肯從不覺得自己有義務回答），這樣的關係也讓他們合著了五本書，包括深入麥肯個人生命的家庭回憶錄《將門虎子》（*Faith of My Fathers*）。

索特回顧與麥肯共事的經驗時曾說：「我再也不會和任何人建立那樣的連結了。我不認為還有辦法做到。」他們合撰的最後一篇文章，是麥肯向美國人民告別，文章如此作結：「美國人民從不言退、從不投降。我們從不逃避歷史，我們創造歷史。」

———

國王在撰寫向英國人民演說的內容時，同樣不想言退。他打算說出自己想娶辛普森，但兩人都不堅持她一定要當王后。接著他會前往另一個國家，等待人民做出他們的決定。如果人民召喚他回國，他會繼續當國王，辛普森的身分則是他的配偶；若人民不召喚他回國，他就會退位。

他向鮑德溫說了這個計畫，並提供他的演講稿。鮑德溫記得，愛德華當時「瘋狂熱衷於」向英國人民發表演說，但鮑德溫認為這麼做在憲政體制上並不恰當。他說出自己的想法後，國王質問：「你是想要我走，對吧。」

鮑德溫給其他內閣成員看國王要發表的演說稿，他們也同意他的看法，認為這樣的演說不僅不恰當，而且根據其中一名內閣大臣暨前首相麥唐納（Ramsay MacDonald）的說法，這是「公然且貌似有理地試圖要國家與帝國背棄大臣」。講稿原件下方有一行手寫字句，應該是出自某位看過這份文件的內閣大臣之手，寫著「一個字都沒提到退位」。

此時，幾位內閣大臣擔心國王會直接向ＢＢＣ要求廣播時段，接著發表不打算退位、將能否與辛普森成婚又保住王位的問題直接交給英國人民決定的演說。至於鮑德溫的幕僚是否曾與萊斯爵士聯繫，確保他若未取得內閣同意就不會讓國王發表廣播演說，還是他們相信萊斯爵士瞭解情況，不同的消息來源有不同說法。

十二月四日，內閣召開特別會議，看來就要阻斷國王最後一條可能的出路——直接訴諸英國人民。首相轉達了多位憲政顧問的意見：

「除非內閣大臣提出建議，否則國王不能對任何公共利益問題公開發表看法。」

「國王的大臣必須為國王的每一項公開舉止負責。這是君主立憲制的基礎。」

「如果國王無視於此，君主立憲制將不復存在。國王有義務接受大臣的勸告，並依據大臣的勸告行事。如果國王無視勸告，執意發表廣播演說，就形同越過他的憲政顧問，直接向人民發出訴求。」國王不能發表他想發表的演說，也不能以貴賤通婚的方式結婚，他只得到選項明確的最後通牒：去找個更合適的伴侶；若鐵了心要娶辛普森夫人，就退位。

但國王會同意嗎？此時的他動彈不得又焦慮不安，在辛普森夫人逃到法國南部躲避媒體追逐的情況下，孤身一人。

國王提出要求：他能見見他的老朋友邱吉爾嗎？

鮑德溫同意了，不過他後來承認這是「我犯的頭號大錯」。

邱吉爾與國王自幼就相識，兩人一生都有書信往來。* 一九〇〇年代初期，當時仍是威爾斯親王的愛德華在寫給邱吉爾的一連串信件中坦言，他自己比較適合「國會與寫作生活」，而非「單調的軍事生活」。

過著國會與寫作生活的是邱吉爾，他同時也是堅定的保皇主義者，邱吉爾的妻子克萊門汀（Clementine）曾取笑他是君權神授論的最後一名信徒。他認為，在這個快速變化的世界裡，君主制是穩定的力量。當然，他亦從國王的困境裡看到羞辱當前政府的機會，他自己也有機會藉此捲土重來。之後的發展會證明，這種想法其實是嚴重誤判。

邱吉爾在愛德華身為國王的最後幾週究竟扮演何種角色，實情並不明朗。他只是要效忠於朋友？還是想把英國分化為（他自己將領導的）「國王黨」和「反國王黨」，藉此當上首相？

我們不得而知，因為他的批評者在各處都看到他從中操作的痕跡（有些甚至不是事實），邱吉爾後來也試圖撇清自己在這場危機中發揮的作用，並抹去他確曾留下的證據。

的確，邱吉爾對於愛德華與辛普森的戀情出過許多主意。他曾主張愛德華有責任放下這段關係，認為愛德華將國家置於「巨大險境」，「就如同有許多男人為了國家斷手斷腳甚至奉獻生命，國王也必須做好為了國家放棄一個女人的準備」。（他因為提出這種建議，甚至被愛德華置之不理長達四個月。）不過他也是王室的忠實支持者，而且生性浪漫，更何況他自己的父親就娶了一名美國女子。

我們也知道，邱吉爾個人十分同情國王。他曾寫道，國王和辛普森在一起時，「他原本許多出於緊張的小動作和焦躁不安都消失了。他的靈魂變得完整，不再呈現虛弱而飽受折磨的狀態。」我們也知道邱吉爾已經準備為此一戰，「他憤怒地四處衝撞，說他支持國王，不會讓國王在黑暗中被大臣們掐住頸子，連向國會或國民說一句話自保的機會都沒有就被逐出局」。我們還知道，邱吉爾的確有時會協助國王撰寫講稿和準備演說。†

在蒙克頓寫的那份不提退位的演說稿中，有多少篇幅是出自邱吉爾之手，我們無從知曉。邱吉爾

---

* 邱吉爾筆力非凡，也深諳阿諛奉承的說服力。他在國王登基時所寫的信中說：「在歷史的長河裡，陛下之名將閃耀青史，成為戴過島國王冠的君主中最英勇、最受愛戴的一位。」

† 在ＢＢＣ於愛德華逝世後發布的一段訪問中，愛德華描述了邱吉爾教他怎麼用洗指碗、餐盤和水杯組成一個臨時文稿架，好在發表祝酒辭及餐後演說時使用。

在私人日記寫道，他在十二月四日前與國王並無聯繫。至於和蒙克頓是否有聯繫？他在日記裡未置一詞。

不過這個時候，邱吉爾抓住直接向國王提出建言的機會，建議他應該頑抗內閣的最後通牒，要求他們再給多一點時間。邱吉爾在他提交的報告中說，「陛下絲毫不必擔憂時間迫近。只要您仍需要時間，國家的任何勢力都不會也不應拒絕……鮑德溫先生有如慈父，在這件事情上，他絕不會嚴苛要求您。內閣大臣也不可能因為您要求更多時間這類情事就辭職。」邱吉爾無法斷言國王若起而奮戰能否戰勝，但他認為國王應該放慢腳步，弄清楚自己獲得多少支持。

然而，僅僅三天後，邱吉爾就在下議院以相當難堪的方式得知，幾乎沒人支持國王與他的捍衛者。在鮑德溫發表談話後，邱吉爾起身提問是否能再給國王一些時間：「容我詢問我尊敬的朋友，能否向我們保證不會採取無法挽回的舉措……」話還沒說完，「坐下」、「你這是在發表演說」等斥責聲就從四面八方傳來。邱吉爾又試著發問，但此起彼落的喊叫聲再次蓋過他的聲音，「下議院完全一致的敵意讓他驚異不已」。

邱吉爾此時就放棄奮戰了嗎？從他寫給友人、保守黨議員布思比（Robert Boothby）的信看來並非如此。這些信件描繪出一個「我們都參與構思的計畫」，不過這個計畫的確切性質並不清楚。

總之，邱吉爾比國王本人還希望國王繼續抗爭。國王已開始討論他能保留何種王室位階、如果退位能住在哪裡。他指派蒙克頓撰寫他的退位聲明，並與首相商討退位細節。

一九三六年十二月十日，國王的退位聲明在下議院宣讀。鮑德溫首相隨後起身發表坦率而感人的演說，提到過去幾個月的煎熬，以及國王決定退位所展現的仁慈。

然而，鮑德溫並未提及國王希望他談到的一件事，那就是辛普森夫人極盡所能勸阻他退位。此時已是普通公民的國王想親自向國民發表談話，他想為自己的行為辯解，想表達對弟弟的支持，也想向國民道別。

此外，由於他認為鮑德溫沒有如他所願為辛普森夫人說好話，他想做出補救，於是他這麼說道：「我希望大家知道，我的決定是我一人所為，這是必須完全由我自己判斷的事情。另一位最密切相關的人直到最後都試圖說服我走另一條路。」

至於他曾想提出的、自己要娶辛普森為妻，讓英國人民決定他能否留任國王的論點（在他給鮑德溫及內閣看的那份演說稿中提到的），當時被歸入檔案，之後近七十年無法閱覽。二〇〇三年，那篇演說稿在英國國家檔案館解密的一系列文件中重見天日。我們從中看到，這個男人那時認為只要英國人民聽到他親口說明理由，就會群起支持他，呼喚他回國重登王位。

國王向他的臣民公開發表談話，是古老的慣例。今晚，我要將大家、大英帝國的百姓，視為朋友一樣談話，無論你們身在海內或海外。上一次我在聖大衛日*向大家廣播演說時，我說大家對我之前

* 譯註：聖大衛日（Saint David's Day）是每年三月一日，威爾斯主保聖人聖大衛去世的日子，也是威爾斯的國慶日。

作為威爾斯親王的身分更熟悉。我仍然是那個將「我為人服務」(Ich dien)*奉為座右銘的人。過去二十年間，我一直試著為這個國家與大英帝國服務。今晚，我也沒有忘記海外各個偉大的自治領和屬地，它們總是向我展現如此真誠的善意。

我現在意識到，其他國家的報紙已經讓大家有足夠的根據猜測我要做什麼——以及即將發生什麼事。我要在此向有禮且體貼的大不列顛各大報紙表達謝意。

我從來無意隱瞞你們任何事。直到今天以前，我始終無法發言，但現在我必須發表談話。我無法繼續承擔身為國王長期肩負的重擔，除非能藉由幸福的婚姻生活鞏固我履行國王職責的力量。因此我決意要和我深愛的女人成婚，在她能嫁我之時。

你們都明白，我從不考慮接受基於利害關係的婚姻。我尋尋覓覓多時，才找到這位我想娶為妻子的女人。沒有她的日子裡，我一直非常寂寞。有了她，我將擁有一個家，以及婚姻生活能帶來的一切陪伴、共鳴與相互瞭解。我知道你們許多人皆有幸享受這種幸福，相信你們也會打從心底希望我也可以。

無論是辛普森夫人還是我，從來都無意堅持她應成為王后。我們只期盼她能享有身為我的妻子適當的頭銜與尊嚴，這應該是我們婚姻幸福的一部分。

現在我終於能向你們說出心底話了。我想我最好暫時離開，讓大家能平靜不受打擾地及時思考我剛所說的內容。

我心底最期盼的是能再回來；但無論結果如何，我對國家、對大英帝國、對你們每一個人都深情不渝。

這份講稿若真的發表，將產生巨大而深遠的影響。它淡化了國王想讓辛普森成為王后的願望，這是為了爭取英國人民支持而做出的合理妥協。事實上，在蒙克頓勳爵的檔案裡，有一份愛德華不退位演說稿的初期草稿，可以看到他們對於這個關鍵重點的措詞是多麼小心翼翼。那份草稿提到辛普森時是這麼寫的：「辛普森夫人並不期待成為王后，她將以適當的頭銜承擔此一身分。」這句話後來改為：「無論是辛普森夫人還是我，從來都無意堅持她應成為王后。」換句話說，不是辛普森夫人不想成為王后，只是愛德華不打算讓這件事成為先決條件。這份講稿若真的發表，也許英國人民會群起支持愛德華的請求，讓他保留王位。但是，愛德華如果違背內閣大臣們的意願，未經他們同意就擅自發表演說，他將引發憲政危機。在後來實際發表的退位演說中，他宣稱自己絕不會冒這個險。

如果他贏了這場仗、保住了王位，那後來爆出辛普森與國王不倫戀時又和另一人暗通款曲的新聞，將對君主制產生什麼影響呢？（那個人是風流倜儻的汽車銷售員川德〔Guy Marcus Trundle〕）更重要的是，愛德華國王若保住王位，將如何影響二次大戰的情勢發展？愛德華一九三七年訪問德國，兩年後

* 譯註：Ich dien是繡於英國威爾斯親王紋章上的德文座右銘，即英文的「I serve」。

他又重啟與希特勒的通訊管道，發電報給希特勒說：「請你發揮最極致的影響力，和平解決當前問題。」一名納粹特務一九四〇年發出的一封電報遭攔截，內容稱愛德華「深信若他仍在位，就能避免戰爭，並表示自己堅定支持與德國和平妥協」，更令人震驚的是，「公爵確信，持續猛烈轟炸能讓英格蘭接受和平方案」。若愛德華真的這麼提議，那根本是在以往的臣民極度艱困時冷酷背叛他們。有傳言稱，希特勒當時正考慮在入侵英國取得勝利後，讓愛德華重新登基，成為傀儡國王。

曾經從政的政治傳記作家詹金斯（Roy Jenkins）指出，邱吉爾身為愛德華最忠實的支持者，若在一九三六年成功讓愛德華保住王位，自己將面臨怎樣的困局：「他很可能會在一九四〇至一九四一年間意識到必須將國王廢黜並且／或者關押起來，因為國王可能會成為一個維琪式國家裡具有潛在危險的元首。」在二戰時擔任首相的邱吉爾，強迫好友愛德華接任巴哈馬總督一職，確保他在戰爭期間遠離歐洲。

這個版本的歷史，原本可能在一場演說後發生。企盼保住王冠的國王寫了講稿，但從未發表。一九四〇年，當不列顛戰役如火如荼進行之際，邱吉爾透過ＢＢＣ發表了演說。他描繪那些將改變戰爭結果的「無名勇士」如何發揮英雄氣概：「太多人在這場戰爭中效力，不僅在這座島上，也在每一片土地上；然而他們的名字永遠不會為人所知，他們的事蹟永遠不會留下紀錄。這是一場屬於無名勇士的戰爭，但只要每一個人都繼續奮戰，堅定信念、盡忠職守，那麼希特勒對這個時代的黑暗詛咒終將解除。」

從這個角度看來，因為迫使愛德華退位而飽受非議的鮑德溫，也應獲稱頌為邱吉爾口中的「無名勇士」之一，是他開啟了一連串的事件契機，最終讓「希特勒的黑暗詛咒」得以「從我們這個時代解除」。

第七章　鐵口直斷的風險與報酬：宣布紐約市破產的市長

「現在我們必須採取即時措施，保護這座城市至關重要的基礎運作系統。」

一九七五年十月十六日，紐約市深陷危機。該市高達四億五千三百萬美元的債務將於隔天下午四點到期，但市庫只有三千四百萬美元可用。

若無法償付債務，紐約市將正式破產。

市長亞伯拉罕．畢姆已在市長官邸葛雷西大宅簽署了正式破產聲請文件。幾分鐘後，他將前往位於官邸以南約四十個街區外的華爾道夫飯店，與一千七百名金融界與政界菁英一起參加史密斯（Alfred E. Smith）紀念基金會晚宴。前紐約州長史密斯是美國首位獲得主要政黨提名為總統候選人的天主教徒，這場以紀念他之名為天主教慈善機構募款的晚宴，與會者均須穿著最正式的禮服出席，而這個宴會廳裡的來賓，將是唯一一群能協助紐約市逃過破產的人。

然而，紐約市要逃過破產的機會渺茫。福特總統和他的幕僚已斷然否決聯邦政府出手協助的可能性；各銀行拒絕銷售紐約市政債券，讓市府借款無門。為了讓紐約市度過持續不斷的財政危機，州長凱瑞（Hugh Carey）與州議會在那年稍早創立了市政援助公司（MAC），由於這間公司握有推翻市府支出決策的權力，常被暱稱為大麥克（Big MAC）。市政援助公司還發行了以紐約市的營業稅與證券交易稅為基礎的市政債券，第一輪發行的債券銷售情況不錯，但此時對第二輪債券的需求大幅減少。凱瑞州長剛得知，紐約市的教師退休基金不太可能再次大量購買市政債券（它已經投資一億三千八百萬美元於這類債券）。市政債券已是紐約市僅存的最後一條救命索，如今被切斷後，債務違約幾乎無可避免。

——

此時的畢姆已就任市長第二年，對於紐約市的預算和它面臨的挑戰並不陌生。他擔任紐約市主計長的兩屆任期內，就目睹了製造業就業機會減少、中產階級家庭掀起遷往郊區的風潮、紐約市的公務人員大幅增加。那些在預算缺口不斷擴大之際用來掩飾的花招，他都看在眼裡，而且睜一隻眼閉一隻眼。

然而，即使是盟友與對手都覺得可親又可敬的畢姆，似乎也因為身為市長的挑戰日益嚴峻而備感無力。當時是眾議員、之後接替畢姆成為紐約市長的柯屈（Ed Koch）曾如此評論畢姆對數字的掌握能力：「你知道的，亞伯．畢姆是會計師，但很難理解他怎麼會有這個頭銜。」

在畢姆治下，紐約市的財務狀況持續惡化。柯屈記得他在國會聽取有關紐約市財政狀況的證詞時，心想：「這就像有人從華沙猶太區*逃出來，說那裡在殺人一樣。大家根本難以置信。」

在史密斯紀念晚宴上，出席者享用著「建國兩百週年菜單」，特色菜餚包括馬里蘭州甲魚湯和英國殖民時期甜點。當晚發表演說的嘉賓包括紐約知名建商兼權力掮客摩西斯（Robert Moses），以及康乃狄克州首位女州長葛萊索（Ella Grasso）。史密斯紀念晚宴的演說通常會表現出特有的政治幽默，過去幾年的演說都充滿趣味，今年聽起來卻籠罩著陰霾。

市長畢姆利用輪到他上臺講話的機會，嚴厲譴責華府拒絕向紐約市伸出援手：「在（前州長）史密斯的時代，事情簡單多了，沒那麼複雜，當時華府甚至展現了更大的責任感。」他隨後離開晚宴會場，去尋找是否有辦法避免迫在眉睫的財政災難。

凱瑞州長在談話中提及史密斯時則說：「今天的我們也需要一位『快樂戰士』。」此前曾稱紐約市領導階層都是「三流人物」的摩西斯演說時僅簡單向史密斯致敬。只有葛萊索州長發表談話時嘗試加

* 譯註：華沙猶太區是納粹一九四〇年十月在波蘭華沙建立的猶太人聚集區，至一九四二年夏天，約有五十萬名猶太人被納粹趕到這個約三．四平方公里的區域內，許多人只能露宿街頭。總計其中約三十萬人被送往毒氣室殺害，另有約九萬多人死於飢餓、疾病或被殘殺。

入一些幽默的元素，笑稱她獲邀在晚宴上發言一定是因為義大利裔的身分，以及樞機主教和所有主教「已經為我的人民效勞了很多、很多年」。* 到了晚上十點，擔任市政援助公司董事長的金融家羅哈汀（Felix Rohatyn）與其他人已得知，教師退休基金不會再買進更多市政援助公司的債券。基金託管人米契爾（Reuben Mitchell）說：「我們必須注意投資是否適度分散，不要把雞蛋全放在同一個籃子裡。」凱瑞州長離開晚宴會場時，致電紐約州和聯邦的領導人，直接告訴他們：債務違約即將發生。

當晚，州長還打了一通電話，把一位名叫拉維奇（Richard Ravitch）的開發商找來他的辦公室，後者一直擔任凱瑞小內閣的無任所閣員。拉維奇抵達州長辦公室時，凱瑞仍然身穿全套禮服，看得出來喝了幾杯酒。凱瑞要拉維奇去找頗具影響力的教師工會領袖尚克（Al Shanker），說服尚克買進能拯救紐約市的債券。車子與司機已在外頭等候。

拉維奇後來在回憶錄裡寫道，他抵達尚克的公寓時，尚克對於自己「不買入市政援助公司債券的決定覺得非常痛苦。他知道這會讓紐約市陷入怎樣的風險，但他深信自己的主要職責仍是教師退休基金的託管人，要向教師們負責。這些教師作為紐約市府僱用的員工，已經置身於市府財政危機的風險中，再讓他們的退休金面臨同樣的風險絕非小事一樁」。他們一路談到凌晨五點，但沒有達成任何共識。

與此同時，堅信市府財政執行不會停擺的畢姆市長，在葛雷西大宅的地下室召集了一個小型團隊。紐約市委任的威爾、戈紹爾與曼吉斯（Weil, Gotshal & Manges）事務所的年輕律師米爾斯坦（Ira Millstein）負責準備向法院聲請破產。

市長的新聞秘書傅里根還記得當時的討論主軸從紐約市**是否會**破產變成**如何**破產。「我們必須釐清哪些服務不可或缺，又有哪些服務不是。」他說。「這樣的演練很有意思，因為當你思考哪些服務不可或缺、哪些服務的需求不是那麼迫切的時候，會發現有一些我們不知道的公共服務機能其實非常重要。負責控制橋樑升降的人員不可或缺，教師就沒有那麼攸關生死存亡，維持醫療服務和公路暢通則至關重要。」

傅里根記得，在市長團隊羅列必要服務的清單時，他一眼望去，看到魯賓斯坦在墊著文件板的紙張上寫字。魯賓斯坦有點像是紐約市的無償推動者，他的收入來自為紐約許多房地產開發商和工會做公關工作。《紐約客》雜誌後來形容他是「對紐約市的治理官員來說無所不在、備受信賴又和善的問題解決者」。

魯賓斯坦是畢姆的朋友。一九六〇年代末至一九七〇年代初，魯賓斯坦和畢姆都住在皇后區的貝爾港，兩人隔著一條街住在對面。魯賓斯坦最鮮明的記憶之一，就是在海灘上看到畢姆把一疊摺起來的紙塞進泳褲裡。魯賓斯坦問那些紙是什麼，畢姆拿給他看，每張紙上都寫滿密密麻麻的小字：他正在為競選市長撰寫政綱。「這是我的計畫。」畢姆說。魯賓斯坦回答：「你要是下水了怎麼辦？」

* 葛萊索還開了一個超前時代的玩笑，戲謔地表示在實現國家發展的願景時，沒道理一位女性州長就應該屈居男人的副手：「我很感激多位總統候選人對我說好話。他們主動追求，說我會是一個優秀的競選伴侶。我的回答是，這些讚美還是還給他們比較好。」

一九七四年，畢姆當選市長。如今才不到兩年，他卻即將宣布美國最有錢、最大的城市破產了。

時間從十月十六日來到十月十七日。市長召集他的應變計畫委員會到葛雷西大宅，就破產具體而言如何進行做出最後決定。但市長要在正式宣布破產的演說中說什麼？又要怎麼說？

當時是由魯賓斯坦撰寫市長的講稿，內容應該要簡潔清楚地說明已經發生的事，接下來又會怎樣，以及市長會如何努力保護紐約百姓。但即使在這樣的文意脈絡裡，市長也想一報宿怨。畢姆不喜歡主計長高汀（Harrison Jay Goldin），想要將他扯進破產事件中。講稿開頭第一句話就是：「主計長告訴我，紐約市目前已沒有足夠的現金償還今天到期的債務。」（傅里根撰寫隨演說發出的新聞稿初稿時，是這樣開頭的：「本市主計長高汀今天宣布……。」他這麼寫是認真提議或只是開玩笑，不得而知。）畢姆似乎也想把部分責任歸咎於教師工會。講稿寫道，「市政援助公司原本將取得的資金無法到位，因為教師退休基金未同意加入紐約州融資計畫。」市長的指責矛頭牢牢指著兩個方向，談話直中要害：「這就構成了我們一直掙扎著避免的債務違約。」

講稿接著說明，市長正採取法律行動來保護紐約市的必要服務，將它們置於銀行和債券持有人的還款要求之上。

魯賓斯坦把費時數小時撰寫的講稿交給畢姆市長，市長看著講稿不發一語，只點了點頭，魯賓斯坦隨即將講稿謄打出來。凌晨十二點二十五分，畢姆嘗試致電福特總統，通知他紐約市即將債務違約，但福特已入睡。

尚克與拉維奇的會談直到凌晨五點才結束。拉維奇致電州長報告結果：尚克無意改變決定。

十月十七日早上，紐約市民醒來就看到一連串令人憂心的新聞標題。《史坦頓島先進報》表示「教師聯合工會拒絕融資，迫使紐約市瀕臨債務違約」；《紐約時報》寫道「教師們拒絕同意紐約市需要的一．五億美元貸款」；合眾國際社則報導，倫敦的經濟學家警告，紐約市債務違約將損及美元在海外的匯率。道瓊工業指數開盤下跌十點（對於該指數還低於一千點的那個年代來說，這樣的落差相當驚人），黃金價格開始上漲，「其他城市和州的債券交易量減少至幾近停滯，即使是信譽最佳的債券價格也大多下跌」。

市府下令清潔部門停發薪資支票。一家銀行表示，不會兌現紐約市開出的薪資支票，除非支票是在該銀行自己持有的帳戶開立。由市政援助公司發行的紐約市政債券價格暴跌，面額一千美元的債券價格跌至二十美元至四十美元，市政債券持有人開始在市府大樓排隊，試著能拿回多少是多少。

那天早上，羅哈汀向媒體表示，一切端看教師工會怎麼決定了：「這座城市的未來就掌握在他們手中。」

其實，不僅僅是一座城市的未來而已。紐約市的債券持有人包括全美和世界各地的銀行，某些估計顯示，紐約市違約將造成至少一百家銀行倒閉。

北卡羅萊納州一家報紙刊出漫畫，描繪一名遊民躺在紐約布魯克林大橋下的垃圾上，標題是：「我們要向下沉淪了，美國，我們會拖著你一起沉淪。」

此時，福特總統開始從世界各地的領袖口中得知紐約市債務違約會引發的危險。他的新聞秘書奈森（Ron Nessen）宣稱，福特會密切監控情勢，但不會改變拒絕為紐約市紓困的決定。奈森的原話是：「這並非天災或出於上帝之手的不可抗力情事。這是管理紐約市的人自作自受的結果。」

上午九點出頭，拉維奇在州長辦公室接到尚克來電要求再次會談。由於凱瑞州長的辦公室已擠滿記者，尚克要求在較為隱秘的地方見面。拉維奇的公寓位於公園大道和八十五街口，在葛雷西大宅和州長辦公室之間。

拉維奇還記得，他對於主持這場高層會談毫無準備。他的公寓裡幾乎沒什麼東西可吃，紐約市中央勞工委員會主席阿斯岱爾（Harry Van Arsdale）甚至開始吃他從櫥櫃裡翻出來的猶太硬薄餅。

教師工會陷入了兩難，尚克後來表示，當時的情況根本是在勒索他們。如果紐約市破產，法官可能下令解僱數千名教師，並撤回教師近日才透過協商取得的加薪，還可能凌駕於退休年金法之上，不發年金支票給退休教師。

會談進行三個小時後，尚克下定了決心。他離開會議去和教師退休基金的人員見面。在拉維奇的記憶中，剛剛在他公寓裡有人做出重大決定的唯一證據，是硬薄餅的碎屑。

下午二點零七分，教師工會宣布他們的立場徹底翻轉，他們將用自己的退休金彌補紐約市一．五億美元的財政缺口。尚克說：「沒有其他人要挺身拯救這座城市。」

魯賓斯坦準備的市長講稿從未發表。講稿內容大部分都在精巧闡述紐約市一旦破產，可能會面臨多嚴峻的情況。直到講稿末尾才出現華麗修辭，市長承諾將繼續努力，「恢復這座城市的財政穩定，讓我們得以履行對市民、對全世界持續不斷的重要承諾」。

眼前的危機解除了，紐約市的領導人們繼續尋求聯邦政府出手相助。十二天後，福特總統站上全國新聞俱樂部的會議廳講臺，發出強烈譴責：「我無法理解——而且任何人都不應容忍——某些人公然試圖嚇唬美國人民和他們的國會議員，讓他們出於恐慌而支持那些顯然非常糟糕的政策。這個國家的人民絕不會草率做決定。當某些別無他法的紐約市官員和金融業者試圖把人民嚇到為紐約市支付抵押貸款時，他們不會驚慌的。」

他還在演說後段補充：「我可以告訴各位，現在就告訴各位，我已準備好否決任何要求聯邦政府紓困以避免紐約市違約的法案。」

福特的談話實際上比他很多幕僚預期的更嚴厲。根據當時擔任財政部長西蒙（William Simon）助理的傑根（David Gergen）的說法，福特肯定對紐約市的揮霍無度相當惱火，但整體而言，他是一個喜歡紐約的溫和派共和黨人（他選擇的副總統洛克菲勒〔Nelson Rockefeller〕就是紐約人）。

這份講稿的前五個版本雖然措詞強硬，但並未威脅要否決法案。福特的演說撰稿人哈特曼（Robert Hartmann）留下的文件顯示，福特直到演講前兩天還認為，只要說「我從根本上反對這種（紓困）解決方式」就夠了。在較早的草稿中，福特認為紐約市違約已不可避免，也樂見它發生，還承諾若發生違約，「聯邦政府將與法院合作，確保警察、消防和其他保護生命財產的市政基本服務運作無虞。」直到接近最終版講稿的草稿上，我們才看到手寫的修改筆跡，加入了揚言否決法案的字句。

雖然修改的筆跡並非出自福特本人，但福特最後發表演說的嚴厲措詞，讓次日一早的《紐約每日新聞》刊出一行從此與福特再也分不開的標題：「福特對紐約市說：管你去死。」儘管他從未真正說過這句話。

福特斬釘截鐵聲明的修辭起源可以追溯到一八八四年夏天。當年兩黨全國代表大會即將召開，共和黨領導人認為最大的勝算是提名內戰英雄薛曼。然而薛曼無意參選，他寫信給眾議員（後來獲提名的候選人）布連恩（James Blaine）說：「在六十五歲時重啟政治生涯，我會覺得自己是傻瓜、是瘋子、是白癡。」

這封信勸阻不了滿懷希望的共和黨人，於是薛曼發出一封措詞更強硬的電報。「如果被提名，我不會接受；如果當選，我不會就職。」（"I will not accept if nominated, and will not serve if elected."）這就是有名的「薛曼式聲明」（Sherman statement），陳述的意思明確，絕不可能導致誤解。此後，無數政治人物都以類似的聲明來否認自己懷有（或沒有）雄心壯志。詹森總統在一九八五年談及競選連任的意圖時說：「我不會尋求，也不會接受黨提名我連任總統。」

薛曼式聲明的結構很容易辨識，因此當亞利桑那州眾議員尤德爾（Mo Udall）想明確表示不會在一九八〇年總統大選挑戰卡特總統的黨內提名時，他是這麼說的：「如果被提名，我會——跑向美墨邊境；*如果當選，我會反對被引渡回國。」

如今，「薛曼式聲明」一詞不只用於指涉政治抱負，發表「薛曼式聲明」也可能是兼具高風險與高報酬的策略。

以詹森總統為例，他一九六八年的薛曼式聲明，其實源自四年前他關於美國介入越南戰事的薛曼式聲明。那份聲明說：「我們不會把美國男孩送到離家九千、一萬英里的地方，去做那些亞洲男孩應該為自己做的事情。」儘管那份聲明其實是被斷章取義，但它清楚有效地總結了詹森當初的承諾。詹森打破這個承諾，也讓他幾乎不可能競選連任。

這樣的聲明帶有一種絕妙的簡明特質，非常適合用於雄辯之辭。但對未來的明確承諾或斬釘截鐵的聲明若未能實現，人民也不會寬待。

老布希總統在一九八八年共和黨全國代表大會上說：「聽好了：不會增稅。」一時掀起騷動。老布希當時的看法是，提高稅收是萬不得已才會祭出的最後手段。如果換成「聽好了：增稅只是最後手段」，就沒什麼亮點了。但這句話也成為老布希綁在自己身上的政治定時炸彈。在老布希因預算赤字

* 譯註：原文為"If nominated, I will run—for the Mexican border." 其中run有競選也有跑步之意。

和支出需求被迫提高各種稅費後，大衛·萊特曼（David Letterman）*對民憤做了最佳總結：他建議老布希應該把自己的名言改成「聽好了：我在說謊」。

已有太多事例顯示，這種聲明到頭來經常讓發表它的人難堪不已。一九八六年，雷根總統在一次電視演說中宣稱：「我們不曾，我重申一次，我們不曾以武器或其他任何東西交換人質——以後也不會。」幾個月後，他被迫食言，為伊朗門事件（Iran-Contra affair）†公開負責。歐巴馬總統在二〇一三年也同樣面臨因為說過的話被算帳的窘境。當時他表示，敘利亞總統阿薩德若對自己的人民動用化學武器，將是「我們的紅線……會改變我的決策」。之後阿薩德真的發動大規模化武攻擊對付自己的人民，但歐巴馬總統並未實現他曾做出的威脅，結果重挫自己的公信力。二〇二〇年，選民懲罰了川普總統，部分原因來自他針對新冠疫情的言論，他說：「總有一天——就像奇蹟一樣——它會消失不見。」

即使在不是那麼重大的議題上，過於斬釘截鐵的預測也會削弱後來的結果，即使結果非常成功。以籃球明星雷霸龍·詹姆士（LeBron James）為例，他在二〇一〇年「帶著他的天賦」到邁阿密熱火隊時，曾在滿場尖叫的球迷面前承諾：「不是一座，不是兩座，不是三座，不是四座，不是五座，不是六座。我來到這裡，要拿下七座總冠軍。我說這話，是真的相信會實現。」

無論以什麼樣的標準來說，詹姆士在邁阿密的四個賽季都非常成功，拿下了兩座NBA總冠軍。如果他在那次活動上只說「我打算為這支球隊拿下總冠軍」，他最後的成就已超乎預期；但若以他自己公開立下的標準來衡量，他卻沒有兌現自己的承諾。

那麼，做出斬釘截鐵而非含糊其辭的承諾，有任何好處嗎？當然有。斬釘截鐵的言語能號召人們為一個共同目標一起努力。

一九六一年，甘迺迪總統向國會說的是「我國應致力實現在十年內讓人類安全登陸月球並返回地球的目標」，促使美國人走上更具雄心壯志且積極進取的道路；如果他只說「我國應致力實現在將來某個時候讓人安全登陸月球並返回地球的目標」，後續發展將截然不同。

最著名的例子可能是一九四〇年六月，邱吉爾在下議院宣稱：

> 即使歐洲的廣袤地區和許多知名古國已經、或可能將落入蓋世太保及納粹的各種醜惡機構控制之下，我們仍將抗敵不懈、絕不言敗。我們會堅持到底，會在法國奮戰，會在海洋奮戰，會以日益強大的信心與實力在空中奮戰，會不計代價保衛我們的島，會在海灘奮戰，會在登陸時奮戰，會在田野和街巷間奮戰，會在山丘上奮戰。我們絕不投降。

---

* 譯註：大衛・萊特曼是美國知名談話節目主持人，招牌節目為《大衛深夜秀》（*Late Show with David Letterman*）。

† 譯註：伊朗門事件是雷根總統秘密軍售給遭制裁的伊朗，以換取美國人質獲釋，又將所得款項用於資助尼加拉瓜叛軍組織康特拉（Contras）。事件曝光後引發軒然大波，美國國會成立特別委員會進行調查，時任白宮國安顧問等官員遭特別檢察官起訴。

他的這段發言，成了自我實現的預言。

——

從某方面來說，福特總統的演說也成了自我實現的預言，只不過預言的是他自己的失敗，因為他的苛刻發言與更苛刻的新聞標題，雖然促成紐約獲得救助，卻也讓他自己的政治生涯走下坡。對紐約來說，福特的談話讓主要參與方相信聯邦政府不會出手相助，促使該市削減支出並提高稅費徵收。紐約市做出的改變讓福特回心轉意，同意向紐約市提供聯邦貸款，也讓紐約市比較容易賣出市政援助公司發行的債券。

魯賓斯坦、柯屈等人後來表示，福特拒絕出手救助，反而幫了紐約市一個大忙。無論好壞，這或許也讓此種令情勢瀕臨崩潰的政策之後被奉為破產談判策略，在美國多次聯邦債務上限談判中都能見到。

雖然福特後來同意讓聯邦政府援助紐約市，但紐約人不會忘記那個標題。隔年，吉米．卡特贏得民主黨候選人歷來在紐約市第三高的得票率，以些微優勢拿下紐約州，這四十一張選舉人票將他推上了總統大位——一場未曾發表的演說，和一場發表了的演說，發揮了推移歷史的影響力。

第四部

戰況或局勢改變而捨棄的講稿

重要但沒能發表的講稿，都是來自當時結果不確定、影響層面廣泛，且歷史巨輪正向前推動的時刻與地點，而戰爭與衝突時期便符合前述所有條件。

盟軍最高指揮官艾森豪為諾曼第登陸失敗而道歉的未發表講稿，告訴我們什麼是展現領袖風範的演說；日皇裕仁未發表的道歉，讓我們看到責任的沉重負擔，以及選擇和不選擇哪些用語所隱藏的意義；甘迺迪總統在古巴飛彈危機期間宣布空襲古巴的未發表講稿則顯示，事後看來確定的結果，在事發當時其實吉凶難料，這份講稿也突顯了撰稿人身分歸屬的難解問題。

第八章　領導的語言：

艾森豪與諾曼第登陸失敗的道歉文

「陸軍、空軍、海軍弟兄都展現了至高無上的勇氣。」

一九四四年六月五日，盟軍在納粹占領的法國北部諾曼第海灘展開登陸行動的作戰日（D-day）前夕，最高指揮官艾森豪將軍將整個英格蘭南部形容成「一股強勁而不斷迴旋的泉水……迴旋是為了積聚即將釋放的能量，要越過英吉利海峽展開史上最大規模的兩棲登陸攻擊」。這股「人類之泉」包括大約十五萬六千名士兵，他們組成的登陸部隊目前駐紮在英格蘭南部。由於事前保密極為重要，因此最南端的軍營均圍著鐵絲網，防止士兵得知自己的登陸行動任務後離開營地。

登陸行動原定六月五日進行，但氣象預報顯示當天天氣不佳：雲低、風高、浪急。登陸攻擊行動因而延後。氣象專家預測，第二天可能會出現一段天氣好的時間，也許只有三十六小時。士兵可能在登陸成功之後陷入困境，「最初登陸的突擊部隊孤立無援，很容易淪為德軍反擊時的犧牲品」。艾森豪擔心敦克爾克的可怕景象重演，當時有三十萬名英國、法國、加拿大和比利時士兵撤退到英吉利海峽邊緣，其中數萬人在德軍炮火與空襲中喪生。

在六月四日晚上看來，延後登陸行動明顯是正確決定。雨勢尚未停歇，強風仍在呼嘯。但六月六日的天氣呢？

如果將登陸行動延至六月六日以後，下一個適合攻擊的時間段要再等兩週，那時的月相和潮汐會更有利。因為要穿越海峽發動攻擊，海象必須夠平靜，才不至於發生船隻相撞或過多士兵暈船；退潮時間必須夠晚，盟軍才能看見並摧毀露出水面的水雷、水下障礙物和名為「比利時門」(Belgian gates)的淺灘柵欄；但退潮時間又不能太晚，才會在天黑前出現第二次退潮，讓盟軍進行第二波登陸。月亮必須夠圓，能帶來足夠光線為傘兵所乘飛機的飛行員指路。最好還有一股往岸上吹的風，把戰鬥的煙塵帶往敵人的方向。

然而秘密計畫可能在兩週內外洩，且這段期間十五萬六千名美國、英國和加拿大軍人只能困守於船上或基地裡，這兩個禮拜適合戰鬥的天氣也將被白白浪費掉，因為部隊都滯留在無法戰鬥的英吉利海峽另一端。

艾森豪說：「問題就在於，這項行動能維持蓄勢待發的狀態多久。」

為了計劃這次攻擊行動，艾森豪和他旗下的指揮官們每天開會兩次，分別在凌晨四點三十分和晚間九點於索斯威克府圖書館會面，這是一處位於英格蘭樸茨茅斯附近的喬治時代大宅，樸茨茅斯便是盟軍遠征部隊總部所在之處。

大雨猛烈敲打窗戶，法式落地玻璃門窗被風吹得嘎吱作響，此時他們必須決定是否在六月六日展開登陸行動。

海軍上將拉姆齊（Bertram Ramsay）爵士曾指揮敦克爾克大撤退，此時則負責協調將十五萬六千名士兵帶往諾曼第海灘的艦隊，他贊成在六月六日登陸。艾森豪的參謀長史密斯（Walter Bedell Smith）少將則說，這是一場贏面不錯的賭博，但仍然是一場賭博。艾森豪轉向在大君主作戰（Operation Overlord）期間指揮所有盟軍地面部隊的蒙哥馬利（Bernard Law Montgomery）將軍，問道：「你有看出任何我們不該在星期二展開行動的理由嗎？」通常行事謹慎的蒙哥馬利明確表示：「我主張就在這天行動。」

四日晚間九點四十五分，艾森豪初步決定，要發出展開行動的命令。他將下令行駛速度較慢的船艦啟航，如有必要，還有幾小時的時間可要求它們返航。五日凌晨四點三十分開會時，風雨仍未停歇。艾森豪從他的營地行駛了一英里的泥濘道路，前往索斯威克府。他進入府邸時經過一間大客廳，英國皇家女子海軍士兵正沿著地板移動梯子，在占據一整面牆的歐洲海岸線地圖上標記著駛向諾曼第海灘的船隊航行進度。（由於計畫高度保密，負責安裝地圖中諾曼第部分的人員，被扣留到登陸行動展開後才放行。）

艾森豪想再聽一次天氣簡報。雖然外面天候惡劣，但英國皇家海軍上校史塔格（J. M. Stagg）相信天氣會放晴。艾森豪必須在此時做出決定。再拖下去，已經在海上的五千四百艘船將缺乏足夠燃料返回港口，並於次日晚間出航。

聽完天氣簡報後，艾克（Ike）* 考慮了幾分鐘。有些報導說，他只花了不到一分鐘的時間；有些報導則說，他在圖書館的藍色地毯上獨自踱步了五分鐘。

艾森豪接下來說的話，不同報導描述的也不一樣。各種記載顯示，他說的話可能是「我不喜歡，但我們必須行動」、「好，行動吧」、「好，就開始吧」、「好，出發吧」或是「我們明天進攻」。

無論艾森豪的原話是什麼，可以確定的是他並非慷慨激昂地宣布行動開始。艾森豪的傳記作者戴維斯（Kenneth S. Davis）就寫道，「他做決定時完全沒有展現強烈情緒。他並未從『歷史』或『命運』這些角度去思考，也不像拿破崙或希特勒在決定性的時刻自我意識膨脹。」布徹（Harry Butcher）上校是艾森豪的海軍幕僚。他在私人日記裡寫道：「隨著那個大日子逐漸接近，艾克以一種異常自在的方式承擔他的責任。其實他是以宿命論的角度看待這件事——該做決定的時刻到來，就得有人做決定。此時責任恰好落在他肩上，而他毫不猶豫地承擔。」

回到車裡時，他告訴司機薩默斯比（Kay Summersby）：「我向上帝許願，希望我做了正確決定。」

但如果那決定並不正確呢？

畢竟，盟軍的空軍指揮官、英國皇家空軍的李—馬洛里（Trafford Leigh-Mallory）爵士說過，空軍傷亡比例將高達四分之三。† 英國陸軍司令布魯克（Alan Brooke）爵士也曾說：「我對整個行動感到非常不安。在最好的情況下，結果也將遠不如預期；在最壞的情況下，它很可能成為整場戰爭中最可怕的災難。」

艾森豪把行動計畫告知流亡英國的法國抵抗運動領袖戴高樂（Charles de Gaulle）後，戴高樂亦曾向他指出其中的缺點。

儘管艾森豪深信只有天氣因素才能阻止盟軍的攻勢，但他仍認為自己對這項行動要負完全責任，因為不僅發號施令的是他，設計整套作戰計畫的也是他。因此，當船隻準備航向英吉利海峽另一端，傘兵準備空降敵後時，艾森豪開始提筆寫字。‡他寫下一份為行動失敗負責的簡短講稿，這是他每次下令展開兩棲作戰前的慣例。只要作戰計畫大功告成，他就會撕掉講稿。而他在盟軍登陸諾曼第前寫的這份講稿，是其中唯一沒撕掉的。

> 我們在瑟堡—阿弗赫（Cherbourg-Havre）地區的登陸行動未能拿下令人滿意的據點，我已撤回部

* 譯註：艾克為艾森豪自幼的小名，取自他的姓氏簡稱，之後軍中官兵乃至全美民眾都如此稱呼他。

† 在確認空降行動成功後，李—馬洛里致函艾森豪說，人有時很難承認錯誤，但這是他最樂於認錯的一次。艾克的幕僚布徹則在日記裡寫道：「你根本無法對這樣的人生氣。」

‡ 艾森豪寫這份講稿的確切時間不得而知，但從他用的紙張和匆忙程度研判，加上他當天稍早曾寫了一封更長的信給妻子，我認為講稿最可能是在晚上寫的。

隊。我決定在這個時機、這個地點發動攻擊，是根據可取得的最佳資訊。陸軍、空軍、海軍弟兄都展現了至高無上的勇氣，也已善盡職責。若這次嘗試帶來任何指責或過錯，全由我一人承擔。

這些話語與那份精心撰寫的「本日軍令」不同——後者是艾森豪幾天前預錄好的談話，要在登陸行動當天一早派士兵上戰場前向全體兵員廣播，同時發送紙本講稿給他們。他四個月前就開始構思那份講稿，講辭慷慨激昂，激勵士兵為目標奮戰，例如「全世界的自由人正一同朝勝利邁進！」以及使用「結句反覆」(epistrophe）的華麗修辭，也就是在句尾重覆使用相同的詞語或短語：「全世界的目光焦點都與你們同在。世界各地熱愛自由人士的希望與祈願，都與你們同行。」

相比之下，為諾曼第登陸「失敗」準備的講稿則是在行動前一天倉促寫就。內容雖簡短，但當時的氛圍躍然紙上。

——

從艾森豪的字跡可以看到，他將被動語態的「軍隊已被撤回」改為主動語態的「我已撤回軍隊」。你應該還記得中學英語課教過的，被動語態是把動作的受詞變成句子的主詞。有一個常見的被動語態例句是：「為什麼馬路會被雞穿越？」在人們比較熟悉的句型裡，*雞是那個動作者，牠穿越了馬路；在被動時態的句子裡，重點則在那條馬路成為某事發生的對象。撰寫講稿時，被動語態能發揮頗令人玩味的作用。整體而言，被動語態聽起來不帶感情而無趣，像是在打官腔。「該專案已被實施」是被動語態，而領導者應該是主動出擊的人：「我啟動了這項專案。」美國前總統格蘭特（Ulysses S. Grant）曾對他的醫生說「我是動詞」，一語中的。動詞是採取行動的字詞，領導者是採取行動的人。投資銀行家之間甚至流傳一個笑話：「沒人會說『下雨了』。他們說『是我帶來雨水』。」

因此，如果用被動語態來承認作戰計畫失敗的錯誤，聽起來會超級古怪。最著名的例子是已被使用過度的那句話「錯誤被犯下」（mistakes were made）。作家薩菲爾在《薩菲爾的政治詞典》（*Safire's Political Dictionary*）一書中形容這句話是「一種被動且模稜兩可的認錯方式，讓講者與犯錯的責任保持距離」。薩菲爾還找出是誰率先使用這個被動式的認錯句子，諷刺的是，這份榮譽正屬於那個自稱是動詞的人。格蘭特總統在一八七六年最後一次向國會提交國情報告時寫道：「錯誤已被犯下，人人可見，我也承認。」他用這句話來承認政府的醜聞（但不為此負責）。

此後，領導人們一再使用「錯誤被犯下」這句話。從雷根總統談伊朗門事件，到柯林頓總統談募款醜聞，再到眾多內閣部長和幕僚。

不過，被動語態有時聽起來比較有權威感，特別是用在發出威脅或做出承諾的時候。由於沒說清

---

* 譯註：「小雞為何要穿越馬路？」（Why did the chicken cross the road?）是知名的英文腦筋急轉彎問題，答案是「要去對面」（To get to the other side.），亦有「克服障礙達成目標」之意。

楚採取行動的是誰，被動語法也可能引起滔天怒火。

兩位布希總統就最喜歡被動語法。老布希在描述伊拉克總統海珊一九九〇年入侵科威特（並威脅要採取行動）時，說了一句出名的話：「這樣對科威特的侵略，是站不住腳的。」

十一年後，小布希總統在九一一恐怖攻擊後向參眾兩院聯席會議發表的談話中，說出了我所聽過最有力的被動語法之一：

今晚，我們的國家被危險喚醒，並被召喚去捍衛自由。我們的悲慟已化為憤怒，憤怒已化為決心。無論我們是將敵人繩之以法，或對敵人施以制裁，正義都將被伸張。

小羅斯福總統在一九四五年卸任前未發表的最後演說稿中，*也使用了被動語法。他寫道：「那個曾經權勢滔天、罪大惡極的納粹國家正在土崩瓦解。日本軍閥則正在自己的祖國承受著他們襲擊珍珠港時自找的報復。」不過在道歉時使用被動語態聽起來就不怎麼有力，反而讓人感覺語無倫次，艾森豪也體認到了這一點。

在艾森豪的講稿中還能看到什麼？我們可以看到他劃掉了「這次特別行動」，以「我決定（在這個時機、這個地點）發動攻擊」取代，後者當然不是被動語態。他還在講稿結尾處的「我一人」下方劃了粗線，予以強調。

忙亂之中，艾森豪將講稿的日期標注成七月，而非六月五日。

——

到了作戰日二十週年之際，艾森豪重回諾曼第，接受哥倫比亞廣播公司傳奇主播克朗凱（Walter Cronkite）專訪。†克朗凱站在當時使用的入侵地圖前問艾森豪，如果當年的入侵行動是以災難收場，他打算發表什麼樣的訊息？

艾森豪知道諾曼第地區有德國部隊部署，還裝了大量高射炮彈的防空炮臺。他知道有人會失去性命。他是這麼說的：「老天爺知道，那些弟兄對我有多重要。在戰爭中，你就是得做決定。我會以最低的代價去做有利於國家的事。不可能說沒有代價，因為你知道會有人喪命。」

不過他也對自己的計畫充滿信心。即使其他人認為應該經地中海進入歐陸，但他想採取的行動路線是諾曼第登陸。對這個想法的執著，似乎讓他比較能接受隨之而來的風險。

艾森豪受訪時，談及計畫萬一失敗時他想發表的談話：

* 小羅斯福總統的最後講稿會在第十五章深入討論。

† 在這集專訪前段，艾森豪又把諾曼第登陸日說成「七月五日」，也就是他在未發表的講稿裡寫的日期。

打從一開始，我就對這個計畫負有部分責任。兩年前，我在參謀長任內提出這項行動的初始規畫。這兩年間我一直相信這件事會成功，我相信它能擊敗德國，所以我自認不僅是指揮官，還是一個努力讓所有人都相信這計畫有必要的人。我自認有一種特殊的責任。所以我寫了一份完全是假設我們會被擊敗的小講稿，但我沒有對外透露過，一定是有幕僚把這份講稿拿出來告訴別人。講稿上只寫著，登陸失敗的錯誤由我一人承擔，不是其他任何人的錯。我是那個做選擇的人（我知道除非天氣因素，計畫是不會失敗的），我是那個要為決定登陸負責的人，所有的錯誤都算在我頭上，就是這樣。如果這項行動真的失敗，你知道的——無論如何我都會被世人遺忘，所以不妨擔起全責。

艾森豪不記得他未發表的講稿是怎麼公開的，有一個傳說是他把那張紙條扔了，而一名幕僚將它搶救回來。真相其實更平淡無奇。根據艾森豪幕僚布徹的日記，一九四四年七月十一日下午，也就是入侵行動開始一個多月後，「艾克把我叫到他的辦公室，遞給我一張紙，上面有他潦草寫下的訊息。他說他是在皮夾裡發現這張紙。我看完後告訴他，我想把它放進我的日記裡。他勉強同意了，並說他每次兩棲作戰前都會寫一張類似的字條，但到最後都會悄悄撕毀。他說我如果把字條放在日記裡，可能會帶來噩運。我最後說服了他，讓他不再認為這是不祥之兆。」

如果布徹的敘述可信（既然是在登陸行動當時發生的，也沒有理由不可信），艾森豪似乎只是忘記了這件事。

這張字條被搶救下來後，發揮了兩個作用。

首先，它讓我們一窺另一種充滿戲劇性的歷史樣貌的初始篇章。在作戰日七十五週年時，英國廣播公司詢問了幾位歷史學家和軍事領袖，如果諾曼第登陸失敗，後來會怎麼樣。軍事歷史學家肖沃爾特（Dennis Showalter）認為，「推動跨海峽入侵的美國官員將苦惱萬分地進行重新評估。艾森豪幾乎一定會提出辭職，他的辭呈也幾乎一定會被接受。美國的小羅斯福總統可能會在一九四四年十一月的大選中連任失敗，因此政府可能更替。」

軍事歷史學家謝菲爾德（Gary Sheffield）則認為，蘇聯「可能獨力贏得戰爭，也許在一九四六年。我想我們很可能看到鐵鎚鐮刀旗幟*不只飄揚在波蘭和東德，也飄揚在西德、荷比盧三國和法國。丹納特爵士（Sir Richard Dannatt）將軍曾問道：「盟軍是否仍能讓德國無條件投降，還是會經由談判結束戰爭？那樣一來，今天的歐洲會是什麼樣貌？」

這問題很讓人好奇，幸運的是，我們沒有答案。我們擁有的是那份幸好未曾發表的講稿。於是，我們不必根據這份講稿寫下另一版本恐怖史實的第一章，而是發揮它的第二個作用：讓我們從這段言語中，學習到何謂領袖風範與責任心。

* 譯註：鐵鎚鐮刀是俄國革命時的共產主義標誌，代表工農聯合。冷戰期間，絕大多數共產國家均以鐵鎚鐮刀作為象徵標誌。

第九章　政治語言與變色龍：昭和天皇從未發表的二戰致歉文

「朕悲慟萬分。」

歷史學者暨新聞工作者加藤恭子終於有空將借來的檔案歸還給田島家族時，已是她撰寫的田島道治*傳記出版七個月後的事了。

她氣惱自己沒能早點歸還文件，但由於她處理的是多達兩千頁的龐大手稿，必須進行大量的分類和再分類，她得做很多組織整理的工作，才能將所有檔案全部歸還。

田島道治是日本戰後初期最重要的人物之一。他曾任銀行總裁、內閣大臣和索尼公司董事。自

* 為保持一致，我在本章將日文名字寫成名字在前、姓氏在後——和本書其餘章節一樣。（譯註：作者指的是英譯的日文名字，中譯版的日本人物姓名仍維持姓氏在前、名字在後。）

一九四八年六月至一九五三年底，他還擔任處理日本皇室事務的宮內廳*長官，這個職務基本上身兼天皇的私人助理、幕僚長和心腹。加藤為了寫田島道治的傳記，向田島家族商借他的書籍和他撰寫的作品。

為了歸還這些早該還回去的物品，她將所有厚重書籍裝進多個紙箱後寄出。但對於手寫的文件，她認為最好親自遞交。就在她將一大疊文件交給田島的兒子恭二時，她瞥了一眼從文件堆裡凸出來的兩張棕色褪色紙張。她本來只需要把它們塞回去就好，但有一個字吸引了她的目光，那個字就是「朕」。這是只有皇帝才會使用的第一人稱代名詞，筆跡卻是田島的。

有時候，演說撰稿人是最擅長推測講者想說什麼的人；†也有些時候，演說撰稿人不過是虛有其名的速記員，他不是將講者話語傾瀉而出的湧泉，只是講者的傳聲筒。田島用「朕」這個字，彷彿在說「這些話確實出自天皇之口」。

恭二看著那張紙，立刻得出結論：「我相信這是天皇親口說的。我之前並不知道有這樣的文件。」

———

一九四五年八月十五日，日本百姓第一次聽到四十四歲的最高統治者昭和天皇的聲音。

在此之前，天皇的所有宣告，包括對美國宣戰，都是以「詔書」形式發布，由他人宣讀與布達。裕仁二十五歲時在父親過世之後繼位為日本天皇。經過一番改元命名的程序後，年號定為「昭和」，可意譯為「光明的和諧」或「輝煌的和平」。雖然裕仁後來成為史上在位最久的天皇，但他統治期間的前二十五年既未帶來和平，也沒創造和諧。

裕仁究竟是日本侵略擴張戰爭的策劃者，或只是無力阻止戰爭的天皇，歷史學家對此意見分歧。雖然長期以來的主流觀點是昭和天皇太弱勢，無法智取好戰的大臣與軍方，但畢克斯（Herbert Bix）等歷史學者近年的研究顯示，昭和天皇擁有的能動性其實高於以往所知。

無論他的實際角色為何，毫無疑問地，在他主持之下，日本政治領導層愈發走向軍國主義；而對於日本一九三一年入侵中國東北，他即使未積極推動，至少也沒有反對。日本一九三八年對中國人使用化武、一九四一年襲擊珍珠港，也都是由他主持。最後，他的國家也在他主持下被徹底摧毀。

整個二戰期間，由六名成員組成的戰爭委員會一直擔任裕仁的諮詢顧問，裡頭包含首相、外務大臣、陸軍大臣、海軍大臣、陸軍參謀長和海軍參謀長。他們定期在皇居內的吹上御所森林一處嵌入山坡的碉堡裡開會。

一九四五年八月九日，他們開會討論日本是否還能繼續這場戰爭，當時長崎正因美軍投下的原子彈而陷入火海。

* 譯註：日本掌管天皇與皇室事務的部會，古代為宮內省，戰後於一九四七年改制為宮內府，一九四九年再改制為宮內廳，延續至今。

† 本書第四章闡述了尼克森的演說撰稿人普萊斯對此事的探究。

此前，一切有關戰爭執行的決策都是在戰爭委員會一致同意後呈交天皇。但對於是否要投降，戰爭委員會的意見不一，贊成與反對者各半。首相鈴木貫太郎與外務大臣東鄉茂德決定做一件以往不曾做過的事：將正反兩方的意見都上呈天皇。

他們請求天皇前來碉堡會見。裕仁從專為天皇夫婦建造的獨立避難設施來到這裡，距離只有短短幾百公尺，但心理上的路程想必漫長得多。他在臨近午夜時分穿過約三十公分厚的鋼製防爆門，進入碉堡。

鈴木首相依照禮儀，俯首向天皇遞交了《波茨坦宣言》（美國、英國和中國在這份文件中列出了日本投降的條件），以及他們對於是否要簽署宣言的兩種意見。

儘管還不清楚簽署宣言後天皇將承受何種後果，但碉堡裡的其他人都能從宣言裡的明確措詞看到自己的悲慘下場：「欺騙及錯誤領導日本人民使其妄想征服世界之威權及勢力，必須永久剔除。我們堅持將不負責任的軍國主義逐出世界，否則無法建立和平、安全與正義之新秩序。」以及「對於犯下戰爭罪的人犯，包括虐待我方俘虜的那些人，將處以嚴厲的法律制裁」。

天皇細讀後答道：「若戰爭延續，將使日本人民生靈塗炭，並徒增全人類的苦難。我國顯然已難再戰，守護國土之能力也成疑，我對此委實難忍。讓我忍所難忍之事的時刻已經來到。我同意接受同盟國的宣言。」

此時，戰爭已造成巨大傷亡。儘管確切的統計數字各異，據信約七千四百萬的日本戰前人口中，有近兩百萬士兵、一百萬平民在戰爭中喪生。受傷或無家可歸的人則是死亡人數的兩倍以上。

全日本有四十多座城市被徹底夷平；六十六座主要城市中，有超過四成的都會區遭戰火蹂躪；五分之四的船隻被擊沉，四分之一的車輛被摧毀；近九百萬人流離失所。許多倖存百姓長期處於飢餓狀態，部分城市建議民眾採取「非常時期飲食」，包括吃「橡實、穀糠、花生殼、木屑」。

裕仁的戰爭顧問們最初表示，他們願意接受《波茨坦宣言》的投降條款，條件是裕仁繼續擔任天皇，於是美國的轟炸依然持續。不到一週後，裕仁已準備同意無條件投降。

然而日本政府曾告訴國民，他們進行的是一場聖戰，唯一選擇就是戰到最後一兵一卒。這樣的日本怎能承認敗戰？人們會不會選擇切腹自殺，儀式性地光榮死去，而不是在恥辱中投降？軍事將領會不會認為天皇是受到叛國者蠱惑，於是起而推翻他？裕仁想直接向臣民發表演說，同時回應這些憂慮。

他下令戰爭委員會寫一份宣布日本投降的廣播演說稿。史上頭一遭，他的臣民將聽到他親自發表談話的聲音。裕仁離開碉堡時，好幾名官員都哭倒在地。他們為國家悲泣，也為天皇的命運擔憂，認為天皇自陷危險絕境。天皇宣布投降演說的寫作和錄音均秘密進行，演說內容直到播出前一天午夜才完成最後定稿。天皇將演說錄在留聲機上，之後留聲機被藏起來不讓軍方將領看見，以免軍方的反投降派會阻止播出。結果，反投降派在最後一刻企圖發動政變未遂。錄製天皇玉音的唱片被裝在洗衣籃裡，偷運出皇居。

日本天皇使用古典日語，充滿古老詞彙與修飾詞，一般聽眾大多難以理解。這次「玉音放送」中傳達的訊息又更令人困惑，因為天皇的演說方式相當生硬，且全文均未出現「投降」和「戰敗」等字眼，反而將投降解釋成寬宏大量之舉，「欲以為萬世開太平」。此外，天皇提到自己對戰爭中造成大量軍民喪生深感悲慟，也向家屬表達哀悼之意，卻沒有為發動戰爭的決定表示負責。

為確保人民理解天皇發表的演說內容，天皇的「玉音放送」播出後，又由廣播員以白話日文宣讀第二次。迴避責任是昭和天皇在戰後一貫維持的立場。一九四六年三月至四月間，他預料自己將被軍事法庭傳喚，於是向幕僚口述他對戰時各項事件與決策的說詞。儘管這些口述紀錄顯示，天皇對相關人物和時序均瞭然於心，但他也藉此機會將責任歸咎於臣子。

天皇的命運仍然懸而未決。

當時占領日本的美國人明顯憂心天皇若不在位，日本人民恐怕會群起反抗，實踐「奮戰至最後一兵一卒」的戰時誓言。維持天皇制度會比較容易實現日本的政治體制改革，制定新憲讓日本走向去軍事化。

美軍准將索普（Elliott Thorpe）贊成讓昭和天皇繼續保有（已被削弱的）皇位。他向歷史學家道爾（John Dower）憶述：「若不如此，我們會陷入亂局。（當時日本的）宗教已失去功能，政府亦已不存，他是唯一象徵控制的存在。我知道他做了壞事，絕不無辜，但他對我們大有用處。」

麥克阿瑟將軍在拍給艾森豪的電報中談到裕仁時也說：「如果毀了他，這個國家將隨之分崩離析。」他在電報裡還說，若廢黜天皇，「絕對必須大幅增加占領軍規模。很可能需要在此無限期維持百萬兵力。」當然也有其他不同觀點。美國國務院駐東京外交官艾哲遜（George Atcheson）就主張裕仁是戰犯，應該視為戰犯處理。美國蓋洛普民調公司一項未曾公開的調查顯示，當時七十七%的美國人都希望裕仁受到「嚴厲」懲罰。美國參議院還通過了一項決議，宣布裕仁應以戰犯身分接受審判。

美國的盟友也幾乎一致認為，應該對裕仁進行法律審判。就連日本民眾也絕非一致支持裕仁。在軍事法庭準備宣布對日本戰時領導階層的判決時，有四分之一至半數的日本民眾希望裕仁退位。

日本領導階層對這個問題的立場亦大相逕庭。一九四六年二月，皇后的叔叔東久邇宮稔彥王受訪時透露，天皇的親近幕僚已針對讓天皇退位的想法討論數月。當時看來，許多厭恨戰爭的日本人民會相當樂見天皇退位。

然而，天皇在日本的支持者也大有人在。麥克阿瑟將軍收到多封極力支持天皇留任的信件，其中的說法包括「天皇不是戰犯，天皇仍是我們人民的父母」，並形容天皇「就好像一艘船的舵，如果發生任何不測，我們這些人民將迷失方向」。

麥克阿瑟要天皇提供一些說詞，幫助他自己避免因戰爭罪受審，同時避免他若被判有罪很可能被處決的下場。天皇的回應是一份宣言，宣布放棄天皇的神性，並將自己塑造成作家塞巴斯欽（Victor Sebestyen）所說的「熱愛和平、如歐洲王室般的傀儡，被身邊殘酷無道的軍人背叛」。一九四六年一月一日，天皇發表了放棄神性的「人間宣言」。麥克阿瑟對這份（由美國人要求並撰寫）的放棄神性宣言非常高興，也很滿意裕仁「在國民邁向民主化的過程中發揮領導作用」。

昭和天皇不再是現世神，只是國家象徵，而他的國家已國力大減。這種新角色也讓日本人民以一種新的方式與他建立連結。那年稍晚，裕仁在飽受摧殘的全國各地進行「祈福訪問」，更突顯了他與人民的關係有別於以往。

根據各種記載，昭和天皇展開巡訪之初相當彆扭，他不懂該怎麼跟平民互動，平民也不知道要如何應對天皇。過去日本百姓只在各種精挑細選的繪畫中看到天皇，通常騎在白馬上。他們親眼見到天皇時，才發現他本人與畫中形象有天壤之別：他只是個一再提出生硬的問題，對於答案又一再做出同樣反應的男人；他只是個穿著不合身的西裝、佝僂著身軀、戴著厚重眼鏡、踏著磨損的鞋、拖著步伐前行的男子。

不過，這些特質加上他向民眾脫帽致意的習慣，反而讓他更引人同情，也讓民眾更尊崇他。如同道爾所說，天皇的巡訪之旅「讓自我批評和道歉的集體心理被重新喚起，變得強烈。天皇明顯是為了人民才進行這次巡訪之旅，他也明顯對這種事不擅長且不自在。當時有一種感覺逐漸浮現：讓陛下如此尷尬、為他添了這麼多麻煩，人們應該要覺得抱歉」。

或許是因為親眼見到國家與百姓的慘況，天皇似乎愈發覺得自己有必要向人民道歉。這將是史無前例之舉，會產生深遠影響。如今看來，他至少曾在兩次不同的時機試圖道歉。

第一次是在一九四八年十一月，遠東國際軍事法庭準備做出判決之時。軍事法庭的審判是要追究日本領導階層對戰爭行為應負的責任。

當時，日本天皇已不再具備神性，日本已實施新憲法，掌管皇室事務的機構也從「宮內省」降級為「宮內府」，層級在日本首相之下。

在推動皇室更加民主、褪去貴族氣息的整體計畫時，首相蘆田均延攬了田島道治擔任宮內府長官。* 身為皇室局外人的田島成了這個職位前所未見的人選，田島個人甚至還主張天皇應該退位。

不過，這也是一種策略性選擇。田島是重整組織架構的專家，此前曾改革日本鐵道省，又在昭和金融危機掀起銀行倒閉潮後，改革了日本的銀行體系。現在，需要改革的是處理天皇相關事務的機構。田島雖然是不得已才接下這個職位，但他迅速取得天皇的信任。

田島接掌宮內府後，對天皇退位的看法也出現轉變。他開始擔心天皇退位不僅無法安定時局並推動日本向前邁進，反而可能使原本未受占領軍干預的皇室體系失去穩定。

日本的戰時領導官員自一九四六年四月底至一九四七年九月初受審，地點就在他們當中許多人曾經工作過的陸軍省轄下建築† 裡。東京大審仿效追究納粹領導人責任的紐倫堡大審，將策劃及指揮「反和平罪行：即謀劃、準備、發起或展開侵略戰爭，抑或謀劃、準備、發起或展開違反國際條約、協議

* 蘆田首相也撤換了宮內府侍從長，即宮內府第二號人物，由前駐法國大使三谷隆信接任。

† 譯註：遠東國際軍事法庭對日本二戰期間二十八名甲級戰犯的審判，是在當時的陸軍士官學校大講堂進行。該校在戰後已廢除。

或保證的戰爭」的高階官員列為甲級戰犯。

所有被告答辯完畢後，法庭耗時一年又三個月才做出判決，於一九四八年十一月十二日宣判。

根據田島的日記，在軍事法庭即將宣判之際，天皇也飽受煎熬，他希望以某種方式表達自己對人民承受的苦痛深感悔恨，或許也想表達自己對那些曾經密切相處的官員如今身陷囹圄、且可能被處死的情況非常難受。

宣判前一晚，七名內閣及皇室相關部門的大臣開會草擬聲明，準備在判決後發布。會議一直開到晚上九點左右，擬出六份由首相描述天皇感受的聲明稿。

結果沒有一份聲明稿令人滿意。爭論的焦點在於「反省」這個詞語。若以英文解釋，它的字面意義是承認自己犯了錯，並承諾改進。但在日語表達悲傷或罪咎的詞語中，這個詞被認為是中性的。因此，使用這個詞會有激怒他國的風險，恐怕會被認為展現的歉意不足；但若以更強烈的措詞道歉，又可能在無意中向日本國民承認有罪。似乎沒有一份聲明稿掌握得恰到好處，因此天皇最後並未發表任何聲明。

天皇繼續尋找能卸下靈魂重擔的機會，特別是在那年十二月，東條英機大將和其他六名軍事領導人因戰爭罪遭處決之後。

閱覽天皇身邊幕僚留下的手稿和日記時，自然會認為他和常人一樣會有各種情緒——在此情況下，則是會產生內疚感與責任感。但是要知道，天皇是不應該出現個人情緒的。事實上，戰爭期間的日本人對於個人生活和個人感受的觀念相當陌生。例如，父母不能哀悼在戰爭中死去的兒子，只能代表大日本帝國讚頌他英勇無畏。天皇也不能有個人感受，因為他就等於大日本帝國。

然而，天皇顯然在自己的地位和個人感受之間左右為難，又很難向皇室成員啟齒。於是可以理解的是，他可能會向一個親近但稍具局外人視角的人吐露心事，這個人就是田島。

天皇命令田島撰寫一份謝罪詔書，兩人一起討論天皇想在詔書裡說的話，田島再將這些話謄寫下來。據信，詔書草稿大約完成於一九四八年底，軍事法庭即將宣判裁決之際。

現在，這份詔書草稿的英文版首度公諸於世，我們可以看到昭和天皇未能發表的話語。*

朕登基二十餘年來，宵旰圖治，力圖忠於祖先社稷，卻未能抵擋時勢，致使喪失近鄰之邦誼，又與列強相爭，終以慘烈敗戰告終，乃至當前慘絕人寰之境。沙場屍橫遍野，無數百姓於勞動時猝逝，思及逝者及其悲慟親族，朕心痛難抑。亦有戰場負傷者無數，或深受戰亂之害，或囚於他鄉異國，或喪失在殖民地之財產。更甚者，產業蕭條，物價高漲，衣食住所之拮据，令無數百姓苦不堪言，實乃國家未曾蒙受之大禍。默忖其間種種，朕悲慟萬分。朕為一己之不德，對天下深感羞愧。即便身處皇

* 這份詔書草稿的部分字句以往曾英譯公開，翻譯略有不同。此處譯文由日本資深翻譯家、研究員、歷史學家魯賓芬（Louisa Rubinfien）完成，她曾翻譯過經濟史、歷史記憶、藝術文化、政治等方面的著作。譯文並經喬治城大學日本史教授桑德（Jordan Sand）審校。

> 居，朕之內心亦難安寧，思及國民之苦，難勝懷憂之情。
>
> 然當前時局動盪不安，國土陷於亂局。朕思及，若倉促淨化自身*以求即刻自此百年悲慟中解脫，實非真正自重之舉。掛懷日本內外之現狀，朕將奉獻生命戮力為之，迎一切艱困，修德積善，誓盡一己之全力，重建國族之命運與人民之福祉，藉此向祖先與人民致歉。朕亦希冀全民體察朕之意志，理解內外情勢，同心致志，各盡其職，全力以赴，深切期盼能克服當前情勢，令國族榮耀遠播。

對這份詔書草稿最好的理解方式，是將它視為兩份演說稿：一份是天皇向日本人民道歉，另一份是天皇表示他**無意**退位。

一九四八年夏天，日本各大報對於天皇退位的話題議論紛紛。在軍事法庭發布判決當天，天皇向一位幕僚表示想要退位。此時，部分主掌對日占領軍的美國官員擔憂裕仁不僅將退位，還會選擇自殺。不過，天皇在一九四八年十一月傳送機密訊息給麥克阿瑟，重申自己將致力推動日本重建、促進世界和平。

詔書草稿闡述了他的論點，其中一個論點特別突出：天皇留任而不退位才是最艱難的道路，因此也是正確的道路：「朕將奉獻生命戮力為之，迎一切艱困，修德積善。」

至於道歉這件事則比較複雜。雖然詔書草稿的內容看似坦誠，但它並不是為發動戰爭而道歉，而是為天皇的「不德」向日本人民道歉。

要理解天皇的道歉，就必須體認日本的帝國傳統有部分源於儒家思想，相信社會與自然界的秩序是由領袖的德行維持著，天皇乃「與天地齊命」[†]。因此，若有災禍降臨日本，必然是天皇無德所致。因此天皇道歉具有宇宙學層次的意涵——問題不在天皇做的決定或實施的政策，而是天皇內在的某種基本因素引發了這些災厄。

還有幾個用字的選擇也值得玩味。受眾首先會注意到的是，天皇在整篇詔書草稿中仍以「朕」自稱。昭和天皇放棄神性後，已不再使用皇帝才用的「朕」，但在這份謝罪詔書草稿中，我們看到天皇最後一次使用這個字。有一種解釋是，這是突顯詔書分量的唯一方法：天皇先恢復自己的神道職責，才能為自己未能履行這份職責徹底道歉。

詔書草稿另一個令人玩味的選擇是，沒有使用「反省」這個中性的致歉用語。日文、中文、韓文有部分漢字是通用的，這些漢字具有不同層次的涵義——對中國人和韓國人而言，「反省」一詞不怎麼像是道歉，甚至還因為太缺乏歉意而略帶挑釁意味。

在詔書草稿裡，天皇棄用「反省」，改用「愧ヅ」。這個字意思接近「深感羞恥」，在談及良知或罪惡感的概念時經常使用——但天皇使用這個字，前所未見。詔書草稿可見「朕悲慟萬分」的語句，發

＊ 此處可解作「藉退位洗滌罪愆」。
† 譯註：作者原文引自明治天皇一八九〇年頒布的《教育敕語》，其宗旨成為日本帝國教育的主軸。

現這份草稿的加藤恭子指出，詔書不僅選擇了意義最強烈而生動的用語，也選用了會引發最激烈迴響的漢字。

還有一個值得探究的用詞選擇是「敗戰」，也就是「在戰爭中落敗」。「終戰」是比較中性的用語，意思只是「戰爭結束」。

選用「敗戰」一詞，會讓幾乎所有受眾都大為驚詫。

在日本保守派人士看來，這個詞就是指「戰爭失敗」，就連在日本投降時也未曾使用。對日本自由派人士而言，使用「敗戰」一詞暗示「可怕的是戰敗，而不是戰爭本身」。美國人則認為戰爭本質就是邪惡的，若天皇表示只為「戰敗」感到遺憾，美方也會非常不悅。這與同盟國占領軍的論述徹底背道而馳，占領軍的論述是美國人已驅除這種邪惡本質，正在將日本打造成一個更美好的新國家。

既然會產生這麼多後果，天皇究竟為何還要在詔書草稿中使用「敗戰」一詞？我們要更深入探究用語的選擇，從中做出大膽推測。

———

在日文中，對於具有多層次意涵、在不同受眾聽來意義也不同的詞語，有一個專門的形容用語：「玉虫*色」。這些詞語有如變色龍，會隨著周圍環境而變色，基本上不會引人注意。每個人聽到「玉虫色」詞彙，都能聽成他們想聽到的意涵。

「玉虫色」詞彙與英語中的「狗哨」相去不遠。狗哨的聲音人類聽不見，只有狗聽得見；「狗哨語」則只有特定的一群人才明白其中真意，其他人幾乎完全聽不出來。

根據加州大學柏克萊分校法學院教授羅培茲（Ian Haney López）的《狗哨政治學》（*Dog Whistle Politics*）一書，大多數狗哨語的用意是要激發特定聽眾的恐懼，又要避免過火而冒犯其他聽眾。他發現喬治．華萊士就曾使用這種策略。華萊士一九五八年參選阿拉巴馬州長失利後，下定決心「絕不再讓其他混帳東西擊敗†我」。

華萊士後來矢言支持種族隔離制（「現在、明天、永遠」‡），一九六三年勝選後就任州長。不過當他開始追求全國性的知名度時，就必須設法讓目標群眾聽得懂他要傳達的訊息，但又不直接訴諸種族主義。根據羅培茲的說法，「關鍵在使用看似不涉及種族主義的用語。在州長的就職典禮上，華萊士捍衛種族隔離制，讚頌盎格魯撒克遜南方之境的榮光，因此被舉國譏嘲是死不悔改的南方大老粗。六個月後，他不再把停止種族融合掛在嘴邊，而是口口聲聲捍衛州權，並批評聯邦政府太過傲慢。」

---

* 譯註：吉丁蟲。

† 譯註：這裡的「擊敗」原文為outnigger，意為「利用出於種族成見的策略及手法，擊敗黑人對手」。阿拉巴馬州在南北戰爭前是美國蓄奴最多的州分之一，種族觀念根深柢固。華萊士一九五八年角逐民主黨內阿拉巴馬州長候選人提名時，對種族議題原持溫和路線，但提名戰失利後改弦易轍，強硬支持種族隔離。見第五章譯註。

‡ 譯註：見第五章譯註。

華萊士找到了替代的詞彙，實際上是一整套用來代換的暗語，以傳達在上流社會無法清楚、大聲說出口的想法。

多年來，狗哨語的詞彙已大幅擴充。反對同性戀與婦女從軍的人會大談「部隊凝聚力」（unit cohesion）及「軍事戰備力」（military readiness）；「家庭價值」（family values）代表支持基督教保守派人士；「國際銀行家」（international bankers）已成為指稱猶太人的暗語，「周遊世界者」（cosmopolitan）甚至「全球主義者」（globalists）也是；「市區」（urban）與「內城區」（inner city）則是指稱非裔或西裔時較委婉的說法。要削弱工會力量時，讓勞工感覺比較順耳的說詞是「薪資保障」及「工作權」。企業領袖對這些用語更滿意，他們精明得很，不會說他們想「搗破」工會，但「工作權」一詞傳達了完全一樣的意思。

狗哨的使用對象不僅限於政治（或狗）。薩菲爾在《薩菲爾的政治詞典》一書指出，高級名品服飾店亨利．本德爾（Henri Bendel）的總裁曾以「狗哨時尚」形容高級服飾的買賣，「那些服飾是如此高貴獨特，只有最苗條和最精緻的女性才能聽到它們的呼喚」。有時候也會出現始料未及的效果。薩菲爾引述民調專家莫林（Richard Morin）的觀察：「提問措詞的微妙調整，有時會讓結果大不相同⋯⋯研究人員稱之為『狗哨效應』：受訪者聽出了問題中某些研究人員沒發現的含意。」

莫林在這裡舉的例子是以不同措詞詢問一個關於快樂的問題。美國國家民意調查中心進行的一項民調裡問了這個問題：「你會說你是非常快樂、好（pretty）快樂，還是不太快樂？」另一項由蓋洛普公司進行的民調則這麼問：「你是非常快樂、相當（fairly）快樂，還是不太快樂？」兩個問題的唯一差別只是一項民調用了pretty一字，另一項民調則使用fairly這個字。結果，使用fairly的民調中，回答「非常快樂」的人比另一項民調多了十五%。*

政治諮詢顧問倫茨（Frank Luntz）——他最著名的事蹟是擔任金瑞契（Newt Gingrich）「與美國簽訂契約」（Contract with America）計畫的文稿操盤手之一——在他的著作《有效措詞》（*Words That Work*）中指出，「福利」和「濟貧」兩個用語也出現同樣情況，民調顯示美國民眾認為國家對前者的支出太多，卻又認為對後者的支出太少。倫茨指出：「關鍵不在於你說了什麼，而在於人們聽到什麼。」這樣的洞見對所有從事政治論述的人都很重要。無論你使用何種措詞與語言，「接收端的受眾一定會透過由他或她自己的情感、認知、偏見、原有信念所組成的稜鏡去理解。僅靠正確、有道理或甚至極為出色的論點還不夠。成功溝通的關鍵是想像自己鑽進聽眾的身體裡，查知他們內心最深處的想法與感受。在實際意義上，對方怎麼理解你說的話，比你自己的理解更真實。」

回到昭和天皇使用「敗戰」一詞，這很可能是一個無心插柳的狗哨語。裕仁並非有意對不同受眾

* 譯註：英語中的pretty與fairly均有「相當」之意，但pretty亦有「漂亮、美好、令人滿意」的含意，兩個字仍有微妙差別。

傳達不同的訊息，只是恰好會讓不同受眾理解成不同的意思。

這就引出了道歉的問題。關於道歉這個主題以及道歉的修辭，學界已有大量研究。阿拉巴馬州大學教授班諾特（William Benoit）假設大多數道歉都涵蓋以下要素的某些部分：否認（可能包括卸責）、逃避責任（可能包括解釋行為是出於善意）、降低事件的冒犯程度（可能包括與更嚴重的違規行為做出區隔，或攻擊指控者的可信度）、矯正行動（指演說者會做哪些事來補償），以及羞愧感（描述自己羞恥難堪的感受）。

當然，包含這些要素並不代表該道歉在政治上必然會被接受。畢竟，描述事情原本還可能更糟的卸責行為，其實相當於被動語態的領導方式。*

道歉真的很難，即使只是承認輕微過失也一樣，因為人鮮少會承認犯錯的責任全在自己。作家克拉克森（Joy Clarkson）形容得很到位：那是因為我們不希望缺失與錯誤成為自己身分象徵的一部分，「承認自己要為錯誤負起全責就像舔自己的手肘：很多人都以為自己做得到，實際上能做到的只有少數人。」特別是以裕仁的狀況來說，過失與他的身分有緊密關聯，一旦他道歉，他的過失和他的身分象徵將融為一體。

雷根總統為伊朗門事件道歉的聲明就試圖區隔過失與他的身分：「首先我想說的是，我自己和我的行政團隊的行為，由我承擔全責。儘管我可能對於在我不知情的情況下進行的活動深感憤怒，但我仍為這些活動負責。儘管我可能對某些替我效力的人感到失望，但我仍然必須為這些行為向美國人民負責。儘管我個人在發現有秘密銀行帳戶及被挪用的資金時感到非常不快——不過就像海軍說的那句話，這一切是在我眼皮底下發生的。」但即使是雷根的演說最終仍倒退到政治道歉的手法，在論述和思想上玩花招：「幾個月前我曾告訴美國人民，我不會用武器交換人質。我的內心和我再誠摯不過的意圖讓我仍然相信這是真的；但事實和證據告訴我，情況並非如此。」

近年來我們看到一些跡象顯示，至少在政治上，道歉其實是風險很高的策略。近期的研究證實，那些言行令人不快的政治人物若真的道歉，整體支持度可能不增反減。主持這項研究的哈佛大學法學院教授桑斯坦（Cass Sunstein）表示：「原因之一可能是道歉就如同認罪，會更突顯道歉者做的壞事。人們可能因此這麼想：『之前我們認為他是混蛋，現在我們知道了他就是混蛋。他承認了！』」

至於昭和天皇，雖然不同受眾可能聽到不同的訊息，但他未發表的謝罪詔書內容卻清楚坦白得令人吃驚。如果他真的發表了這份詔書，幾乎可以肯定會引發戰爭責任的問題，天皇恐怕必須為此退位，雖然他誓言要繼續推動戰後重建工作。

他會不會因而無法成為日本在位時間最長的天皇，無法見證日本從軍國主義國家全面轉型為現代

---

* 第八章有相關討論。

民主國家，而是以讓國家走向毀滅的好戰集團成員身分，就此退出歷史舞臺？

抑或這份詔書會發揮相反的作用？它會讓天皇和人民更接近嗎？它藉由字句產生的效果，會不會像天皇在巡訪全國時藉由肢體語言產生的效果一樣，讓人民看到他對他們的痛苦感同身受？

這份詔書草稿後來被束之高閣，直到加藤恭子在五十五年後發現了它，才得以重見天日。

這個故事還有另一個曲折之處，是蒂爾尼（Lennox Tierney）透露的，他在盟軍占領日本期間擔任麥克阿瑟將軍的文化顧問。蒂爾尼聲稱，裕仁曾試圖與麥克阿瑟會面表達道歉之意，但「麥克阿瑟拒絕讓他進門，也拒絕招呼他」。

沒有其他可信紀錄證實裕仁曾試圖會見或麥克阿瑟曾斷然拒絕，而在盟軍占領日本期間，裕仁只見過麥克阿瑟十次，都是經過精心安排的會談，他應該不太可能為了卸下靈魂重擔而順道拜訪麥克阿瑟。

不過，日本文學雜誌《文藝春秋》二〇〇三年八月號刊出了幾位歷史學者、記者和其他人的論點。他們都認為天皇曾做過類似嘗試，不是直接向麥克阿瑟表達，就是發出有意承擔責任的訊息，但麥克阿瑟拒絕聽取。

無論是哪一種嘗試，一心想道歉的裕仁顯然為此深受折磨。這個問題在一九五一年夏末再次浮現，當時慶祝日本恢復主權獨立的相關活動正準備開始。

天皇參加各種儀典活動的詔書通常是由籌辦者草擬，再由宮內廳批准。不過這次則是由宮內廳負責草擬，因為天皇有他想要傳達的訊息。事實上，田島耗時一年草擬這份詔書，並在一九五一年八月晉見天皇，討論詔書草稿。他們要把這份詔書寫得真摯、貼近天皇個人心聲，而且要異於往常地直率。它也包含了一些當初未能發表的道歉詔書的部分內容，特別是它再次以深感羞愧的「愧ヅ」取代中性的道歉用語「反省」。

時任首相吉田茂預讀這份詔書草稿後，覺得內容太過坦率。他顯然根本不想發表一份對過去表達悔恨的詔書。吉田首相向田島表示，這個場合是彰顯日本在國際社會恢復地位的良機。他覺得此時道歉有失體面，如果天皇非道歉不可，用「反省」一詞足矣。

希望傳達天皇真誠想法的田島頗為憤慨，他「面露慍色，表情大變，並說『既然如此，你來寫』」。這是所有演說撰稿人都很熟悉的場景。

天皇還是想表達悔恨之意。一九五二年二月，他再次向田島提出這個想法：「我真的想納入對過去的悔恨，以及未來將自我約束的內容，但使用不同的措詞。請再修改草稿。」天皇和田島合撰了一份表達悔意的詔書新稿，似乎也得到了首相同意。但就在這份詔書發表前幾週，首相的態度又翻轉了。

後來那份以天皇之名發表的詔書宣稱，接受《波茨坦宣言》是天皇「為世界實現和平」所做的決定。雖然詔書對戰爭受害者表示哀悼和同情，並承諾絕不重蹈覆轍，但是諸如「朕悲慟萬分」、「對天下深感羞愧」之類的字句卻消失無蹤。

詔書最後寫的是：「朕以為，日本須重新致力於民主信念，決心維護國際準則，融合東西方文化，培育國家政治體系，促進貿易和工業，孕育公民力量，進而確保我們的國家安全繁榮，讓世界和諧安定。」

加藤說得好：「那些將講稿中最刺耳的語句刪除的人，絕對是懷抱著誠摯信念。但他們的誠摯不一定能表達天皇真正想說的話。」

無法直接表達內心感受的裕仁，轉而寄情於詩歌。在一九五五年投降十週年時，他發表了一首和歌（一種由三十一個音節組成的日本詩歌），暗示著他對戰爭的感受：

旅途間自睡夢醒轉
憶及十年前種種
吾心激動滿溢。

裕仁在一九五一年發表的詔書內容或許振奮了日本的民心，但當時的用語未能讓他宣洩心痛如焚的羞愧感。裕仁的羞愧來自因一己無德引致莫大苦難，這份感受一直隱而未宣，直到在成堆文件中一張泛黃的紙被偶然發現，才終於將他沒能發表的話語和未能明言的痛苦公諸於世。

第十章　捉刀的奧秘：

甘迺迪與古巴飛彈危機的開戰布告

「我們無法在被槍指著頭的情況下進行談判。」

一九六二年十月十九日，甘迺迪總統的公開行程包括前往俄亥俄州克里夫蘭造勢，再到伊利諾州停留兩站：春田市和芝加哥。

從當天的照片、影片和報導看來，甘迺迪一派輕鬆，微笑著和州政府官員一起坐在敞篷車裡，並在克里夫蘭的戶外集會上談笑風生，向「民主黨同志和任何走過廣場去吃午餐的共和黨人」發表演說。接著前往春田市，談話中提到他的行政團隊促進農村經濟的種種措施。

直到當天最後一站，也就是在芝加哥麥考密克展覽中心舉行的募款活動中，他才提到自己和身邊幕僚密切關注的那個國家。「很多人說我們正處於和蘇聯競爭的時期。這當然是事實。要應對這場競爭，我們可以強化軍事實力，以及在太空領域率先達成目標，這也是我的政府在全民支持下決心要做的事；但同樣重要的是，記住赫魯雪夫先生曾說過的話：當蘇聯的生產力超過世界最強大生產國美國的那一天……『歷史的鉸鏈將開始轉動』。」

在那個場合，只有甘迺迪知道歷史的鉸鏈已經開始轉動，但與生產力無關，而是因為核武大戰可能爆發。十月十六日，甘迺迪的國家安全顧問麥喬治．邦迪（McGeorge Bundy）給他看了證據，顯示蘇聯正在古巴建造核彈基地。甘迺迪競選總統時曾指出，共和黨的國防政策薄弱，在「與蘇聯的衛星飛彈競賽」中，美國處於劣勢。儘管這個論點並沒有數據支持，但「飛彈鴻溝」的迷思，加上蘇聯在太空領域勝過美國的事實，的確讓人感覺美國的領導地位與國家安全面臨危機。此時看來，危機確實存在。

在幕僚暗中商議美國該如何應對時，甘迺迪的公開行程仍照常進行。

十月十九日上午九點四十五分，甘迺迪在登上空軍一號趕赴造勢活動前，會見了參謀首長聯席會議主席。此前參謀首長聯席會議建議對古巴進行大規模空中突襲，出動八百架次、使用常規武器。他們希望總統立刻批准，因為準備和發動這種規模與範圍的攻擊需要四十八小時。

甘迺迪的幕僚群當時的共識是對所有運往古巴的軍事物資實施海上封鎖，但參謀首長聯席會議駁斥這個想法，認為封鎖古巴和採取外交行動力道不足又難以實施，而且同樣可能導致與蘇聯開戰。空軍參謀長李梅（Curtis LeMay）將軍說，這計畫「幾乎跟慕尼黑的綏靖政策一樣糟糕」。他指的是當年允許納粹德國併吞前捷克斯洛伐克蘇台德地區的協議，促成協議的人士曾希望那是希特勒最後一次在歐洲擴張領土。

甘迺迪立刻意識到，事態可能迅速升級進而引發災難。他認為，如果美國攻擊古巴的飛彈基地，蘇聯勢必報復，很可能蘇聯「會在某個時刻入侵並以武力占領柏林，屆時我只有一個選擇，就是發射核彈」。

由於該嚴峻事實擺在眼前，眾人不斷來回討論，從蘇聯的動機，到哪些飛彈已運至古巴，再到已運至古巴的長程飛彈何時能投入運作（他們估計在六至八週內），還有對甘迺迪的政治影響。李梅如此總結：「你當前的處境很糟。」

「你說什麼？」甘迺迪厲聲說。

「你的處境很糟。」李梅回答。

甘迺迪勉強擠出笑容，「你我可是在同一個處境裡。」

甘迺迪在緊張局勢中本已情緒暴躁，當天稍早的一次談話可能更加深了他的怒氣。那天早上甘迺迪在著裝時，邦迪來到白宮的官邸見他。邦迪告訴甘迺迪，雖然原本的共識是實施海上封鎖，但他突然改變主意，現在他也支持採取軍事行動。

邦迪這番模糊其辭的言語，究竟是讓甘迺迪失望，或根本是受到甘迺迪的鼓勵才這麼說，各方說法不一。之後多年間，邦迪對這件事提供了幾種不同的解釋和版本。他後來跟朋友們說，他當時持不同意見，讓空襲的選項一直留在檯面上，因為他不認為海上封鎖是好的方案。他在自己的文章裡自稱是主張空襲的「工頭」。

在普立茲獎得主博德（Kai Bird）為麥喬治・邦迪和威廉・邦迪（William Bundy）兄弟撰寫的傳記《真理本色》（*The Color of Truth*）中，我們找到了麥喬治・邦迪在一九六四年初為自己寫下的許多紀錄。裡頭寫道，當他坦言對海上封鎖的看法不如自己希望的那麼確定後，甘迺迪回答：「我也有同樣的擔憂。你知道的，我的第一反應就是空襲。再研究一下，不要放棄空襲這個選項。」

身為總統親弟弟兼最親近幕僚的司法部長羅伯・甘迺迪比較不留情面，他說邦迪的態度「莫名其妙地反反覆覆」。幕僚暨演說撰稿人泰德・索倫森則憶述，總統「對此並不高興」。

可以確定的是，原本飄忽不定的共識此時明顯傾向於發動空襲。這是要出其不意採取暴力攻擊的手段，讓羅伯・甘迺迪有感而發：「我現在知道東條英機策劃突襲珍珠港時的感受了。」

為了避免媒體注意到這個正在醞釀的危機，甘迺迪的造勢行程繼續進行。當晚甘迺迪在芝加哥的演講結束時，煙火照亮了夜空。在賓客對著火箭炮劃過天際的場面讚嘆連連時，甘迺迪內心作何感想，我們也只能揣測了。

甘迺迪上午結束與參謀首長聯席會議的會面後，另一群人在國務院裡開會，地點是國務次卿波爾（George Ball）的會議室。

這個小組就是國家安全會議執行委員會（EXCOMM），由國家安全會議成員，以及甘迺迪諮詢意見的其他幾位政府高官組成。會議以一份對古巴軍事設施的偵蒐報告開始，接著討論了採取封鎖或軍事行動前，要滿足哪些條件才能取得聯合國和美洲國家組織（OAS）等國際組織批准。

此時，邦迪描述了他與甘迺迪總統當天早上會面的經過，以及總統覺得封鎖的「效果不確定，而且無論如何都會很慢才有感……空襲則效果迅速，而且只要一次精準攻擊就能摧毀所有基地。他贊成採取果斷行動，因為有出其不意的優勢，而且呈現在世界眼前時已是既成事實」。

甘迺迪信任的前國務卿艾奇遜（Dean Acheson）主張「以一次空襲果斷清除飛彈基地」，畢竟「赫魯雪夫為美國帶來直接的挑戰，我們正在經歷一場意志的考驗，愈快決戰，對我們愈有利」。

上午與總統會談過的參謀首長聯席會議主席泰勒（Maxwell Taylor）將軍表示，如果採取封鎖行動，就等於放棄空襲的可能性，因為會讓蘇聯得知我們已經知道的事。他主張迅速採取空襲。

國防部長麥納瑪拉（Robert S. McNamara）不見得贊成空襲，但他同意下令軍方做好準備。

此時，會議已進行約兩小時，氣氛越來越緊繃。

國務卿拉斯克（Dean Rusk）建議組成封鎖小組和空襲小組，向總統說明這兩個經過通盤考慮的選項。空襲小組由邦迪領軍，封鎖小組則由國務院負責政治事務的副次卿烏拉爾（Ural Alexis Johnson）

率領。中央情報局局長克萊恩（Ray Cline）*將這兩組人馬稱為「戰鷹派」和「畢卡索鴿派」。

記者巴特列特（Charles Bartlett，曾獲普立茲獎，也是甘迺迪與賈桂琳夫婦最初的介紹人）與專欄作家艾索普（Stewart Alsop）得知這兩個稱號後，在《週六晚郵報》合撰了一篇文章，讓「鷹與鴿」的說法風行於世。†羅伯・甘迺迪在講述古巴飛彈危機的回憶錄《驚爆十三天》（*Thirteen Days*）‡裡寫道，兩個小組提出的建議報告都必須以「總統向全國演說的大綱」為開頭。這也是甘迺迪總統邀請他信任的幕僚及演說撰稿人索倫森加入EXCOMM的原因之一。

主張空襲的那份講稿令人難忘，既因為它說了什麼，也因為它沒說什麼。

這篇講稿不僅宣布要發動空襲，還宣布「已授權採取進一步的軍事行動，以確保徹底消除威脅，避免死灰復燃」——換句話說，就是地面入侵。

講稿詳細說明了這項「迅速、祕密且多次否認的軍事部署」，還列出了飛彈發射器的數量、可攜帶的核彈酬載量與飛行距離。（講稿全文見本書附錄）

第六頁還包含了可能是史上最重要的括號說明：「（此處是對該行動首波報告的描述。）」

卡特總統在他的《鮮活信仰——卡特的心靈回憶錄》（*Living Faith*）一書中說，有一篇講道文章提到，我們死去時，墳墓上會標註兩個日期：生日與卒日，還有兩者中間短短的連接號，代表我們在地球上的一生。對上帝來說，那個小小的連接號代表一切。

對人類的命運而言，這個括號也可能包含了一切。

在事態快速發展時，演說撰稿人常常會寫下類似記者在報導中使用的「稍後更新」(to come，簡寫為ＴＫ）等詞語，表示之後會補充更多資訊。§通常之後會補充的是還在做最後確認的統計數據、正在審議的政策提案，或仍在招募的支持者名單。

然而，這裡的括號中要加入的內容將遠遠超過一份政策提案對預算的影響。這個括號裡要補充的是戰鬥細節、破壞規模、蘇聯的反應、死亡人數以及向罹難者致哀。

其實講稿裡已預見這一點，括號後面就寫道：「這其中的悲劇——不言可喻——是各方都將失去無辜的生命。在美國政府方面，我在此宣示為此一行動負責，並保證將根據要求採取一切適當措施，協助無辜受害者的家屬。至於古巴或俄羅斯的任何個人，都不能因為這樁迫使我們必須行動的驚人且不負責任的陰謀而被究責。」

當然，講稿是假設大多數喪生者會是古巴人和俄羅斯人。甘迺迪肯定憂心蘇聯可能為報復而攻擊美國在土耳其和義大利的飛彈基地，他在講稿裡煞費苦心地指出，「多年來，蘇聯和美國都在世界各地極為謹慎地部署這類武器，從未破壞在沒有重大挑戰的情況下相互制衡這類武器使用的危險現狀。

* 譯註：此處應為作者筆誤，克萊恩當時是中央情報局情報司（Directorate of Intelligence）司長。

† 那篇文章也首次使用了與敵人「四目相接」（eyeball to eyeball）的說法。

‡ 譯註：一部講述古巴危機的電影與此書同名，但並非由此書改編。

§ 為什麼不寫成ＴＣ呢？傳說是因為ＴＫ這個字母組合比較少見，若寫ＴＣ或「to come」則容易被誤會成是文稿內容。

這些部署與這次的情況不能相提並論。」

講稿沒有說明的是在這場危機後保密了三十年的事實：蘇聯在古巴島上**已經**擁有近百枚短程戰術核彈。更令人驚異的是，當時島上的蘇聯指揮官不需要莫斯科批准或提供發射密碼，就能發射這些武器。

外交關係協會的林賽（James Lindsay）在古巴飛彈危機五十週年之際寫道，如果美國當時發動空襲，蘇聯的報復手段很可能是讓關塔那摩灣的美軍基地瞬間汽化。如果空襲之後還有講稿中承諾的「進一步的軍事行動……以確保徹底消除威脅，避免死灰復燃」，美軍很可能成為第一支被戰術核彈殲滅的戰鬥部隊。

當時蘇聯飛彈已處於可作戰狀態的實情，是在古巴哈瓦那舉行的飛彈危機三十週年會議上公諸於世。前蘇聯將軍格里布科夫（Anatoly Gribkov）在飛彈危機期間擔任陸軍作戰參謀長，他在會中透露，當時有九枚攜帶核彈頭的月神（Luna）海岸防禦飛彈已裝備完成，美軍部隊一旦入侵，飛彈隨時可以射向他們。

在座的美國前國防部長麥納瑪拉聞言震驚不已，得扶著桌子才能穩住身體。

在哈瓦那這場危機三十週年的會議上還發生另一件事，雖然不涉及發生核誤判的可能，但確實揭

開了一個謎團。會議中披露這份「空襲」講稿的存在後，甘迺迪的前幕僚暨演說撰稿人索倫森詢問主辦單位，講稿是誰寫的。他們回答說，以為是他寫的。

索倫森斷然表示演講稿的作者不是他，原因有二：一是道德原因，二是技術性原因。道德上的理由是，索倫森在二戰期間登記為因良知而拒服兵役者，不可能構思出論點來支持他如此強烈反對的事。如果他被要求這麼做，他絕不會忘記有過這件事。

索倫森提出的技術性理由則是，這份講稿看起來不像是從他秘書的打字機上打出來的，而且他從未在自己的文件上蓋過空襲講稿有的那種機密戳記。

但我的研究發現，這些說法都經不起更嚴格的檢視。甘迺迪總統圖書館藏有的索倫森檔案中，很多講稿其實都蓋了機密戳記，表示即使他沒有將自己的文件列為機密，可能也有其他人蓋了戳章，只是他不知情。

而且，稍後我們會看到，講稿裡支持空襲的大部分言論都是從厭惡核武概念的立場出發而寫下的。不過，假設索倫森的記憶無誤，那麼空襲講稿究竟是誰寫的呢？索倫森表示，很可能是總統的國家安全顧問邦迪。

邦迪的確最可能是這份講稿的作者。講稿撰寫的時候，他領導的就是「空襲」小組。邦迪也是才華洋溢且具說服力的作家，對核武議題有深入思考，也寫過很多相關文章。一九四七年，邦迪與小羅斯福總統任內的戰爭部長史汀生（Henry Stimson）曾在《哈潑時尚》（*Harper's*）雜誌共同發表一篇知名文章，題為〈動用原子彈的決定〉（The Decision to Use the Atomic Bomb）。美國國民能夠認可對日本投擲原子彈的正當性，並且相信它最終拯救了一百萬美國人的性命，一般認為這篇文章功不可沒。一年後，邦迪也開始擔任總統候選人杜威（Thomas Dewey）的外交政策演說撰稿人。

不過，雖然邦迪撰寫這份講稿也是順理成章的事，但他的檔案中並無證據顯示他真的寫了這篇講稿，在他對當時的各種回顧反思中，也對此隻字未提。

如果一個極度接近這場危機的人曾經拿起紙筆，努力想像並寫下總統在面對世界末日時會說些什麼，之後卻再也未曾提及此事，實在不可思議。

我們確知的情況如下：

十月十九日星期五的會議紀錄顯示，早在分為「鷹派」和「鴿派」兩個小組之前，索倫森就表示他自認吸收的資訊已經足夠，可以開始草擬總統講稿了。因此，在索倫森說他已掌握了動筆所需的材料時，大家的共識是支持空襲。索倫森當時說這樣的事態發展「對我們的國家安全和我的潰瘍都沒好處」，顯示他已經開始準備空襲講稿。

無論索倫森動筆寫的是哪一種講稿，他後來在回憶錄裡寫道：「我在辦公室深思這個任務時，發現有太多沒有解答的問題，於是我帶著這些問題回到會議中，詢問支持封鎖的人為什麼這計畫是最好的，封鎖後要如何讓飛彈運離古巴，要如何阻止飛彈完成及發射，以及要如何避免封鎖行動無限期延長。這些答案對我、對他們釐清想法都有幫助，也讓我當晚就能在辦公室裡撰稿。」索倫森於週六凌晨三點完成了演說草稿，他後來表示，這份講稿「在之後的四十八小時內所經歷的更動，多過我畢生寫過的任何講稿」，但它確實提供了「一組基本的政策綱要，執行委員會可以根據該綱要形成共識，總統也可據此做出決定」。

索倫森確實寫了宣布封鎖的講稿。邦迪本人也承認，「索倫森在那個漫長的週五晚上寫下的講稿，在我看來標誌著總統幕僚團隊在那個時刻已建立一套基本政策，並且很有信心總統會採納。如果是主張空襲，不可能寫出這樣的講稿。如果是要宣布空襲方案，我們之中誰都寫不出甘迺迪要發表的談話。」有沒有一種可能：索倫森在回到會議前開始草擬的是空襲講稿，然後再由其他人增添內容並完稿？或是索倫森先寫了一份完整的空襲講稿，然後又改成封鎖講稿？

索倫森曾寫道，空襲講稿「包括美國打算在必要時動用核武的聲明——我絕不可能寫下這段聲明，我知道甘迺迪一定不會批准」。

不過，封鎖講稿和空襲講稿都威脅要動用核武，那部分的說詞幾乎一模一樣。在封鎖講稿裡，這段話如下：「我國的政策是，從古巴向西半球任何國家發射的核彈，都視為蘇聯對美國的攻擊，屆時將必須對蘇聯採取全面報復。」空襲講稿則寫道，美國「將任何可能留在古巴並自古巴發射的飛彈視為蘇聯發動的攻擊，必須對蘇聯採取大規模的報復性回應」。

空襲講稿中另一處提及核武的論調，則更像是出自因道德而反對核武、也擔心動用核武的人，那就更有可能是索倫森而不是邦迪。「核武的破壞力如此強大，彈道飛彈的速度如此迅捷，如今動用核武的威脅突然升高，恐怕非常危險——尤其是發射按鈕還掌握在一個性格暴戾且反覆無常的革命領袖（古巴領導人斐代爾．卡斯楚）手裡。」在空襲講稿中，針對蘇聯最嚴厲的論述也未威脅要動用核武，只是說明發動空襲的正當性，並刻意把空襲描述成常規做法，將使用「最低限度的武力」。

除此之外，空襲講稿中還有幾句話，像是「我們的格言是：『接受談判，拒絕恫嚇。』」聽起來很「索倫森」（我找不到更好的形容了）。就連「格言」（byword）這個用語也透露端倪。這個單字首次出現在甘迺迪的演說，是在他一九六〇年競選總統期間，當時索倫森已在為他工作（但邦迪還沒有）。

所以，空襲講稿究竟是怎麼寫出來的，又是誰寫的呢？

從兩份講稿的相似之處看來，空襲講稿就算不是索倫森寫的，也是以封鎖講稿為底稿而改寫，因為兩者有大量重疊的用語。可能是有其他人將其中一份講稿再利用，改成另一份講稿。畢竟，兩份講稿中宣稱要封鎖和要空襲的理由是完全一樣的，差別僅在於因為這些理由要採取的行動不同。

但是，這兩份講稿完成的時間非常緊迫。如果索倫森沒有在撰寫封鎖講稿之前或同時寫下空襲講稿，那麼空襲講稿一定是從週六上午（索倫森最初交出他的封鎖演說草稿時），到週日上午十一點（甘迺迪總統放棄空襲這個主意）這二十四小時之間寫的。

更可能的情況是，空襲講稿是在更短的時間內完成的，因為甘迺迪週六下午提前結束競選行程回來後，就聽取了關於這兩個選項的簡報。

邦迪是極少數能辦到這件事的人之一。他很可能已經看過索倫森的初稿，而且也在準備當天下午稍晚他要發表的支持空襲方案簡報，簡報開頭就必須提出總統宣布空襲的演說大綱。

但如果邦迪真的採用了索倫森的講稿並著手修改，他為何從未提過這件事？

邦迪後來似乎後悔了，試圖淡化自己曾倡議空襲。他是不是想隱瞞自己曾寫過一份頗具說服力的支持空襲講稿呢？

其實，這份講稿本身就具有相當明顯的線索——手寫的修改字跡。其中大部分是修正打字錯誤，但其中有幾處改變了內容。例如，講稿原本說蘇聯的飛彈集結「違反了蘇聯的保證」，但手寫字跡做了修改，稱蘇聯的飛彈集結「與蘇聯以往的一切作為背道而馳，即使是聯合華沙公約組織成員國也不曾如此」。

基於邦迪對美國外交政策和蘇聯行徑方面的專業知識，這當然是很「邦迪」的觀點，但真的出自他筆下嗎？為了尋找答案，我把這些文件交給文書鑑識領域的專家桑格（Mark Songer）。桑格自陸戰隊退役後，取得鑑識科學碩士學位，並在聯邦調查局擔任特別探員與鑑識專家。多年以來，他分析過銀行搶劫紙條、向國會議員發出的死亡威脅信，以及自殺者遺書上的筆跡。由於這篇講稿原本很可能成為人類的自殺遺書，我請他評估講稿上的修改筆跡，並與已知出自邦迪和索倫森的筆跡相比對。

桑格經過宣誓作證的結論是：「將鑑定文件與已知的邦迪字跡進行鑑識和比對後，發現兩者在字母形態、大小及寫作能力方面均一致……這些獨特的寫作習慣在鑑定文件與邦迪的文字作品中均有出現。此外，寫作技巧的水準也與邦迪的文字作品一致。」

所以我們能以某種程度的信心說，邦迪至少修改過這份講稿。但他手寫修改的講稿，是他自己寫的抑或出自他人之手？

根據我的經驗，寫了一份講稿之後，把它印出來再讀一次（通常是大聲朗讀）頗有幫助，不僅能找出原本逃過我疲憊雙眼的打字錯誤，還能發現那些在頁面上看似能用，但實際上長到無法用於演說的句子。因此，我的檔案夾裡有很多自己寫的草稿，上面滿是我自己手寫的修改內容。

不過，對內容的更改又是另一回事。內容更改很可能來自原作者之外的其他人，這份文件裡有好幾處內容更改。例如加入了前述有關蘇聯聯合華沙公約盟國的作為，也提及關於進攻性軍事部署的消息只是「傳言」，並手寫加上「未證實」一詞。因此，我們可以有相當的信心認為是邦迪修改了講稿，但無法確定這份講稿是邦迪寫的，留下了半個謎團。

直到我在美國國家安全檔案館看到一份逐字稿。那是一九九七年三月為紀錄片影集《冷戰風雲錄》（*The Cold War*）所做的訪談。索倫森接受由歷史學家艾薩克（Jeremy Isaacs）領導的製作團隊訪談時，被問及實施封鎖而非空襲的決定。索倫森的回答方式是說明這兩種選擇的整體思維，但他接下來的敘述就和他之前的說法有出入了。根據逐字稿，索倫森當時接獲指示要寫一封信給赫魯雪夫，要求對方移除飛彈，但他無法說服自己這麼做，因為他擔心任何被視為最後通牒的動作都將擴大衝突。

不過索倫森說，在空襲與封鎖都還是可能的選項時，我被要求草擬兩份講稿，一份是宣布發動空襲的講稿，因為總統肯定要向全世界和全美國宣布戰機起飛的時間；另一份是宣布封鎖的講稿。於是我再度回到會議上，說道：「好，現在來討論封鎖講稿——我們要怎麼解釋？封鎖跟飛彈有什麼關係？封鎖會有什麼幫助？」釐清這些問題的答案不僅讓我更能寫好這份講稿，也壯大了支持封鎖的陣營，因為我們開始整理出條理更加分明的、以及我可能會說是更有力也更合乎邏輯的訴求。

這部分訪談從未播出。因此，索倫森歷史性地（也是唯一一次）承認他至少提供了空襲講稿初稿的證據，就這樣消失在該紀錄片的製作檔案裡。但索倫森怎麼會在一九九二年斷然否認這份講稿是他寫的，又在一九九七年承認他至少寫了這份講稿的其中一部分呢？

羅伯・甘迺迪對當時所有人心態的觀察，或可解釋其中令人困惑之處：「我們每個人都被要求提出一項將影響全人類未來的建議，這個建議如果是錯的，最終卻被採納，可能意味著全人類的毀滅。這樣的壓力會對人產生難以解釋的作用。」

這樣的壓力，是否會讓人從回憶裡刪除或否認自己曾經寫過那些文字，因為後來才發現它們是在宣告世界末日將至？我認為有可能。

二〇〇二年十月，在確實沒那麼棘手的情勢中，我被要求準備一份關於對伊拉克動武的聲明。當時還不確定我的老闆、參議院多數黨領袖及南達科他州參議員達修爾會對該決議投下贊成或反對票。

他的態度取決於決議內容的措詞，於是我以反對動武的立論來寫聲明稿。後來決議被修改成令達修爾滿意的版本，我被告知他會投下贊成票，所以要修改聲明稿，宣布他對動武投下贊成票。我並不支持這個立場，要把聲明稿從反對動武改為贊成動武，即使只需改動幾個字都讓我難以下筆。

我在第四章提過演說撰稿人面臨的難題，他們會被要求寫文章支持他們個人反對的事情，或是反對他們個人支持的事。我寫本章時，回頭去看了那份支持動武版本的聲明稿。我知道自己寫過它，我還記得當時是坐在哪裡寫的，也記得我費勁弄清楚如何使用追蹤修訂功能，因為要整合好幾處改動的句子。我記得自己不得不寫那份聲明稿的一切細節，但對於那份聲明稿，我一個字都不認識，彷彿我已經把它從記憶裡全數抹去了。

索倫森是否忘記自己做過什麼？因為當時急於寫出東西，他花了幾個小時修改原本那份提出不同主張的講稿，然後在這個行動方案被棄之不用後，很快就忘記了？

或者，寫這份講稿實在太令人驚恐、太令他深惡痛絕，所以他只是從記憶裡抹除自己寫下的確切內容，但仍記得自己被要求寫過那份講稿？除非有其他發現，否則我們無法確知。

但我們確實知道的是，在更多國家尋求擁有核武，獨裁者如北韓的金正恩已明顯有意採取核戰邊緣政策的今天，甘迺迪的幕僚團隊當年進行的辯論、設想的結果、他們打算發表的談話內容，以及那個最重要的括號裡的未知字句，不僅讓世人看見那條我們過去選擇不走的悲慘道路，也看到一條我們未來恐須再度涉足的道路。

第五部

因選舉結果而捨棄的講稿

選舉中絕對不缺無法發表的講稿。只要有一份勝選演說稿發表，幾乎就代表有一份敗選演說稿沒能發表。

當年我向人生第一位上司，也就是高爾的演說撰稿主任（後來成為影集《白宮風雲》〔*The West Wing*〕製作人的）伊萊（Eli Attie）尋求關於工作的忠告時，他的回答是：「記得寫第二份講稿。」

他就是這樣開始演說撰稿人這份工作的。一九九三年，在紐約市長丁勤時（David Dinkins）的高級幕僚一同構思選舉當晚要發表的勝選演說稿時，伊萊進到另一間辦公室，思考其他幕僚沒去想的那個結果。

當晚開票出現共和黨候選人朱利安尼（Rudy Giuliani）將勝選的跡象時，伊萊將他寫的那份講稿交給高層。

> 四年前，我們帶著至高的理想與最美的希望而來。今晚，即使在此艱難時刻，我們依然懷著同樣的信念。我們會奮力不懈，我們會幫助不受重視的族群，我們會確保紐約的前途不是舊世代獨享，而是未來世代與生俱來的權利。

《紐約時報》後來稱讚丁勤時的演說是「敗選禮節的大師課」。

本書的這一部分要呈現兩篇講稿，世人未曾聽聞這兩場演說發表，是因為選民所做的選擇。其中一篇是伊利諾州長約翰・奧爾高德的告別演說，它沒有發表的原因是他特赦了乾草市場動亂的囚犯，引發民間反移民的狂熱，使他在一八九六年的選舉中連任失利，而對手連讓他發表離職演說的尊嚴都抹煞。

另一篇是希拉蕊・柯林頓備妥的二〇一六年勝選感言，原本會是一場極具力量的演說，由美國第一位女總統所發表。那一章也談到承認敗選的歷史與慣例，以及為何這件事對我們的民主影響深遠。

第十一章　金句的價值：伊利諾州長的告別演說

「在我看來，最為後人蔑視的公職人員墓誌銘莫過於這樣的描述：他畢生為官，卻對人類毫無貢獻。」

一八九三年六月二十六日上午，奧爾高德州長率先抵達伊利諾州首府春田市。他做出了一個重大決定。

奧爾高德找來助理州務卿惠特洛克（Brand Whitlock，後來成為俄亥俄州托雷多市深具改革思維的市長），指示他準備好進行特赦程序，但不要告訴任何人。

奧爾高德正透過這些行動糾正一件嚴重冤屈不公的事，但也引發了一連串事件，最終導致他敗選，也使他那份鞭辟入裡的告別演說稿無法發表。

七年前的一八八六年五月四日，芝加哥乾草市場廣場舉行群眾集會，支持那些為爭取每日工時八小時而罷工的勞工。雖然是和平集會，氣氛卻頗為緊張，因為前一天有兩名罷工工人被警察殺害。警察試圖驅散人群的時候，一枚炸彈爆炸了。這起爆炸和它引發的槍戰造成七名警察與四名抗議者喪生。

十九世紀末是美國動盪與轉型的時期，特別是美國的城市。工業革命加上移民大量湧入，引發一波迅速都市化的浪潮。芝加哥是其中變化最劇烈的城市，人口在一八八〇年至一九一〇年間增加了三倍，自五十萬激增至兩百萬，於是權貴階級愈來愈覺得受到工人階級威脅，尤其是那些外國出生的工人。這些工人開始聯合發起聲勢浩大的勞工運動，挺身捍衛自己的權利。

芝加哥的統治菁英將與乾草市場廣場集會相關的活動視為剷除當地勞工運動的機會，也確實有許多共產主義者、無政府主義者和其他激進分子參與運動。他們迅速逮捕了八名男子，指控他們謀殺，並直接將他們貼上無政府主義者的標籤。

雖然這八人皆未涉入爆炸案（其中幾個人甚至沒參加集會），但他們仍然遭到審判並被判有罪。法官的主要見解是，他們因為發表煽動性的反體制言論，所以和炸彈客一樣有罪。八人中有四人被施以絞刑，還有一人在囚室裡自殺。當時的州長奧格萊斯比（Richard Oglesby）曾私下承認這八人無罪，也為還活著的三人減刑。

一八九三年奧爾高德當選州長時，這三人都還在獄中。

從奧爾高德的經歷看來，他其實不太像會當上州長的人。他出生在今天的德國，幾個月大時全家移民到美國，開始在俄亥俄州務農。十六歲時，他離家加入北方的聯邦軍隊，在南北戰爭中服役，期間感染了瘧疾，餘生的健康都受到影響。後來他成為教師，也開始對政治產生興趣，隨後當選密蘇里州的檢察官。

一八七五年，他認為自己已準備好做更偉大的事，於是搬到芝加哥。他開了一間律師事務所，住在事務所樓上，把自己能存下的每一分錢都用來投資房地產，結果報酬極為豐厚，因而累積了一筆小小的財富。

然而他沒有忘記年幼時的貧困生活，也沒有忘記他在密蘇里州當檢察官的經歷。他寫了一本書，試圖「讓民眾簡略注意到我國刑罰制度的特色，可能的話讓人們檢驗這套制度。相信只要一般人對此有所瞭解，這套制度便得以改善，從而造福社會，大幅減輕人類的苦難」。

他在書中主張廢止警察逮捕嫌犯定額制，並指出實施罰款制度的不公不義，富人能付錢了事，窮人就得坐牢。他更進一步建議改變整個刑事司法體系的方向，以矯正犯罪行為為主軸。

這本書並未獲得廣泛關注，但它牽起了兩段重要的友誼：芝加哥勞工運動之父之一喬治·席林（George Schilling），以及一位名為克萊倫斯·丹諾（Clarence Darrow）的年輕律師。

在財富賦予他自由後，胸懷進步派政治哲學的奧爾高德又將重心轉回政壇。一八八四年他競選國會議員雖未當選，但在共和黨大勝的這一年，他以民主黨人之姿在共和黨選區贏得四十五%的選票，仍然掀起了一陣轟動。

那也是勞工運動風起雲湧的一年，全美行業組織與勞工聯盟（即全美勞工聯盟的前身）發出呼籲，要準備在兩年後的一八八六年展開全國性的工運，推動每日工時八小時制。

芝加哥舉行的遊行和集會就是這場全國性工運的一環。一八八六年五月三日，麥考密克收割機工廠的罷工糾察演變為暴力事件，芝加哥警察襲擊工人糾察隊，至少兩人死亡。群眾對警察施暴憤怒不已，號召於五月四日晚間在乾草市場廣場集會。但集會開始前的場面讓人有些失望，因為主辦單位預計會有兩萬人參加，實際到場人數卻僅約兩千五百人。

集會開始後，天空下起雨來，人群愈來愈稀落，估計只剩兩百人。

集會的最後一位演講者是基督教衛理公會牧師、自稱無政府主義者的費爾登（Samuel Fielden），他的發言接近尾聲時，餘下的群眾震驚地看著一整隊警察朝他們大步行進，人數幾乎和他們相當——這群警察有一百八十六人。

其中數名警察後來作證稱，費爾登當時大喊：「獵犬來了。你們盡你們的職責，我也盡我的職責！」不過比較可信的證詞是，費爾登百般困惑地說：「但我們的集會很和平耶。」

此時，警察開始闖入聚集的人群中，有人（身分至今未明）向警察丟了一枚炸彈。一名警察當場被炸死，引發恐慌，警察開始對群眾和四散逃逸的示威者開槍。一段時間後槍聲終於停止，共有七名警察和四名示威者喪生，六十多名警察和難以計數的抗議者受傷。現場共開了兩百五十多槍。

雖然群眾中有部分人帶著槍，事後也的確在現場發現幾把非警用槍枝，但沒有證據顯示有平民開槍。警察的傷亡似乎絕大多數都是同袍造成的。

當局翌日宣布戒嚴，警方圍捕了數百名「已知和疑似的革命分子」。最後，包括費爾登在內的八名男子必須受審，儘管其中一人帕森斯（Albert Parsons）逃逸後並未落網（後來才自首）。緊張情勢持續升高，多家報紙都呼籲速審速決。

帕森斯在南北戰爭中曾加入南方邦聯軍隊，後來成為激進的無政府主義者。他被送上絞刑臺之前，在寫給妻子的一封信裡為這場審判下了結語：「權貴階級要求懲罰受害者，我們就被獻祭來安撫一群氣憤的富豪，他們非得奪走我們的性命才善罷甘休。壟斷企業勝利了！戴著鐐銬的勞工因為敢於為自由和權利吶喊而上了斷頭臺！」

雖然這些事件席捲了這座城市、整個國家甚至世界各地；雖然奧爾高德的許多朋友和同事都表示強烈抗議；雖然他的確寫了一本書探討美國刑罰體系中常見的誤審誤判；雖然他相信芝加哥警察局長是「真正應為警察之死負責的人」，但當時考慮再次競選公職的他卻保持沉默。

他是否擔心站出來發聲會讓自己的房地產公司成為犧牲品？畢竟，威廉．布萊克（William P. Black）這位內戰英雄暨法律界名人，就是在接下為乾草市場囚犯辯護的工作後，公司多名資深員工一一消失。奧爾高德在與友人、工黨領袖席林的一次談話中，透露了他的想法：「我想做點什麼，不只是發表演說……我想要權力，想掌握控制事物的權柄。一旦擁有權力，我就會改變局面。」

乾草市場案宣判四個月後，奧爾高德當上庫克縣高等法院的法官，同僚中包括將該案被告判刑的法官蓋瑞（Joseph E. Gary）。

一八九二年，奧爾高德拒絕外部捐款，從自己的財產中拿出十萬美元投入選舉，展開以進步派理念為訴求的州長競選活動。這場選舉讓他筋疲力盡，雖以些微優勢勝選，但他的身體虛弱到了極點，甚至不確定能否參加在春田市舉行的就職典禮。

他最後仍然到了春田市，並在就職日宣誓就職。站在供暖過度的伊利諾州眾議院議事廳裡，即使穿著大衣仍瑟瑟發抖的奧爾高德發表了就職演說。這是一份進步派的宣言，提出的政策包括改善精神病患醫療、擴大基礎建設投資、實施遺產稅、禁止僱用童工等等。幾分鐘後，奧爾高德的體力不支，只能打趣說文書員的嗓音「悅耳」，請他接手朗讀講稿。

幾天後，奧爾高德在病榻上要求查看乾草市場案的相關紀錄。

儘管肩負死忠支持者們的期待，奧爾高德卻以不干涉、幾乎是散漫的方式展開州長任期。在漫長的療養期間，他讓州議會自然運作，議員們也確實致力於終結血汗工廠和童工。不過，乾草市場案被判刑的囚犯始終在他心頭縈繞不去。

他的朋友丹諾試圖說服他全面特赦該案囚犯，還對他上任州長後沒有第一時間就宣布特赦表示失望。丹諾後來憶述奧爾高德的回答：「如果我決定特赦這些人，並不會像你預期的那樣廣受認可……而是從那天起就如同被判死刑。」許多奧爾高德的幕僚都提出政治上比較安全的中間路線：有限度的特赦。但奧爾高德認為，若這些人有罪，就應繼續坐牢；若他們是無辜的，「那我就會赦免他們，無論這將如何影響我的政治生涯」。

奧爾高德檢視乾草市場案的卷證時，看見法律被曲解到令他無法接受的地步：「一樁因警察無能而引發的暴力事件；一連串薄弱的謀殺指控，甚至不假裝有直接證據；陪審團有多名成員已先表明認為被告有罪；以及出於『惡意凶殘』而進行的假意審判。」奧爾高德準備了一份多達一萬八千字的赦免信，概述那場審判的種種缺失，以及他決定特赦所根據的理念原則。

在簽署特赦令的一個多月前，奧爾高德對伊利諾大學即將畢業的學生發表演說，人們自此開始瞭解他對這件事的想法。

他談到無政府主義者呼籲廢除政府是「致命的錯誤」，指出只要涉及人類事務的新組織都會為人類的自私所害，但幾個世紀的改革與體制建設帶來的進步，至少緩和了人類自私的衝動。因此，他主張進一步改革，而不是發動革命。「讓陽光照進黑暗的所在，積聚在黑暗中的毒物就會消失。」他這樣告訴學生們，「因此，對於現在政府與公共事務的黑暗角落裡滋生惡化的各種錯誤，讓永恆真理和正義的陽光照耀它們吧，它們會消失無蹤。」「凡是有錯之處，請在全世界眼前揭開它，要相信人們會改正錯誤；錯誤若藏在秘密與黑暗中，則會不斷滋長。」

這不僅是演說中擲地有聲的一段佳句，更是對奧爾高德所有政治哲學的犀利總結，令人銘記於心。

「金句」(soundbite)這個詞從何時出現雖有爭論，不過一般多認為源自一九七〇年代。電視新聞製作人看到一段想剪入影片的談話時，會要求剪輯「加進那個句子」(take that bite)。當然，早在電視出現前，金句就已存在多時了。畢竟，凱撒大帝在西元前四十六年致羅馬元老院的信中所說的「我來，我見，我征服」(Veni, vidi, vici)無疑就是一段完美(而且完全押頭韻)的金句。當然，凱撒還有更多關於澤拉戰役(Battle of Zela)的話想說，但只要讀這封信的第一個句子，就能深得精髓。

這就是金句的要義：以一種深植人心且值得引用的方式簡述想表達的訊息，僅僅一句話就讓人充分領略完整訊息的精要。某些人認為，金句其實反映了當今政治中的一切錯誤。*畢竟，如果大家都只花九秒鐘看新聞，†或只閱讀一則兩百八十個字元的推文，要如何深入探討議題呢？

這豈不是讓金句變得有如政治論述中的精製糖分，人們會在瞬間攝取一股高熱量，卻只是徒增肥胖而得不到飽足感？答案是肯定的，也是否定的。我在教演說稿寫作時，通常會這樣教學生：下筆之始，先在頁面最上方寫下一個完美標題，也就是你希望記者報導這場演說時會下的標題。這麼做的真正目的，是要他們先寫下講稿的精要。只要寫下標題，就已完成了一個金句的一半，因為現在的任務只剩下把這個標題變得吸睛。

舉例來說，如果你是一七七五年的派屈克．亨利(Patrick Henry)，‡正在準備發表反對與英國妥協的演說，你想要的標題是什麼？也許是這樣的：「亨利說，維吉尼亞面臨明確抉擇：不是為自由奮鬥，就是面對痛苦難耐的奴役人生。」有了這個標題，離史上最偉大金句之一就只剩一步之遙：「我不知他人將如何行動；但於我而言，不自由，毋寧死！」

我是這樣區分「辣評」(sound barks)和「金句」(soundbites)的。辣評的特色是尖酸挖苦、語帶機鋒，最常見於它的自然棲息地：推特。§它或許簡明扼要，但並未提出或說明某個觀點；金句則發揮極具價值的效果。鮑伯（Bob Lehrman）與艾瑞克（Eric Schnure）在他們自己寫下的金句裡說得最好：「如果你不能將自己的觀點表達得簡潔而引人注目，怎能確定你真有一個觀點？」

——

奧爾高德確實有觀點要表達，那就是追求正義與人道高於一切。因此，他於六月二十六日把惠特洛克與惠特洛克的上司、州務卿辛芮克森（Buck Hinrichsen）叫喚到辦公室。他要求惠特洛克準備在特赦令蓋上州政府印信時，辛芮克森對特赦提出了質疑，奧爾高德於是揮拳敲桌，說道：「這是在做對

---

* 「某些人認為」是典型的「稻草人論證」——講者反駁的是一個來源不明的說法，而不是出自具名人士或具體引述的言論。

† 九秒並非誇飾。加州大學一項研究發現，電視新聞裡使用的金句長度在一九六八年是四十三秒，到了一九九二年已縮短為九秒。

‡ 譯註：派屈克・亨利是美國開國元勛之一，在一七七五年維吉尼亞邦（Commonwealth of Virginia）第二次制憲會議上說出「不自由，毋寧死」（give me liberty or give me death），成為傳世名言。

§ 譯註：已於二〇二三年七月更名為X。

的事。」

為了完整說明當時的場景，辦公室裡其實還有另一個人：一位名叫德瑞爾（E. S. Dreyer）的銀行經理。在同意以謀殺罪名起訴乾草市場案無政府主義被告的大陪審團中，德瑞爾擔任首席陪審員。之後幾年間，他對自己參與那次不公的誤判充滿愧疚，想親自將特赦令送到囚犯手中，藉此贖罪。於是特赦令一簽署完成，德瑞爾立刻接過來放進提包，隨即奔上開向喬利埃特市的火車，前往那三名囚犯服刑的監獄。

次日一早，特赦的新聞傳開時，惠特洛克遇到奧爾高德，藉著寒暄的時候表達了對州長的敬佩。他記得奧爾高德只是苦笑著說：「不過是要做一件對的事。」

然而，這件事掀起了激烈風暴，輿論立刻對特赦案有所回應，聲量巨大且緊咬不放。《紐約時報》寫道：「奧爾高德州長用盡權力……慫恿無法無天的抗爭精神與恣意攻擊當權者的情況重演……與肆無忌憚的無政府主義領袖沆瀣一氣。」《泰晤士報》則說，奧爾高德「要不是做房地產投機買賣走了運，改變了依本性發展的人生軌跡，他本來也會成為徹頭徹尾的無政府主義者」。《芝加哥論壇報》寫道，州長「血管裡沒有一滴純正的美國血液。他的思考不像美國人，感受不像美國人，因此他的行為也不像美國人」。該報開始稱他為「約翰·特赦·奧爾高德」（John Pardon Altgeld）。

《華盛頓郵報》指出，這樣的行為出自「本來就來自外國」的人，是可預期的。

老羅斯福則在芝加哥的一場集會上宣稱，奧爾高德「縱容且慫恿那些最惡名昭彰的謀殺案」。

當時的一幅政治漫畫描繪奧爾高德剪斷多隻外型可怖的狗身上的狗繩，其中一隻狗撲向一名婦女和她的年幼兒女。奧爾高德手持的刀上寫著「特赦」，漫畫標題則是「瘋狗之友」。

此後，媒體、芝加哥市菁英階級和奧爾高德的政治對手進行了長達三年的攻擊，最終打垮了奧爾高德。一八九六年，他在連任選舉中失利。*《芝加哥論壇報》樂見奧爾高德的敗選，宣稱這代表「他的輕蔑濫權、他的同情犯罪、他的無政府主義傾向」就此告終。

《紐約論壇報》則寫道，坦納（John Riley Tanner）擊敗「無政府主義者奧爾高德」讓「舉國歡騰」。在奧爾高德餘下的兩個月任期中，這類攻擊仍持續不斷。

就連他在任的最後一天也逃不過這些怨毒之情。《紐約時報》在一早出刊的報紙上警告，奧爾高德「已打算展現極度的惡意，不僅衝著共和黨來，也衝著伊利諾州正派的人民而來」。

以往每一位即將卸任的伊利諾州長都能在繼任者的就職典禮上發表告別演說，奧爾高德也已備妥講辭，都揣在口袋裡了。但勝選的坦納在《芝加哥論壇報》的鼓動下，據信如此宣告：「伊利諾州已經受夠了那個無政府主義者。」於是奧爾高德就這樣枯坐到典禮結束，講稿一直留在口袋裡。

* 民主黨總統候選人布萊恩（William Jennings Bryan）也在那年的選舉中落敗，而且在伊利諾州輸得比奧爾高德還多。

只要看看奧爾高德想說什麼，這件事的諷刺意味就非常明顯了，特別是他講辭中的這句話：「在政權和平轉移的時刻，敗選下臺的政黨出席並非必要，但為了讓共和政體更添風度，卸任政黨派代表參加就職典禮已屬慣例。」奧爾高德已準備祝賀政權有尊嚴地轉移，他的尊嚴卻在那一刻被消磨殆盡。記者暨作家巴納德（Harry Barnard）為奧爾高德所撰的傑出傳記裡寫道，奧爾高德寫的講辭「除了充滿對繼任者的善意之外，別無其他」。這絕對是事實。這份講辭向坦納州長「致上最誠摯的問候與衷心祝福。深愛伊利諾州的我，會為他所有推動本州進步的舉措喝采」。不過，仔細閱讀他的講辭會發現，他也發出了堅定的警告，不僅提到黨派偏見的危險，也要求當權者有責任以公開、誠實、注重操守的方式執政。

他提出民選官員應遵循的操守準則：

只當一天州長但嚴守公平正義，好過當五十年州長卻對不公義視而不見。在我看來，最為後人蔑視的公職人員墓誌銘莫過於這樣的描述：他畢生為官，卻對人類毫無貢獻。

他如此警告：「自私貪婪的勢力隨時準備將最高貴的愛國者撕成碎片。」

奧爾高德在講辭中提出的另一個觀點也能在當今引起強烈共鳴。他指出競選造勢與執政之間、煽動公眾激情與推動進步之間的鮮明區別：

對於我有幸加入的偉大政黨，容我向同志說，雖然我們已卸下執政的責任，但朝另一個方向努力的責任卻隨之增加，因為在共和體制下，是少數黨要創造意見、制定原則，最後交由政府執行。少數黨不必受到行政部門繁文縟節的限制或阻礙，可以投入最多精力討論重大原則；多數黨則有義務調解各方利益衝突並做出妥協，也就因此受到拘束。

換句話說，從頭開始出謀劃策是少數黨的職責，多數黨的工作則是犧牲一些它們之所以能成為多數黨的理想，以達成治理目標。就本質而言，這是民主制度理當如此運作的路線圖。

奧爾高德重返民間生活，在他的銀行倒閉後財富盡失，於是當起老友丹諾的合夥律師，重新累積資產。一九〇二年三月，他受邀在伊利諾州喬利埃特市演說，前往當地途中他不斷喊累，但仍用盡最後一絲力氣，在演說尾聲做出樂觀的註解：「不公看似戰勝了，正義似乎成了敗方。但正義的永恆引力是向上的，指向上帝的寶座。任何政治制度要長存，就必須保持與這條正義之路的方向一致。」

奧爾高德步下講臺時不支倒地。腦溢血發作。

當晚他陷入昏迷，翌日一早去世。

他的朋友、知交兼合夥律師丹諾發表了對他的悼念：「他是如此熱愛正義、真理、自由、正直，整個地球能承受的恐懼驚駭，都比不上他受到自己良心的嚴厲譴責。」奧爾高德的告別講辭如同他發表過的許多談話一樣，要說的是道德、責任、正直，以及這一切特質都必須體現於政治事務中。以移民身分來到美國的奧爾高德相信，熱愛美國的意涵就是要堅持美國的最高理想，即使必須做出不得人心的事。此番演說若在當時能發表，會是非常重要的訊息，也會是美國政治中一個黑暗篇章的結束。在我們當前的環境裡，這樣的訊息也許會引起更多的迴響。

第十二章　認敗的必要：
希拉蕊的總統大選勝選演說

「雖然很難想像，但妳的女兒長大後會成為美國總統。」

二〇一六年總統大選開票之夜的腳步逼近時，希拉蕊競選團隊所有人都確信，她會在那個晚上發表歷史性的勝選演說，成為首位當選美國總統的女性。但關於講稿該納入哪些內容，陣營裡出現兩派觀點。

傑克．蘇利文（Jake Sullivan）曾在國務院與國務卿希拉蕊共事。他最初加入競選陣營時是擔任外交政策顧問，但希拉蕊信任他也喜歡他，隨著競選活動推進，儘管他的頭銜一直沒變，但眾人都認為他實際上已成為競選陣營的首席戰略顧問。

蘇利文認為，對於勝選演說不必考慮太多，因為希拉蕊勝選這件事就已經創造歷史，演說的目的是帶動一種氛圍，不必把重點放在提出願景或描繪藍圖。蘇利文還有另一層考量：若國務卿希拉蕊的顧問們提出意見，想在講稿裡加入好幾個想講的事，會讓希拉蕊興起把所有想講的事物都納入講稿的衝動，於是她就會這裡加一段、那裡加一段，直到整份演說稿變成缺乏整體效果的大雜燴。

希拉蕊的競選對手是川普，他在競選過程中，對以往的競選規則與規範不屑一顧。他拒絕公開現代所有美國總統候選人都會公布的納稅紀錄；他揚言若勝選就要把對手關進牢裡；他公開要求一個外國強權駭入對手的電郵信箱；他抨擊一位陣亡美軍士兵的家屬；他還暗示可能不會接受不如己意的選舉結果（四年後他的確實現了這個威脅，進而引發暴力並造成破壞）。

對蘇利文來說，他想藉這份演說稿達成的首要目標是結束這場分裂社會、「使整個國家都感覺糟糕透頂」的負面選舉，讓人們覺得這些紛擾可以告一段落，繼續向前邁進。他希望演說稿傳達的訊息是：無論人們過去如何看待希拉蕊，現在都能從希拉蕊的勝選看見自己，也能看見希拉蕊是會回應他們需求的總統。不，我們無法消除這個國家所有的分歧，但蘇利文相信希拉蕊會是盡可能彌合分歧、必要時管控它們的總統，而且她這麼做的自信與能力會遠超出關注這場選戰的人們的預期。

競選總部聯絡主任帕米耶瑞（Jen Palmieri）則抱持截然不同的看法。帕米耶瑞先前從歐巴馬總統的白宮聯絡主任轉職到希拉蕊競選總部，中間連一天的假都沒休。她認為，開票之夜是希拉蕊的身分從候選人轉換為總統的時刻，這個時刻不僅對希拉蕊個人有重大意義，對往後的世代亦然。在帕米耶瑞看來，開票之夜不只攸關兩位候選人的未來，也是數十年來的挫折失望浮上檯面，讓整個國家得以反思的時刻。她認為希拉蕊的演說必須回應此一面向。

帕米耶瑞的思維也受到她所見所聞的影響。她隨希拉蕊到賓州西部、阿帕拉契*等地造勢時（這些地區對川普的支持度較高，他的貿易保護主義、反移民訴求也對當地的白人勞工階級頗具吸引力），發現「他們甚至聽不見她發表的意見」。他們完全不覺得希拉蕊是在跟他們說話。換句話說，開票之夜的演說必須是希拉蕊展現以下特質的時刻：「儘管對手極力將她塑造成分化社會的人士，但她其實很擅長埋首做事、治理國政，並以跨黨派方式達成施政目標」。

從希拉蕊對自己觀點的描述，能看到她突如其來的各種想法，以及她重視的是什麼：

一大挑戰是如何平衡兩種需要：要向川普的選民發出和解的訊息，也要讓我的選民感受到他們值得享有的勝利榮光。此外，還要考量到歷史意義。如果一切如願，我會以首位女性總統當選人的身分發表演說。我們必須找到方法，既彰顯這個時刻的重大意義，又不讓它的光芒過於刺眼而蓋過其他一切必須顧及的層面。最重要的是，我想讓美國人民依然放心相信我國民主體制的優勢。這場選舉以各種方式挑戰我們的信念。川普違反了一切規則，甚至揚言他可能不會接受不如他意的選舉結果；俄羅斯干預選舉；聯邦調查局局長也違反了司法部向來奉行的政策；新聞媒體把整個選舉變成荒唐的馬戲

* 譯註：阿帕拉契（Appalachia）地區是指美國阿帕拉契山脈中南部的社經地帶，涵蓋紐約州南部、賓州、喬治亞州北部、北卡羅萊納州、田納西州、阿拉巴馬州北部，約八成人口是白人。當地產業以伐木、煤礦為主，經濟指標落後於美國其他地區。

團表演。很多美國人都想知道，這場選舉將如何影響我們的未來。我要以選舉大勝、政權平順交接和能真正展現成果的有效施政來回應人民的憂懼。我會表明，儘管我們之間存在歧異，但已形成強而有力的聯盟，共同捍衛我們的核心價值。

在大多數的總統選戰中，候選人會在選前最後幾天實際演練其「結案陳詞」，並精煉講稿內容。事實上，大部分競選活動都是這麼安排的。從最終辯論到投票日當天的所有努力，都是為了建構出一套能在開票之夜登上巔峰的論點。

然而，如同希拉蕊在競選過程中遭遇的各種困厄，最後關頭又有令人不樂見的事發生了。十月二十八日下午，距離大選僅剩十一天，新聞報導稱聯邦調查局局長柯米（James Comey）致函國會，表示聯邦調查局又「得知有一批電子郵件」，似乎與希拉蕊在國務卿任內設置使用私人電郵伺服器的「相關調查有關」。

希拉蕊當時正從愛荷華州錫達拉皮茲市前往首府狄蒙市。她抵達狄蒙市後發表聲明稱，她堅信無論發現什麼新電郵，都不會改變她並無不當行為的電郵門調查結論。政壇有句老話：出來解釋就輸了。在選戰應該要積極進攻的時刻，希拉蕊陣營卻採取不理智的操作，試圖縮小損害範圍。

希拉蕊陣營的民調專家貝南森（Joel Benenson）說道：「我們在第三次（總統候選人）辯論後氣勢很強，但柯米那封信卻把這種氣勢給打斷了。只要希拉蕊的電郵還出現在新聞報導裡，對我們就非常不利。」

由於競選陣營高層被柯米那封信和它引發的效應消耗了大部分精力，寫開票之夜演說稿的任務便落在撰稿主任施維林（Dan Schwerin）肩上。

施維林二〇〇四年就開始當參議員希拉蕊的實習生，二〇〇六年受僱成為當時希拉蕊幕僚長盧薩托（Tamara Luzzatto）的助理。他出於好玩，開始為希拉蕊助理群的壘球隊「山丘天使」寫賽後報導，並用電郵寄給整個團隊。希拉蕊非常喜歡施維林的報導，他也迅速成為新聞聯絡辦公室的一員，和聯絡主任萊因斯（Philippe Reines）與演說撰稿人勒維特（Jon Lovett）一起工作。

希拉蕊二〇〇七年首度宣布競選總統後，施維林留在參議院，協助處理希拉蕊身為參議員仍須進行的工作，並撰寫短演說稿和影片腳本。後來歐巴馬當選總統，希拉蕊加入內閣擔任國務卿，希拉蕊的心腹馬斯卡廷（Lissa Muscatine）隨之前往國務院成為她的首席撰稿人，施維林也開始接受他自承所謂「恰當的撰稿訓練」，為馬斯卡廷工作。

國務卿希拉蕊離開國務院後，請施維林協助她撰寫任職於國務院的回憶錄《抉擇：希拉蕊回憶錄》（*Hard Choices*）。她籌備第二度競選總統時，施維林也順理成章獲聘為演說撰稿主任。

現在，施維林要寫的是他職涯最重要的一篇講稿，他也在蘇利文與帕米耶瑞提出的考量之外，加入了自己的目標和考量。他想確保沒有人忘記這是一場勝利，他想讓希拉蕊的支持者享受大舉慶祝的氛圍。同時，他也想試著解決一個絕對棘手的問題：這場勝利到底是為何而勝，又是為誰而勝？希拉蕊的演說要如何向進步派人士傳達訊息？他們「仍然對她存疑，會從演說中仔細尋找她不會逃避承諾、會以進步派身分施政的跡象」。

在希拉蕊競選陣營開始努力扭轉柯米發出信函引發的效應時，大家還不擔心希拉蕊會敗選，只擔心她的勝選無法廣受讚譽。畢竟，川普這個候選人是如此無法無天，又引發各種分歧，華府政壇一致認為隨便一位民主黨候選人都能勝選，而且能贏得比希拉蕊更多。希拉蕊的新聞聯絡幕僚也清楚，媒體會想知道她打算向那些沒投票給她的選民說什麼，儘管希拉蕊本人不一定會把這件事視為首要事務。

施維林深知，他的職責是把十磅馬鈴薯塞進一個只能裝五磅馬鈴薯的袋子裡。

選舉前大約一週，施維林依循演說撰稿人的迷信，指派副手魯尼（Megan Rooney）著手草擬敗選演說稿，「不是因為我真的認為我們會輸，而是覺得出於某種因果報應的原因而必須這麼做」。（魯尼此前曾在白宮擔任蜜雪兒．歐巴馬的演說撰稿人，也曾在國務院擔任希拉蕊的寫手。）

施維林在選戰初期就養成了每場初選後都準備三篇演說稿的習慣：一篇勝選講稿，一篇敗選講稿，以及一篇在雙方勢均力敵尚無最終結果時發表的講稿。施維林為愛荷華州初選的勝選演說稿花了極大的心力（譯註：愛荷華州是全美最早舉行初選的州之一，其結果被認為最具指標意義），但在結果顯示希拉蕊僅以些微差距勝出後，她幾乎全盤放棄原本準備好的講稿，脫稿講了六分鐘左右。她坦言自己「大大鬆了一口氣」，並承諾會「繼續做我這一生一直在做的事。我會繼續為你們挺身而出。我會繼續為你們奮鬥。我會一直努力實現我所信仰的美國，我們許諾給子孫的夢想不會褪色，會持續激勵著未來的世世代代」，她就這樣結束了那晚的演說。

一週後的新罕布夏州初選，因為敗選已成定局，所以完全沒有準備勝選講稿。從那時起，大家都內化了從歐巴馬二〇〇八年總統大選初選學到的一課：如果競選陣營要一直為下一次初選做準備，其實只需要一份講稿，每次修改幾處即可：在講稿開頭承認「今晚不如我們的預期」或「雖然現在還難以判斷結果」或「真是美好的勝利！」，然後就繼續說講稿的內容。

因此，這是演說撰稿團隊自九個月前的愛荷華州初選以來，頭一回必須準備兩份不同的講稿。

對施維林和所有希拉蕊的撰稿人來說，要應對的挑戰有部分來自希拉蕊的演說似乎總有些虛無縹緲，難以掌握要表達的重點，而她丈夫在麥克風前向來看似不費吹灰之力的表現，更突顯了這個長久以來的難題。除了求助於施維林之外，希拉蕊也經常請她過去的寫手幫忙撰稿，他們可以提供更多不同的論述方式，這些論述或許更能接近難以言喻的重點（更嚴謹的論點，或是更鼓舞人心的措詞），它們能捕捉到寫手、講者和講稿之間難得而完美的神秘魔力，在演說發表時，不必乞求聽眾的笑聲、掌聲或淚水，而是讓聽眾得到共鳴後會心點頭，再自然而然地大笑、鼓掌或落淚。

當然，這也許是不可能的任務。雖然希拉蕊一九九五年以第一夫人的身分在北京的聯合國世界婦女大會上所說的「人權就是女權，女權就是人權」成為全球各地集會時呼喊的口號，但實際上相當困難（但願會改變）的現實是，美國人從來不曾以非常正面的眼光看待掌握權勢的女性。不討人喜歡、不值得信任、野心勃勃、尖銳、冷漠——大量證據顯示，女性發聲時我們普遍的看法就是如此，尤其在她們爭取非傳統女性角色的時候。

施維林規劃講稿寫作的方式與希拉蕊的分析方法非常一致：先鋪排一套論點，納入數據和證據，再根據助理與顧問團隊的建議微調，然後整理成講稿。更重要的是，他對於沒完沒了的演說撰稿突發狀況都以謙遜良好的態度面對，很早便體認到自己就算是西塞羅（Cicero）再世，希拉蕊和柯林頓夫婦還是會繼續向外部寫手徵求意見。因此，他會盡可能試著提前聯絡這群非正式的寫手團隊，整合他們的論述與建議。

十一月六日星期天，施維林隨國務卿希拉蕊從費城飛往克利夫蘭，為了在飛行途中討論這份講稿。當時隨行的助理群之間有一種如釋重負的氛圍，因為那天柯米局長向國會發出第二封信說，其實沒事了。帕米耶瑞是少數不覺得鬆了一口氣的人之一，她察覺這封證明國務卿希拉蕊無罪的信，再次使她的電郵門成為新聞焦點。這件事原本已經止血，但柯米的第二封信究竟是把傷口燒灼彌合起來，還是再度揭開了瘡疤？無論是哪一種情況，終點線已近在眼前。希拉蕊終於可以開始把重心放在短短兩天之後的投票日了。據報導，她當時感覺很不錯。

競選團隊租用的波音七三七專機與她的國務卿專機不同，沒有她專用的辦公室。於是，機艙前方四個座位的區域成為希拉蕊運籌帷幄之處，通常會有不時輪替的一小群人圍繞在她面前和兩側，包括她的長期私人助理兼競選總部副主委阿貝定（Huma Abedin）、*競選總部主委波德斯塔（John Podesta）、帕米耶瑞、蘇利文和競選經理穆克（Robby Mook）。

施維林檢視演說稿時，通常會蹲伏在走道上，把筆記型電腦放在一側膝蓋上，雙手一邊編修講稿，一邊平衡和撐住電腦，這是演說撰稿人都熟知的差旅途中辦公姿勢。

不過這次搭機時，施維林是坐在座椅上。希拉蕊急著想討論她的開票之夜演說稿。她和施維林一起腦力激盪時，不斷回到「和解」的想法——就好幾個層面而言的和解、在幾個不同的群體之間達成的和解。

這必須納入講稿的思路中。如果和解是向前邁進的主題，勝選演說可以播下什麼樣的種子？總統當選人可以著手規劃哪些政策，讓國家如理想般團結起來？

雖然希拉蕊競選陣營將重心放在開票之夜的時間晚於多數選舉團隊，但施維林打從一開始就在想像開票之夜會是什麼樣子。畢竟，這是一場歷史性的選戰。在歷史性事件中發表的演說，最終將會銘刻在紀念碑上和紀念館裡。

政治選戰的另一個現實是，很多人試圖透過演說撰稿人來達到影響候選人的目的。佩姬．努南記錄自己擔任雷根撰稿人之經歷的回憶錄《我的革命見聞》裡就寫道（這本書恰好也是關於撰寫演說稿的最佳著作之一），「演說稿寫作的本質就是會引發爭論，因為爭辯和論戰會持續多年，但最後到了某

* 那年十一月初，阿貝定有段時間未隨候選人希拉蕊出行，因為當局調查她分居丈夫的網路行為時，發現了更多電郵，使希拉蕊的電郵門調查重啟。

個時刻，政策仍必須透過演說宣布和闡述。藉由撰寫和宣布的過程，我們就是在發出挑戰。」各種讓候選人「聽起來更棒」的建議自各個角落湧來：助理群同事、募款人、支持者、政策顧問、求職者、社會名流、受刑人。通常，這些建議的論述會附帶一條註解，寫著：「只要他／她這麼說，就能突破／解決你所有的問題。」

二〇〇一年我為參議院民主黨領袖達修爾工作時，我們團隊有一句口頭禪：「募款人並非焦點團體*。」意思是，那些有錢又充滿善意的支持者的意見與觀點不見得和廣大選民一致。

更重要的是，朋友、支持者與名人的意見可能會以各種方式限制住候選人。在希拉蕊這個案例中，有個例子是候選人應該自稱「我們」還是「我」。她從政初期總是不願使用單數第一人稱代名詞，部分原因是她的個性不愛出風頭；此外，她之前經常擔任代言人的角色，代表某個組織（或她的丈夫）發言。所以，「我們」就成了她預設的自稱代名詞。選戰初期，顧問們一直很難讓她以「我」自稱，但這樣發言才符合她的領袖身分。

直到一位頗具影響力的名嘴在電視上說，伯尼・桑德斯（Bernie Sanders）†的發言都沒有「我」——而是「我們會通過全民享有聯邦醫療保險的法案，我們要對付華爾街」，希拉蕊才開始用「我」。在評論家眼中，「我們」是推行社會運動使用的語言，而希拉蕊並不打算發起這類運動。

當一位候選人選情看好時，對於演說內容的建議只會三三兩兩地緩慢出現，因為大家都在忙著邀功；但若候選人選情不如預期，不請自來的建議就會如潮水般湧現。

施維林的親身經歷便是如此。選戰從頭到尾，「她應該這樣說」的意見多到他甚至建立了一個電郵資料匣，專門存放那些不請自來的演說建議。

施維林在專機上跟希拉蕊開會前，已完成勝選演說的初稿，並給競選陣營的最高領導階層，以及長期顧問吉姆（Jim Kennedy）與唐・貝爾（Don Baer）看過。

希拉蕊有許多令人難忘的名言都是吉姆的傑作，包括她二〇〇八年爭取黨內提名認敗時說：「雖然這次我們沒能打破最高、最堅硬的玻璃天花板，但是多虧有你們，我們已經讓天花板出現了一千八百萬道裂縫，照進來的光亮前所未有，帶給我們所有人滿滿的希望，也確信這條路下次會稍微好走一些。」

開票之夜演說的初稿並未提到天花板，而是一開始就宣稱「美國人民已拋開積怨與憤恨，成為林肯總統說的『更善良的人性天使』」。為了塞進一個未曾真正風靡過的競選口號，講稿寫道：「經過一場讓國家不時瀕臨分裂的漫長選舉後，你們再次證明，我們攜手同心的時候，真的更加強大。」初稿裡有一句話沒能留到之後的版本，它甚至認可了川普和桑德斯：「儘管川普有種種缺失，但他確實挖掘

* 譯註：焦點團體訪談是一種民調方式，邀集一群具備共通特性的民眾進行深度的面談。

† 譯註：桑德斯是佛蒙特州參議員，以社會主義理念著稱，是希拉蕊在二〇一六年總統大選爭取民主黨提名的主要對手之一。

出一些重要的東西。桑德斯亦然。」

吉姆針對初稿給意見時表示，說美國人民已拋開積怨和憤恨，聽起來有點像希拉蕊在指責美國人民心懷積怨和憤恨。貝爾也同意，在講稿開頭就聚焦於負面情緒，感覺不太對。

整體而言，就像貝爾說的，這份講稿很紮實，但它會「讓人開始感覺太日常了」。

吉姆建議加入一些更能帶來希望、更振奮人心的講辭：

> 讓我們將此刻寫下歷史的自豪感化為使命感，放眼未來的種種可能性……讓我們以堅定的精神把握這一刻，永不放棄、絕不妥協，將我們各自的來處更完美地凝聚在一起。我們所在之處是以共和黨參議員賈維茨（Jacob Javits）命名。他曾說：「你對這個保護你、教導你、支持你、養育你的社會負有責任。你有義務報答這個社會。」今晚，落在我肩上的責任是一筆巨債，但我很樂意用每一次呼吸來償還。

所有看過的人都覺得這份講稿內容很紮實，但欠缺一個讓人慷慨激昂的時刻、一個令人難以忘記的結論。

希拉蕊演說裡的情感衝擊通常來自她母親有如狄更斯小說的人生故事。桃樂西・羅登姆（Dorothy Rodham）的生命經歷一直是希拉蕊整個競選活動的試金石。這位母親八歲時帶著三歲的妹妹一起被送上火車，前往加州跟待人嚴苛又毫無愛心的祖父母同住，被迫打掃、煮飯、當保姆。但希拉蕊覺得，自己母親的故事已經講得夠多了。

為競選活動撰稿的挑戰之一，就是毒舌又容易對重覆題材厭倦的媒體，更別提疲憊不堪又行程滿檔的講者，他們對反覆講同樣的故事與名言經常感到膩煩。然而，觀眾卻不會有這種感覺。因為新聞媒體雖然每天要聽候選人談話好幾次（候選人也得聽自己談話好幾次），但觀眾只會看到候選人一兩次，因此一個渲染力強大的故事即使一講再講，還是會對觀眾產生同樣的效果。本書前面曾提到，金恩博士把「我有一個夢」的各種版本講過數十次之後，才在他最重要的講臺——一九六三年「向華盛頓進軍」遊行發表。

撰稿人面臨的挑戰是，如何讓一份講稿既能令講者和新聞媒體仍有新鮮感，又不會減少對觀眾的情感衝擊。

羅伯．甘迺迪競選時，就有一個圈內人之間流傳的笑話。他一九六八年競選期間，每一場造勢演說都這樣結尾：「蕭伯納（George Bernard Shaw）曾經寫道，『有些人只看到事物的現狀，然後問，為什麼會這樣？我則是夢想著那些還沒發生的事，然後問，為什麼不呢？』」

這段話成為他演說的標準結語，下半段是：「所以我今天來到這裡（視他當天人在何處）請求你們幫忙。距離在芝加哥召開的全代會還有幾個月（視當時的時間而定），我請求你們協助。」

然後他會使用首語重覆修辭法，也就是連續多句都以同樣的單字或片語開頭，講出類似以下版本的結語：

如果你認為美國能更好，如果你認為我們應該改變前進的方向，如果你認為美國在國內與全球各地都代表著某種價值，我請求你幫忙，請求你協助，請求你伸出援手。

等到我們十一月獲勝時，將開啟美利堅合眾國的全新時期——我希望下一個世代的美國人會回頭仰望這個時期，並且引用人們對柏拉圖的評論說：「在那段歲月裡，單單活著就是快樂的事。」謝謝大家。

講稿引用的名言並不是蕭伯納的原話，而是從一句略有不同的話改寫而成。這句話無論如何都會出現在演講結束前一分鐘左右。於是，就如《生活》雜誌編輯杭特（George Hunt）所說，「我們很快就學會把蕭伯納那段話當作信號，當它出現時，就是趕去搭媒體巴士的時候了。」

甘迺迪很快就發現，每當他講到蕭伯納那段話，記者們就開始湧出會場。於是某個晚上，也許是為了讓自己不那麼無聊，同時也向記者群開個玩笑，他的演說這樣作結：「正如蕭伯納說過的，快奔向巴士吧！」

這是讓一再重覆的故事變得有趣的方法之一。

還有方法能讓希拉蕊母親的故事多點新意嗎？從一個新的角度、新的觀點來講述它？施維林認為，火車上的小女孩的形象或許能化為隱喻，象徵通往未知的旅程。

當他苦思要如何處理這個故事時，想起之前一封收到後僅略讀過就歸入檔案匣的電郵。這封電郵是透過捐款人羅斯柴爾德（Lynn Rothschild）寄來的，想讓普立茲獎詩人、哈佛大學英語教授葛蘭姆（Jorie Graham）聯繫上施維林。

葛蘭姆先前已寄出多封電郵，第一封信是關於移民，施維林大致看過；第二封他甚至沒有點開來閱讀；但第三封信吸引了他的注意，因為開頭寫道：「其實，如果真要說我打從心底希望她說的話，那就是這個。」葛蘭姆的腦海中浮現已成年的希拉蕊走在一列西行火車的狹窄走道上，遇見了八歲時的母親。當時母親緊緊牽著妹妹的手，還是個滿懷驚恐的孩子。在葛蘭姆的想像中，希拉蕊把自己的母親抱在懷裡，告訴她：「我知道這聽起來不可能，但妳會活下來的，妳會成長茁壯，會生下一個女兒，她長大後會成為這個國家的總統。」

葛蘭姆如此形容她靈光乍現的時刻：「不知怎地，我總會看到中西部大草原的景色從列車窗外飛掠而過，還有金屬框的木製座椅。我腦中出現這些景象，就好像自己的親身經歷一樣。」

這就是這篇講稿需要的情感試金石。在選戰觀察家看來，它也會讓人想起許多人眼中希拉蕊選戰最美好的時刻：在拉斯維加斯，一名十歲女孩噙著淚告訴希拉蕊，她很害怕父母會被驅逐出境。那一刻，希拉蕊說，「寶貝，來我這裡，」她摟著女孩的腰說，「我會做一切我能做的事，讓妳不必害怕……一切讓我來操心，好嗎？」

施維林開始修飾這個點子，把它放進講稿裡。

———

投票日當天，希拉蕊陣營的最高指揮部設在紐約第五大道的半島酒店，就在川普大廈南邊，只隔著一條街。

半島酒店的九樓設置了數據與分析團隊和律師團隊的辦公室，柯林頓夫婦的辦公室則在電梯正對面的套房。走廊上擺著自助餐。施維林和魯尼的辦公室在八樓。

下午五點三十分左右，開票情況看起來不錯，特別是佛羅里達州的投票率更讓競選陣營的士氣大增。施維林、魯尼和蘇利文被找去和國務卿希拉蕊談話，柯林頓前總統也在房裡。

希拉蕊想先看敗選的講稿。她讀這份講稿的速度相對較快，讀完後放在一邊，然後說了一些話，大意是「如果真的到了那個地步，我們就得來順一順這份講稿，但更重要的是修整好另一份講稿，如果那就是結果的話」。

於是團隊開始討論勝選講稿。柯林頓想在開頭提及「合眾為一」(e pluribus unum，譯註：美國國徽上的格言)，以及美國不會是一個「非友即敵的國家」。希拉蕊則想提到美國夢大到足以容下每個人。

不過希拉蕊的心思主要放在治理國政。她一直把政府交接簡報的手冊和檔案帶在身邊，想著要如何推動全部的政策提案。這些提案在競選期間幾乎沒人關注，但它們是希拉蕊政綱的基礎，目標是要打造更繁榮、更廣納百川的美國。

施維林和魯尼回到樓下繼續構思講稿。

但就在此時，最高指揮部開始籠罩在一股憂慮的氛圍中。佛州的計票數字逐漸比希拉蕊陣營的預估還糟糕。問題在於，這個趨勢是區域性還是全國性的——畢竟，希拉蕊仍可能在沒拿下任何南方州分的情況下獲勝。隨著計票數字不斷湧入，希拉蕊當選的可能性愈來愈不樂觀。

晚間八點左右，競選經理穆克帶著令人沮喪的報告來找帕米耶瑞：「這不是區域性的，我們在很多州都比預期少了幾個百分點。我該怎麼跟希拉蕊說這件事？」

壞消息持續湧入，美聯社開始宣布，川普拿下了好幾個希拉蕊陣營原以為有機會勝選的州：晚上十點二十五分，密蘇里州；十點三十六分，俄亥俄州；十點五十分，佛羅里達州；十一點十一分，北卡羅萊納州。午夜一過，愛荷華州也宣告失守。

希拉蕊的私人助理阿貝定幾天前和川普的顧問康威（Kellyanne Conway）建立了聯絡管道。凌晨一點三十分過後不久，阿貝定撥了康威的電話號碼。希拉蕊後來在回憶錄裡寫道，阿貝定把手機遞給希拉蕊，康威則將手機交給川普。希拉蕊說：「你知道，這場選舉的結果實在非常接近，看起來你贏了。」川普回答：「妳是非常了不起的對手，這真是一場厲害的選戰。令人難以置信。」雙方的對話只持續了一分鐘。

希拉蕊隨後致電歐巴馬總統。她哽著喉嚨說：「對不起，讓你失望了。」

此時，競選陣營的核心人馬大多震驚不已，他們動作遲緩，說話語調平板，目光空洞投向遠方。競選總部主委波德斯塔被派去告知聚集在賈維茨中心的群眾，當晚不會有演說。

如同籌備葬禮能讓人從悲傷中振作起來，因為手上有事要做一樣，希拉蕊必須發表敗選演說這件事，也讓競選團隊又動了起來。由於賈維茲中心第二天要舉辦車展，因此必須尋找新的場地。施維林和魯尼著手修改魯尼的敗選講稿。在川普勝選、希拉蕊支持者震驚悲痛的情況下，原本的講稿讓人感覺太充滿希望、太傾向於和解。希拉蕊必須承認川普勝選，但也可以向他發出挑戰，看他成為總統以後能否展現出較候選人時期更多的包容心。

每次總統大選都會有一位勝出者和至少一位失敗者，不過在一九二八年以前，美國人從未聽過總統大選敗選者發表演說。承認敗選通常是私下進行，起初是藉由電報，後來是透過電話傳達。但在一九二八年，民主黨候選人艾爾．史密斯（Al Smith，也是美國主要政黨首位天主教候選人）向胡佛（Herbert Hoover）發出賀電，並透過廣播發表了演說。一九五二年，參議員史蒂文森（Adlai Stevenson）敗給艾森豪後，發表了首次電視敗選演說，因為內容的正直莊重而成為典範。「我們身為美國公民而團結的力量，遠大於我們因政黨不同而分裂的力量。我籲請各位支持艾森豪將軍，讓他得以履行他肩負的偉大任務。我已向他保證我會支持他。我們的投票意向不同，但我們的祈願一致。」

從此，敗選演說成為我國民主體制的核心傳統，我們在這個時刻確認如何將權力授予及移交給當選人。敗選演說是民主儀式的一環，或許也成了最刻板的一種演說形式。一九九六年，曾任卡特總統演說撰稿人的《紐約客》雜誌主筆赫茲柏格（Hendrik Hertzberg）如此概述一份標準的敗選講稿：

1. 堅強又懊惱地承認敗選之痛；
2. 向勝選者表示祝賀；
3. 承諾會團結一致支持人民的選擇（有時伴隨著聽眾的高聲抗議）；
4. 感謝妻子、兒女和支持者們；
5. 讚揚政治體制；
6. 宣稱讓我們以美國人的身分團結一致的力量比讓我們分裂的原因更重要；
7. 承諾會繼續朝著選戰中承諾的理想目標而努力；
8. 結語中加入一些優雅有禮以及／或者遺憾的話語，最好引用一段名言，這段名言最好來自林肯。

敗選講稿的最終目的，正如參議員道格拉斯（Stephen Douglas）在選舉中敗給林肯時所說（遵循赫茲柏格提出的第八點），是提醒人們「黨派認同必須置於愛國精神之後」。這個儀式的重要元素之一是敗選者的羞辱感。競選過程中一路走來，候選人受到各種褒獎、推崇、攻擊與譏嘲，最後來到最接近他們渴求的大位的頂點，而發表敗選演說則是候選人最能引起選民共鳴的時刻。現在他們也有了無法達成目標、在眾人面前失敗的經驗，這幾乎是一種普世經驗。

史蒂文森有一段講辭令人難忘，他將敗選的感覺比作一個小男孩在黑暗中踢到腳趾：「他已經夠大了不能哭，可是笑的話實在太痛。」一九九六年敗選的杜爾（Bob Dole）則說道：「明天將是我這輩子頭一次無所事事。」

這是好幾個月甚至好幾年來，候選人頭一遭被視為一個凡人，一個沒能達到目標的奮戰者。而且，因為那些投票給勝選者的選民直接造成了他／她的敗選，敗選者甚至會對那些原本就希望得到這種結果的人表示同情。

敗選演說也是候選人提醒選民他們最初為何而戰的時刻，得以盡其所能地完美表達奮戰的目標。這正是適合播下再生種子的沃土，包括個人的再生和政治上的再生。

儘管回想起來有點難以置信，但杜凱吉斯（Michael Dukakis）一九八八年發表敗選演說時，曾被支持者高喊的口號打斷，當時他們吶喊「九二！九二！九二！」希望杜凱吉斯四年後再參選。而希拉蕊當年那句「玻璃天花板」則更加清澈地（沒有雙關語之意）表達她將再度參選，希望徹底粉碎這塊天花板。二〇〇〇年那場耗時甚久的總統大選結束時，高爾則在敗選演說中引述他父親（同樣曾任田納西州參議員）的話，直接表達了這個概念：「無論失敗多麼痛苦，敗選仍和勝選一樣能撼動靈魂、展現榮耀。」*

柯林頓總統也在高爾承認敗選的戲劇性爭議中發揮了作用。那場選舉最後不是由選民決定結果，而是在最高法院判決佛州停止計票後結束，這表示柯林頓要以呼籲全民團結一心、展現文明素養來結束自己的總統任期，而不是交棒給自己的副總統。記者邦浦（Philip Bump）找到的柯林頓講稿初期草稿中，提到了「彌合黨派分歧、恢復民眾對我國選舉制度信心的嚴峻挑戰」，「對投票程序進行全國性的徹底改革，好讓所有美國人都保證享有平等的投票機會，不僅是原則上享有，而是實際上享有」。即使是這樣的內容，都已經是經過修改、措詞較和緩的版本，柯林頓的演說撰稿人波拉克（John Pollack）原本寫的措詞更強烈：「投票權是我國民主體制最根本的基礎。我們整個國家體制都奠定在一個前提之上，就是選舉日來臨時，每一個美國人都能平等表達意見。無可爭辯的事實是，佛州數以萬計的美國人投了票，卻發現他們投的票出於某種原因不能算數。」這些話最後都沒有出現在柯林頓的講辭中。柯林頓選擇不提選票問題，而是談他認為選民要傳達的訊息：「美國人民無論在這次選舉中如何分歧，都強烈希望我們在這個至關重要的核心基礎上繼續發展，不要積怨成仇或人身攻擊。」二十年後，柯林頓演說撰稿團隊的另一成員格萊史崔斯（Paul Glastris）告訴作家烏里・佛里曼（Uri Friedman），他認為柯林頓「拿掉了講稿中任何可能讓人譏嘲『輸不起』的段落」。選擇不讓選舉制度的缺陷成為總統大

* 老艾伯特・高爾（Albert Gore Sr.）後來便將他以南方與當地政治為主題的回憶錄命名為《展現榮耀》（*Let the Glory Out*）。

選的焦點，在當時是可以理解的決定，但現在回頭看其實是錯失了良機。

承認敗選可能是終點，也可能是起點，對這種想法的體認促成了二〇〇八年那場大選裡的一次奇特事件，那場大選的結果是歐巴馬擊敗了亞利桑那州參議員約翰．麥肯。選戰接近尾聲時，麥肯的競選搭檔、阿拉斯加州長莎拉．裴林（Sarah Palin）招徠的群眾比麥肯更多，也更熱衷於選戰。裴林是極具爭議性的人物，由她發掘的許多勢力都在川普參選後浮上檯面。投票日當晚，麥肯的競選團隊聚集在亞利桑那州史考茲谷的比特摩爾飯店時，裴林希望獲得最後一次上臺的機會，表面上是要介紹她的競選搭檔麥肯出場，儘管原本並無計畫讓她上臺發言。她已親手修改曾任小布希演說撰稿人的史卡利（Matthew Scully）為她準備的講稿。根據《來自阿拉斯加的莎拉》（*Sarah from Alaska*）一書所述，裴林當時告訴一名助理，她發表演說的心意堅決：「我講稿都準備好了，想辦法讓我上臺。」

當時，競選陣營中麥肯的團隊與裴林的衝突已公開化，他們認為讓裴林發表談話並不恰當，而且沒有前例，於是他們強勢地向裴林表示，不會讓她上臺發言。* 麥肯團隊擔心的不是裴林會發表煽動性的演講，干擾政權和平轉移（史卡利是極具才華的撰稿人，有時比裴林這位委託他撰稿的人更諳常規），而是因為這是美國最偉大的英雄在全國性舞臺最後亮相的場合之一，他們擔心裴林若發言會轉移焦點。

在那個儀式裡，沒有裴林的戲分。

然而，從她沒能發表的敗選講稿看來，她想要的恐怕不只是最後一次現身全國聚光燈下，還想成為從麥肯的選戰灰燼中重生的鳳凰。除了大方推崇總統當選人歐巴馬之外——「如果他（歐巴馬）以他經常展現的技巧與風範，以及他具備的優異能力來治理美國，我們會沒問題的」——她還加上這句話：「如果選舉只考驗英勇戰鬥與功績，今晚會是更開心的夜晚，但現在這已不容我們質疑。」她的結語則是突顯自己：「美國已經做出選擇。至於我，我對這個國家的信念、我對這個國家的忠誠、我對這個國家的希望始終如一。現在是我們走自己的路的時候了，不必覺得苦楚難堪或一敗塗地，而是要滿懷信心，深知總有一天，我們將再度聚首，找到新的力量，並且再次起而奮鬥。」

這篇講稿如果發表，等於一半是敗選演說，一半是宣布參選的宣言，形同奪取共和黨的領導權。這樣的行徑在當時看來前所未見，其實只是超前於它的時代。

麥肯後來單獨發表了敗選演說，展現的優雅風度與言詞力道可媲美史蒂文森的演說：

> 歐巴馬參議員為他自己和國家取得了非凡成就。我為他鼓掌喝采，也對他深愛的外祖母未能活著看到這一天表達真摯的同情——不過我們的信仰使我們確信，她會在造物主面前安息，也會為她協助養育的這位優秀人才深感驕傲。

---

* 其實並非沒有前例——一九九二年總統大選，敗選的老布希就是由他的搭檔奎爾（Dan Quayle）介紹出場；二〇〇四年，敗選的約翰·凱瑞（John Kerry）也是由搭檔愛德華茲（John Edwards）介紹出場。

我和歐巴馬參議員因為意見不同而爭辯，結果他勝出了。無庸置疑，這些歧見仍然存在。我們的國家正處於艱難時刻，今晚我在此向他保證，我會竭盡所能，協助他領導我們解決此刻面臨的諸多挑戰。

我敦促所有支持我的美國人民與我一起，不僅祝賀他當選，也向我們的下一任總統展現善意和熱切的努力，找出方法同心協力，達成必要的妥協，彌合我們之間的分歧，幫助我們恢復繁榮昌盛，在危險的世界裡捍衛我們的安全，為子孫打造出比我們繼承時更強大、更美好的國家。

當晚，在麥肯發表敗選演說後，裴林和她的家人走上比特摩爾飯店的舞臺。麥肯的幕僚施密特（Steve Schmidt）擔心裴林會試圖向原本希望舉杯慶祝、現在卻在失望中喝悶酒的群眾發表演說（或許還會煽動他們的情緒），因此下令視聽團隊關掉燈光和麥克風。

二〇一六年的總統選舉前，就有人擔心川普不會履行承認敗選的公民儀式。套用資深政治策略顧問迪瓦恩（Tad Devine）的說法，川普會「在開票之夜擦亮一根火柴，點燃導火線，然後一走了之」。二〇二〇年大選後，他確實點燃了導火線。但在二〇一六年，這個問題實際上是多慮了，因為承認敗選的重擔落在希拉蕊肩上。

十一月九日上午，國務卿希拉蕊穿著她原打算在前一晚穿的紫色服裝，象徵紅藍兩色的結合（譯註：紅色是共和黨代表色，藍色則代表民主黨）。她感謝家人、工作人員、志工和捐款人。她也向他們致歉，成為第一位在敗選演講說「我很抱歉」的總統候選人：「這不是我們想要的結果，也不是我們拚命努力的目標。我很抱歉沒能為了實現我們共同信奉的價值、我們期許的國家願景而贏得這場選舉。」

她談到這個國家「分裂程度比我們想的還要嚴重」。她把原本希望發表的勝選講稿部分內容加入演說：「我們花了一年半的時間，讓來自國家各個角落的數百萬人齊心發出一致的聲音：我們相信美國夢大到足以容下每個人——包括各個種族與宗教，包括男性與女性，包括移民、多元性別族群和身心障礙者。包括所有人。」但她在總結這個想法時，也提出控訴與警告，「所以，當前我們身為公民的責任是持續盡一己之力，打造出我們想要的更美好、更強大、更公平的美國。」她沒有提及勝選講稿中歷經多次修改仍保留在講稿裡的「玻璃天花板」。勝選講稿是這麼寫的：「這是全體美國人民的勝利——包括男人與女人、男孩與女孩——因為我們的國家再次證明：只要天花板不存在，天空才是極限。」

她沒能呼籲：「我們必須奮力不懈，直到所有還存在的天花板都被粉碎，直到所有還存在的障礙都被擊破，直到每一個美國人都能發揮上帝賦予她或他的潛力。這是美國的承諾，也是我身為美國第四十五任總統對全民的承諾。」

她也沒能描述她的願景：「一個女性受尊重、移民受歡迎、勞工得到公平報酬、人民相信科學的美國。」

她沒能傳達她的信念：「只要挖掘得夠深，穿越政治的泥沼，終究會碰觸到一樣堅固而實在的事物，那就是讓我們美國人民團結一致的各種根本價值組成的根基。」

她沒能發表的還有勝選講稿中極具感染力的結語：

今年夏天，有位作家問我：如果我能回到過去，把這個里程碑告訴歷史上的任何一個人物，我會選擇誰？

我脫口而出的答案就是：我的母親，桃樂西。

大家可能聽我談過她艱苦的童年。她八歲時就被父母拋棄。他們把她送上開往加州的火車，她在加州受到祖父母的虐待，最後自己搬出去當女傭為生。然而她仍然找到方法，給我無限的愛與支持，那是她自己未曾得到的。她把我們信仰的基督教衛理公會的話語教導給我：「做所有你能做的善事，幫助所有你能幫助的人，用所有你能用的方法，能做多久就做多久。」

我每天都會想起母親。有時，我會想到那一列火車上的她。我希望能沿著車廂裡的走道，找到坐在小木椅上的她，那個獨自緊緊牽著妹妹，驚恐不已的她。她還渾然不知自己得承受多少苦難。她也不知道自己能否生出力量擺脫所有苦難——這一切都太遙遠了。當她向外凝視著火車經過的廣袤大地時，她人生的未來全屬未知。我夢想自己走到她身邊，坐在她身旁，將她擁入懷中說，看著我，聽我說。妳會活下來的。妳會擁有屬於自己的幸福家庭，以及三個孩子。雖然很難想像，但妳的女兒長大後會成為美國總統。

就如同我確知的每件事一樣，我確信美國是世界上最偉大的國家。接下來，從今晚開始，我們將向前邁進，攜手讓美國比以往更偉大——為了我們每一個人。

第六部

因突發事件而捨棄的講稿

演說因為意料之外的狀況而無法發表頗為常見。一八九五年，山繆·克萊門斯（Samuel Clemens，也就是作家馬克·吐溫）原本被安排在輪船聖保羅號的下水儀式上發表演說，地點在費城的一處造船廠。然而到了萬事俱備的那一刻，輪船卻紋風不動，當它可以順利下水時，克萊門斯已經前往歐洲了（他拿給一位記者的講稿被留存至今）。不少大學的畢業演講因為天氣不佳而未能發表，最近的新冠疫情也導致許多這類活動被取消。

一九九九年四月二十一日，我的老闆、美國前副總統高爾原本計劃在埃利斯島發表演說，慶祝北約組織成立五十週年。但到了演說前一天，當他正在對講稿進行最終修訂時，我們看到科羅拉多州的新聞。隨後幾個小時，我們得知科倫拜高中的艾瑞克·哈里斯（Eric Harris）和迪倫·克萊伯德（Dylan Klebold）謀殺了十二名他們的同學與一名老師，震驚全國，也開啟接下來一連串大規模槍擊事件的序幕。此問題在各地蔓延開來，勢頭未曾稍減。

於是高爾原要發表的演說成了他實際發表演說的附加說明，新的開場說道：「我來到這裡，原本是要談談大西洋另一端的軍事衝突，但我現在想針對科羅拉多州傑佛遜郡發生的事講幾句話，因為也有一場戰爭發生在我們的家園。」

在二〇〇一年，讓各種計畫和我們所知的生活暫時擱置的事件則是九一一恐怖攻擊。

在這些情況裡，干預的事件是國家的悲劇，但一場計劃好的演說可能被各種意想不到的事情打亂。二〇一七年，奧斯卡獎的頒獎人弄錯最佳影片的得主，也讓導演貝瑞·詹金斯未能發表原先準備好的演說，那場演說不只講述了一個充滿力量的故事，也提醒我們故事之所以如此具有力量的原因。

有些時候，干預的事件是講者的逝世，教宗庇護十一世、小羅斯福總統、愛因斯坦和甘迺迪總統的演說便是如此。在這些例子裡，他們未完的話語因為也被視為他們的遺言，而多了一分傷感。

第十三章　寫稿的過程：

國務卿女士與她被九一一事件打亂的演講

「為什麼要在家門上安裝防盜鎖、囤積大量防身噴霧，卻決定讓窗戶開著？」

康朵麗莎．萊斯成長於種族隔離時期的阿拉巴馬州伯明罕市。她的父母都是學者，也幫助她成為知識淵博的菁英：她三歲時就在學習法文、音樂，以及花式滑冰。

雖然她在學時學習鋼琴持續不輟，但也發現自己無法成為鋼琴演奏家，於是對國際政治萌生興趣。她最後取得政治學碩士學位，開始投入學術界和外交政策領域。

一九九一年，她開始在老布希總統的國安團隊擔任蘇聯事務的顧問。結束這份工作後，她成為史丹佛大學的教務長，她此前曾是該校教授。一九九九年小布希開始競選總統後，她向史丹佛大學請假，轉任布希的外交政策顧問。小布希在外交政策方面的經驗不如父親，萊斯便成了他的良師益友。

小布希當選總統後，任命萊斯成為國家安全顧問，她也成為美國首位擔任此一要職的女性。萊斯迅速奠定了自己的角色，這個角色使她比歷任多位國安顧問更像是政策的建構者和倡議者。美國首位會見俄羅斯總統普丁的外交政策高官就是萊斯，而非當時的國務卿鮑爾（Colin Powell）。如此悖離外交儀節慣例的情事，上一次發生是在季辛吉擔任國安顧問的時期。此外，一場闡述政府外交政策的重要演說也是由萊斯發表，而非鮑爾。萊斯受邀在約翰霍普金斯大學高等國際研究院一項聲譽卓著的學術講座演講時，決意打頭陣闡述一項她期望成為小布希政府最具代表性的外交政策措施。這個帶頭領導的人也是她，而非鮑爾。

她受邀發表演說的時間，在二〇〇一年九月十一日下午。

萊斯博士的團隊認為，可藉由這場演說推動政府的主張：美國最嚴重的國安威脅是遭遇長程（洲際）彈道飛彈攻擊，而解決之道是建立強大的飛彈防禦系統。

長久以來，研發及部署飛彈防禦系統一直是一小群政策制定者的目標，他們對核武威懾的看法與主流思維不同。傳統觀念*認為，威脅會採取大規模報復行動是唯一能阻止美國遭遇核攻擊的手段。主張建立飛彈防禦系統的陣營則認為，這種想法根本形同簽署「共同自殺協議」。雷根總統任內的國防部長溫伯格（Caspar Weinberger）就說，建立飛彈防禦系統等於「徹底摒棄對相互保證毀滅原則的默許」。

自從飛彈這種武器出現以來，就有人在思考如何防禦飛彈。但直到一九八三年，這個想法才真正進入公眾討論。當時雷根總統呼籲建立一套自陸地和太空發射的飛彈防禦系統，若美國遭遇他國率先攻擊時可保衛國土。他說，目標是「讓核武派不上用場，然後被淘汰」。

雷根將這項計畫稱為「戰略防禦倡議」(Strategic Defense Initiative)。但此倡議大抵上純屬空談，根據的是還沒發明出真正技術的科幻小說式概念，例如以核爆為動力的X光雷射。參議員愛德華・甘迺迪（Edward "Ted" Kennedy）就嘲笑這個想法是「魯莽的『星際大戰』計畫」。「星戰計畫」就此成為該計畫的綽號，流傳至今。

美國的確展開了對飛彈防禦的研究和投資，但要研發這種系統的技術實在太複雜（最常用的比喻是「用子彈擊中子彈」），對長程飛彈防禦系統的支持大多是支持它的意識形態定位，而非實際部署。即使打造這種系統的成本、技術和政治障礙都能克服，還有地緣政治障礙存在。美國一九七二年便成為《反彈道飛彈條約》的簽署國，該條約宗旨明確，就是要防止各國建立飛彈防禦系統。這項條約背後的理念是，沒有防禦系統是完美的，因此任何飛彈防禦系統都會迫使對手提升飛彈進攻能力，引發無止盡的軍備升級。（中國外交部前發言人孫玉璽的說法頗具詩意：「有人發明新型的盾，就會有人發明新型的矛。事情總是這樣發展的。」）

儘管該條約成為美國外交政策的基石，也因此達成了幾項削減核武的後續協議，但許多保守派的政策制定者仍擔心《反彈道飛彈條約》已經過時，因為流氓國家或組織持有的彈道飛彈並未納入條約。

---

* 此處為雙關語。（譯註：原文為conventional wisdom，即傳統觀念，而conventional weapon指的則是核武以外的常規／傳統武器。）

唐納・倫斯斐（Donald Rumsfeld）就是這麼想的政策制定者之一，他在福特總統任內便曾擔任國防部長，於小布希執政後再度出任此職。一九九八年，倫斯斐主持了一個委員會，評估美國受到的彈道飛彈威脅。最後的報告結果雖有爭議，但其內容指出，來自流氓國家的彈道飛彈威脅可能比之前設想的更早出現。

一個月後，北韓發射了一枚飛彈，目的是要將酬載送入軌道（這是研發洲際彈道飛彈前必要的初期階段），更加深了華府的擔憂。

小布希總統二〇〇一年上任時，他的外交政策團隊就將重點放在建立飛彈防禦系統、讓美國退出《反彈道飛彈條約》這兩個連動的目標。小布希就任總統四個月後，在國防大學的一場演說中闡述了建立飛彈防禦系統的主張（儘管飛彈防禦技術的效果當時還未獲證實），並指出必須「跨越已有三十年歷史的《反彈道飛彈條約》的重重限制」。不過國務卿鮑爾仍對此存疑。他認為應該先爭取盟友支持，不要倉促地單方面廢止條約。這一切也確實急不來。飛彈防禦的技術尚未獲得證實、備受爭議又成本高昂。人們對它的看法大相逕庭，端看要付出的成本以及如何取捨。

外交政策專家達爾德（Ivo Daalder）與林西（James Lindsay）那年春天就曾指出，「美國人民被問及是否支持飛彈防禦的抽象概念時，僅三分之一的人說『否』。但被問及如果這會破壞美國與俄羅斯之間的削減軍備條約，他們是否支持，僅三分之一的人說『是』。」二〇〇一年一整年，小布希政府要求增加飛彈防禦預算，並開始暗示打算退出《反彈道飛彈條約》。這一年裡，討論外交政策的機會都成了推動支持飛彈防禦的良機。

二〇〇一年九月九日，萊斯在國家廣播公司節目《與媒體見面》（*Meet the Press*）主張：「美國總統若不回應（彈道飛彈）威脅……是不負責任的。」

在她之後受訪的來賓是時任參議員的喬．拜登，他同時也是頗具權勢的參議院外交委員會主席。拜登參議員拆解了萊斯的主張，嚴詞表示飛彈防禦系統「無法保護我們不受巡弋飛彈的攻擊。它無法保護我們避免走私物品進入。它也無法保護我們不讓原子彈經由生鏽的船體載入港口。它無法保護我們不受炭疽病毒的侵害。這些都是國防部認為比某國發射洲際彈道飛彈更可能出現的威脅，而敵人發射的洲際彈道飛彈是有回信地址的」。

拜登第二天在全國記者俱樂部的演說中進一步強調他的論點，他認為「飛彈防禦必須與其他支出及所有軍事優先政策放在一起謹慎取捨。事實上，我們在安全上的真正需求還是以陸上防禦為主，要付出的成本也比飛彈防禦少得多」。

（回想起來，拜登的話似乎特別有先見之明。他在《與媒體見面》露面後的十天內，美國就接連遭遇九一一攻擊，以及針對兩位民主黨參議員和多家新聞媒體辦公室的致命炭疽菌攻擊。）

於此同時，美國的經濟與小布希的支持率都在下滑。小布希總統上任以來，道瓊指數下跌了將近一成，失業率不斷上升，《華盛頓郵報》頭版刊登的一項民調顯示，大多數美國人已不再贊成他推行的減稅政策。他的施政表現不斷走下坡，就連共和黨參議員也聲稱小布希政府的外交政策缺乏整體格局。

萊斯的團隊認為，她原定要在《與媒體見面》節目播出兩天後發表的演說是一次良機，可以提出更清晰的願景與更有力的論據來支持發展飛彈防禦系統，並反擊批評者的主張。

不過她在這件事上也面臨苦戰。皮尤研究中心幾個月前的一項民調顯示，絕大多數美國人比較擔心恐怖分子把武器帶進美國，而非不友善國家的飛彈攻擊（兩者是七十七%對十%的差距）。被問及什麼政策最能保護美國，大部分民眾都認為限制軍備競賽的條約最能保護美國，而非飛彈防禦系統（兩者的比例是五十三%對三十四%）。

萊斯的講稿由白宮國家安全委員會撰稿人吉布森（John Gibson）主筆，他曾擔任國防部長柯恩（Bill Cohen）的演說撰稿主任。他寫了一份十頁的草稿，認為已盡可能說明研發飛彈防禦系統的理由。直到九月十一日清晨，吉布森還在和萊斯博士反覆討論，為講稿做最後的修改。

當天上午八點四十六分，萊斯人在辦公室裡。助理告訴她，一架飛機撞上了世貿中心。此時萊斯還跟多數美國人一樣，以為這是一場可怕的意外。上午九點，她與職員正在開例會時，助理衝了進來：第二架飛機撞上了世貿中心另一棟大樓。

即使身處千變萬化的全球局勢中，演說撰稿人仍經常為眼前的計畫所苦而感知不到其他事物。他們想弄清楚那場演講是否還會舉行，如果是的話，講稿有多少內容要重寫。吉布森記得，那天下午他一直保持手機暢通，一邊想著那場演講是否還要進行，一邊等著萊斯博士可能的改稿指示，即使美國明顯正遭遇一九四一年珍珠港事件以來最嚴重的攻擊。

那份講稿後來一直沒有發表。

兩年半後，就在萊斯博士向九一一事件調查委員會作證之前，那份講稿的部分內容出現在《華盛頓郵報》記者萊特（Robin Wright）的報導中。

那些內容在世界已全然改變後才公諸於世，披露了當時行政團隊聚焦的重心，與這份講稿撰寫時實際發生的威脅差距有多遠。根據《華盛頓郵報》取得的講稿內容，萊斯博士原本的確要承認「我們必須擔憂行李箱炸彈、汽車炸彈、在地鐵施放的沙林毒氣」。不過，她原本也打算批評那些淡化長程飛彈威脅的人，「為什麼要在家門上安裝防盜鎖、囤積大量防身噴霧，卻決定讓窗戶開著？」截至本書撰寫時，萊斯博士的完整講稿仍被列為機密文件。但我在尋找那篇講稿的過程中，依據《資訊自由法》提出要求，取得了她的團隊在準備演講時收集的資料。在某些意義上，這些資料就和講稿一樣能揭露實情。

我在第四章曾寫道，常有人問我是否能為任何人撰寫講稿。提問者的意思通常是，我能為觀點或價值觀與我不同的人或政策撰寫講稿嗎？其實，演說撰稿人可以像律師一樣，無論為任何立場提出主張，都有辦法做出合理的論證。（不過與律師不同的是，無人擁有一篇精彩講稿的所有權。人們對一篇講稿擁有的唯一權利只有發表權。）撰寫演說稿既是一門論證的技藝，也是一種詩歌藝術。任何人

都能運用一些工具和技巧，為任何講者寫出一篇支持任何志業的好講稿。演說撰稿人的工作是妥善利用這些工具和技巧，讓它們發揮最佳效果。

無論對飛彈防禦抱持何種看法，只要看過萊斯博士的團隊為撰寫講稿而彙整的資料，立刻就能明白其中的道理。

首先，他們做到了「清喉嚨」——研究如何讓演講的開場和致謝段落更高雅真摯。例如，撰稿團隊知道尼策（Paul Nitze）會是這場演講的聽眾之一，於是想將他們依稀記得國務卿舒茲（George Shultz）說過有關尼策的話找出來。一位研究人員找到這段話：「智者來來去去，但數十年來尼策一直都在。」接著是下工夫讓論點更紮實。以這份講稿來說，大致上是藉由「反駁法」這種講稿寫作技巧來論證，也就是將論點列成清單，然後一一駁斥。一份支持飛彈防禦的講稿，顯然有很多要反駁的論點可以列入清單。

這份講稿的關鍵骨幹之一，是一份內部文件〈關於飛彈防禦系統的誤解〉，其中列出了萊斯博士必須反駁的十三個論點，包括「飛彈防禦技術根本無效」、「飛彈防禦系統成本太高」、「部署飛彈防禦系統會分化美國和反對這個主意的盟友」。這份文件選擇性納入一項民調的數據，稱五十一％的美國人支持布希政府的飛彈防禦提案；但該民調也發現，七十七％的美國人比較擔心恐怖分子的威脅，而非飛彈攻擊。這份文件回應的其他論點還包括「美國誇大了威脅」，以及飛彈防禦系統「無法防禦其他對美國動用大規模毀滅性武器的手段，例如恐怖分子使用行李箱或汽車炸彈」。

這份講稿還刻意利用另一種具有說服力的重要元素：無法辯駁的倡議者，或不太可能的盟友。小布希團隊蒐集的研究資料包括普立茲獎專欄作家湯馬斯·佛里曼（Thomas Friedman）的一篇文章，他在文中譏嘲布希對飛彈防禦的說法：「布希主張發展飛彈防禦系統的主要問題在於，它是以薄弱或不可靠的論證為基礎。」不過，這篇文章有一個段落被特別圈出來。「我並非出於信仰徹底反對飛彈防禦系統，但我們必須從它真正的本質來評斷它——它充其量只是一套用來輔助相互保證毀滅原則的防禦系統……就像褲頭繫了腰帶又加上吊帶一樣。」

就好比電影宣傳人員讀到影評寫著「竟然能製作出這種垃圾，我瞠目結舌」，然後只擷取「我瞠目結舌」放上宣傳海報一樣，你可以想像有演說撰稿人利用佛里曼的文章，寫出稍微嚴謹一點的句子：「即使湯姆·佛里曼不太贊成我們的立場，也認為飛彈防禦『就像繫了腰帶又加上吊帶』。的確，在這個危險的世界裡，我們不能冒著褲子掉下來被逮到的風險。」講稿資料檔案裡另一份文件則列出杜魯門總統的許多名言，提到領導人做對的事情有多重要，即使這件事在當下或許不受歡迎。那份研究文件納入了杜魯門的這番話：

歷史是由人創造的，而不是歷史創造了人。社會在缺乏領導的時期總是停滯不前，而當勇敢有才的領導者把握良機，做出改變讓未來更好，社會就會進步。

還有這一段：

如果摩西在埃及做了民調，他會走多遠？如果耶穌基督在以色列的土地上做民調，他會宣講什麼內容？如果馬丁・路德做了民調，宗教改革的結果會是什麼？當下的民調結果或公眾輿論並不重要。重要的是事情的對錯，以及政府的領導力。

如果萊斯博士那場演說的目標之一是為小布希總統的立場提供支柱，那麼引用前述杜魯門總統的談話可以達到兩個目的。首先，它把小布希總統的行動和領導力放在其他勇敢、有決斷力的領導人的脈絡裡。其次，這會讓聽眾覺得一位民主黨籍的總統彷彿跨越了時間和歷史，默默支持這位共和黨總統的行動。當然，萊斯希望能在不自相矛盾的情況下達到目的，因此演說撰稿人參考的其他內容是萊斯博士自己先前發表過的文章和聲明。

最後，講稿內容還必須回應拜登參議員的問題，他是當時對小布希政府批評最直接又最具權勢的人物之一。對此，萊斯的演說撰稿人彙整了一份長達六頁的文件，具體反駁拜登的批評，這些批評包括小布希總統在那年稍早簽署了減稅法案，導致要負擔飛彈防禦系統更加困難。因此，那份反駁文件裡就有這樣一句話：「如同開發新型戰機或艦艇等重大國防計畫一樣，飛彈防禦系統會需要大量資金。但即便如此，它也只占國防預算的一小部分——以二〇〇二財政年度來說，約為國防預算的二・

五%。」

提出反駁的風險在於，如果你要駁斥那些反對你的主張，就得讓這些主張顯得不重要或判斷有誤。如果你反駁的其中一項論點到後來證實是對的，恐怕會讓講者顯得很蠢。

在萊斯的講稿中，吉布森寫下的陳述──「我們是得擔心行李箱炸彈、汽車炸彈和在地鐵裡施放的沙林毒氣……（但）為什麼要在家門上安裝防盜鎖、囤積大量防身噴霧，卻決定讓窗戶開著？」──就成了政府完全聚焦於錯誤威脅的標誌性句子。萊斯二〇〇五年被提名為國務卿時，這個話題再次浮上檯面。時任參議院軍事委員會主席的參議員瑞德（Jack Reed）發言反對她的任命案，主要理由就是她過於專注在飛彈防禦，沒能注意到美國面臨的其他威脅：

她（萊斯博士）也多次表示，在九一一事件之前，布希政府的政策（據推論也是出於她的建言）都大幅聚焦於反恐。但據我瞭解，萊斯博士原定九月十一日在約翰霍普金斯大學發表的演講，原本要表明布希外交政策的基石是飛彈防禦。那段時間我就在參議院軍事委員會，我可以告訴你，重點就是飛彈防禦。不是反恐，不是老派的地面部隊、情報人員、突擊旅，是要花數十億甚至數百億美元，開發一套全國飛彈系統。我認為她當天原定要發表的演說，充分體現了當時的重心所在。

──

九一一攻擊發生六個月後，萊斯博士終於發表了羅斯托夫演講（Rostov Lecture）*。從她那天的演說內容可以看出世界發生了多麼迅速而翻天覆地的變化。《華盛頓郵報》一篇關於原始講稿的報導引述布希政府官員說，萊斯最後發表的演說已完全沒有原始講稿的內容。其實不完全如此。為原始講稿做的研究裡，的確有一句話在兩份講稿都出現了，那就是舒茲的觀察所得：「智者來來去去，但數十年來尼策一直都在。」

除了這句話之外，原始講稿裡沒有一個字被保留到萊斯最後發表的演說中。在她大幅翻新的講稿中，萊斯幾乎只談政府針對反恐的種種作為，唯一一次提及飛彈防禦，是說到要利用「一切可用的工具來應對嚴重的全球威脅」。美國已被恐怖主義明確而迫切的威脅喚醒，沒有必要再為只是理論上存在的飛彈威脅奮力一搏。萊斯博士也不覺得有必要解釋在九一一攻擊發生前，政府可以採取哪些不同的做法或更好的措施。世界已經改變，引領國家在改變後的世界裡前進，就是她的工作。如同她在那天的演講上說的：「規模大如九一一攻擊的強震，可以改變國際政治的板塊格局。」

* 譯註：即約翰霍普金斯大學高等國際研究院的年度學術演講。

第十四章　故事的力量：

《月光下的藍色男孩》與奧斯卡最佳影片得獎感言

「我們就是那個男孩。」

薩菲爾在他的經典演說稿選集《請聽我說》裡寫道，一場精彩演說有一個與如何寫作、如何發表都完全無關的要素：它需要「場合」。他是這麼說的：

無論是一個人、一個政黨或一個國家，總會有一個迫切需要提振人心並發表演說的戲劇性時刻。大家需要某個人來傳達所有人的希望、榮耀或悲傷。講者成了眾所矚目的焦點，成了卓越的引導者。他或她獨自站在浪尖，全世界都佇足觀看與聆聽。一場就職演說，或是在某個國家儀式或頒獎典禮發表的談話能迅速廣為人知，因此更具優勢；這個場合的莊嚴或重要性能為演說本身增色。

在演藝界，沒有比奧斯卡金像獎更具威望的「場合」了。二〇一七年奧斯卡金像獎將近時，在相關討論中最突出的電影之一就是《月光下的藍色男孩》，這是一個美麗而跳脫傳統的故事，講述男孩夏隆（Chiron）在邁阿密的自由城公共住宅社區成長，以及他與一個如父親角色的毒販、有毒癮的母親和唯一的真正好友凱文的關係，還有他不太清楚要如何表達的性傾向。

這不是經常出現在電影裡的故事類型，也不是會吸引大量觀眾的電影類型，上映後頭三個月的票房收入僅一千六百萬美元。

不過它的確獲得影評青睞，也是頒獎典禮的熱門電影。導演貝瑞．詹金斯堅稱，他很震驚《月光下的藍色男孩》竟成為典禮前廣受討論的電影，也認為這部電影受到關注是一個機會，能傳達訊息給所有不常在電影裡看到自己故事的人們。

在奧斯卡前一個月舉行的金球獎典禮上，《月光下的藍色男孩》獲得六項提名，並贏得最佳戲劇類電影獎。詹金斯領獎時，利用發表感言的機會敦促那些看過該片的人「叫一個朋友」去看這部電影。

奧斯卡頒獎典禮前，《月光下的藍色男孩》獲得八項提名，包括最佳改編劇本、最佳導演和最佳影片。

奧斯卡是讓更多觀眾瞭解這部電影的良機，也讓《月光下的藍色男孩》有機會締造多個史上第一的紀錄，可能成為第一部贏得奧斯卡最佳影片的全黑人演員電影，也可能是第一部贏得最佳影片的探索多元性別主題電影。詹金斯還有機會成為第二位執導最佳影片的黑人導演。

當晚，在洛杉磯市中心的杜比劇院，《月光下的藍色男孩》繼續大放異彩。典禮頒發的第一個獎項——最佳男配角，就是由該片演員馬赫夏拉・阿里（Mahershala Ali）獲得，他也成為首位獲頒奧斯卡的穆斯林。

詹金斯與編劇麥克瑞尼（Tarell Alvin McCraney）共同撰寫這部電影的劇本，也獲得奧斯卡最佳改編劇本獎。詹金斯連珠炮般感謝了很多人，並再次強調不僅這部電影應該被看見，其聚焦的那些不常出現在電影裡的族群，也應該感受到自己被這部電影看見了。「我都跟學生說……要熱愛的是過程，而不是結果。但我真的很想要這個結果，因為有無數人*在看這場典禮。所有覺得好像找不到自己的鏡子、覺得沒有作品反映你的人生的人們……有我們在挺你。」

麥克瑞尼也接續這個主題說：「這部電影是為所有看不到自己的黑色與棕色人種的男孩和女孩，以及非二元性別的人們拍攝。我們想讓外界看見你們和我們……這部電影是為你們拍的。」

但有些話詹金斯一直沒有說，要保留到可能上臺領取最佳導演獎（那是下一個將揭曉的獎項）或最佳影片獎（當晚的最後一個獎項）的時刻。

最佳導演獎頒給了達米恩・查澤雷（Damien Chazelle），他執導了那年另一部頒獎典禮焦點——歌頌好萊塢的歌舞劇《樂來樂愛你》（*La La Land*）。查澤雷在致詞開頭就表示，很榮幸能與詹金斯這樣的

* 其實不至於無數，但也有超過三千兩百萬人觀看。

導演一起入圍。

詹金斯若要說出他想說的故事，最後機會將是獲頒最佳影片的時候，如果他真的得獎的話。

隨著典禮進入尾聲，最佳影片揭曉的時刻到來。《樂來樂愛你》是最被看好會拿下大獎的電影，入圍獎項的數目追平史上最高紀錄。直到此時為止，這場頒獎典禮都進展順利，雖然一如既往的漫長。此時舞臺兩側是卡利南（Brian Cullinan）和盧伊茲（Martha Ruiz），他們是普華永道會計師事務所的代表。該事務所負責統計演藝學院會員對各獎項的投票，並備妥宣布得獎者的信封。卡利南和盧伊茲各自保管著一整套裝有獲獎者姓名的信封。每位頒獎人上臺前，他們其中一人會遞上該獎項的信封，另一人則銷毀備份，以免出現混淆。

當晚頒發倒數第二個獎項時，盧伊茲將最佳女主角獎的信封交給李奧納多．狄卡皮歐。但卡利南並未銷毀他保管的備份信封，而是忙著拍攝並在推特發布得主艾瑪．史東的照片。太平洋時區晚間九點〇三分，華倫．比提（Warren Beatty）與費．唐納薇（Faye Dunaway）走上舞臺，慶祝他們主演的電影《我倆沒有明天》（*Bonnie And Clyde*）上映五十週年。此前卡利南拿了錯誤的信封給比提，那是艾瑪．史東獲得最佳女主角獎的備用信封。

舞臺上，在背景響起的鼓聲中，比提打開信封，開始宣布：「得獎的是……」然後他停頓了一下，再看了一次信封，此時觀眾發出笑聲，唐納薇則說：「你很煩耶。」比提把信封遞給唐納薇，她迅速唸出裡頭印著的電影片名：《樂來樂愛你》。

觀眾爆出掌聲，《樂來樂愛你》的演員和創作人員紛紛上臺。

就在此時，卡利南為時已晚地發現自己交給比提錯誤的信封，立刻告知典禮製作人員。等到製作人員上臺時，已過了將近一分半鐘，《樂來樂愛你》的製作團隊已占據了麥克風。霍洛維茲（Jordan Horowitz）完整發表了得獎感言（「這個空間裡充滿了愛，讓我們用這份愛來支持大膽、有創意而且多元的作品」），而普拉特（Marc Platt）正要說完他的得獎感言時（「繼續做夢吧，因為我們今天做的夢會帶來愛心、悲憫與人性，將用來講述明天的人生故事」），一名製作單位的工作人員走上臺，向該片其他製作人出示印有正確得獎者的卡片。《樂來樂愛你》的製作人柏格（Fred Berger）已開始致詞，但又停下來看他身後的一陣混亂。就在比提震驚不已，準備再次靠近麥克風時，柏格說：「順帶一提，我們輸了。」

此時，霍洛維茲接過麥克風，雖然比提想再次發言。「你們知道嗎？事情弄錯了。《月光下的藍色男孩》，拿下最佳影片的是你們。」

《月光下的藍色男孩》劇組人員爆出歡呼，其他觀眾則充滿困惑，難以置信。

在霍洛維茲和普拉特請《月光下的藍色男孩》團隊上臺時，主持人吉米．金摩（Jimmy Kimmel）嘗試說了幾個笑話，「這件事都怪史蒂夫．哈維（Steve Harvey），」* 他又對霍洛維茲說，「不管怎樣，

＊ 二〇一五年，史蒂夫．哈維宣布環球小姐選美冠軍時錯報獲勝者。

我還是想看到你拿到奧斯卡。為什麼不能乾脆一次頒給一堆人呢?」

霍洛維茲非常冷靜沉著,不僅認真回應這些笑話,還舉起奧斯卡最佳影片獎座說道:「我非常榮幸能把獎座交給《月光下的藍色男孩》的朋友們。」

比提接過麥克風要解釋發生了什麼事,但詹金斯此時已上臺,於是比提只說:「《月光下的藍色男孩》,最佳影片。」

此時詹金斯的心情已經歷了兩分鐘從失望到狂喜的雲霄飛車。他走到麥克風前說:「即使在我的夢裡,這也不可能是真的。但是去他的夢想,我已經不再做夢了,因為這就是真的。哦,我的天啊。」

詹金斯和他的朋友兼《月光下的藍色男孩》製片阿黛兒·羅曼斯基(Adele Romanski)各自致詞,但在當時的混亂中,羅曼斯基所傳達的訊息變得有些含糊:

> 謝謝影藝學……我不知道該說什麼。實在太……我不確定,我還是不確定這是真的。但是,謝謝影藝學院。真的很不好意思,站在這裡,和《樂來樂愛你》劇組一起?不,好的,他們離開了。但站在這裡還是感覺很不好意思。我想,我還有更多期待,期待這部電影能鼓舞人們,鼓舞黑人小男孩、棕膚小女孩和其他在家裡觀看的人,那些覺得自己被邊緣化的人、那些看到這群了不起的藝術家而獲得激勵的人們,領導這群藝術家的是這位令人讚嘆的天才,我的朋友巴瑞·詹金斯,他就站在這個舞臺上,接受這項最高榮譽。

事情才剛發生，詹金斯還在試著釐清自己的激動情緒。「我從沒見過這種事情發生。它讓獨特的感受更加特別了，只是不是以我預期的方式。我人生中過去這二十分鐘太瘋狂了……已經超越了改變生命的地步。」

無論在臺上還是典禮結束後，詹金斯都花了很多時間感謝《樂來樂愛你》劇組的優雅有禮。但是在逐漸消化整件事情後，他覺得愈來愈難受。他參加典禮後的各場慶功宴時，心神不寧。他自己的描述是：「有什麼東西變了。我不確定那是什麼東西。」有關《月光下的藍色男孩》的討論似乎都沒有聚焦於電影本身，而是關於典禮出的大包。於是，關於電影作品的相關敘述就這麼消失在對於烏龍事件的描述裡。

詹金斯也想到他沒能發表的演說。

一年後，詹金斯受邀在西南偏南藝術節發表主題致詞，他首度說出他原本想在獲頒最佳影片時發表的感言。

———

亞里斯多德在《修辭學》第一卷中寫道：「具有說服力的演說可以分成三種類型。第一種是仰賴說話者的個人性格；第二種是讓觀眾進入特定的心境；第三種則是依賴演說本身提供的證據或顯而易見的證明。」

依照亞里斯多德描述的順序，這些演說訴諸的分別是精神氣質（ethos）、情感（pathos）與邏輯論理（logos）。

兩千五百年後，我們仍大致以同樣方式運用這三種說服的要素。

Logos就是邏輯或理性。這裡的概念是單靠論證的力量就足以說服人，不一定只是提出數字和統計結果，也包括將它們編排進合理的脈絡之中。一個著名的例子是甘迺迪一九六二年在萊斯大學宣布「我們選擇要登上月球」的演說。甘迺迪在演說中論及這項挑戰要付出的代價：

可以肯定，這一切要花費我們大筆資金。今年的航太預算是一九六一年一月時的三倍，而且比過去八年的航太預算總和還多。現在的預算是一年五十四億美元——非常驚人的數字，不過比我們每年購買香菸和雪茄的錢略少一些。航太支出很快就會再稍微增加，從每人每週四十美分增加到全美每個男女及兒童每週超過五十美分，因為我們已將航太計畫列為國家的優先事項之一——即使我明白這在某種程度上只是出於信念和願景，因為我們現在還不知道會有什麼樣的好處等待著我們。

甘迺迪在此提出了符合邏輯的主張：我們不知道登上月球會為我們帶來什麼好處，但我打賭，絕對比我們每年花在香菸上的錢更有價值。

這也是一個好工具，可以解決許多講者面臨的問題：聽眾很難理解巨額數字究竟有多大。但人們很善於理解比較。這種我稱為「社會數學」的比較，可以輕易地讓觀眾明白什麼情況符合邏輯，什麼情況——借用《星艦奇航記》中史巴克先生的說法——「高度不合邏輯」。

微軟創辦人兼慈善家比爾．蓋茲在二〇〇九年發表了一場TED演講，主題是關於抗瘧疾藥物欠缺投資：「因為這種疾病只出現在較為貧窮的國家，所以並未獲得大量投資。舉例來說，投資生髮藥物的錢就比投資瘧疾藥物的資金還多。」當觀眾開始大笑時，蓋茲繼續說：「你們看，禿頭好可怕，讓有錢人備受折磨，於是這就成了他們優先投資的目標。但瘧疾——即使它每年奪走百萬人的性命，這個數字也不足以呈現它真正造成的影響。全球在任何時刻都有超過兩億人受瘧疾所苦。」

這樣的比較也是訴諸邏輯。即使是本書作者，身為能受惠於生髮藥物的人，也不免狐疑生髮藥物怎麼會比數百萬人的性命還重要。

Ethos經常被誤解為「道德」（ethics）。不過在希臘文中，ethos是翻譯為「本質」或「性格」。換句話說，講者的性格如何？他們是值得信賴的訊息傳遞者嗎？能與觀眾建立連結，被認為可靠、可信而且（沒錯）令人喜歡，是主要關鍵。

我在副總統高爾的辦公室第一次當演說撰稿實習生時，被安排負責「怎麼會勤務」（Howdahell Duty）。這是我的演說撰稿導師艾瑞克在高爾某次造訪蒙大拿州米蘇拉之後發明的術語。在那次出行前，艾瑞克致電當地主辦單位，詢問近期可供高爾參考的當地時事，得到的答案是：「什麼事都沒有。」

主辦單位說：「我們只是一座小鎮。大家都在談論的只有一個十字路口，那個路口堵車堵得很嚴重，大家都很抓狂。我們叫它『障礙路口』。」

艾瑞克知道高爾一定會遲到，所以他在講稿中寫下：「抱歉，我遲到了。車隊剛才被堵在『障礙路口』。」聽眾愛極了這句話。它向聽眾傳達了一個訊息：「這位講者知道我們的一些事情。他有花時間瞭解我們的情況。」然後，他們或許會因此在潛意識裡這麼想：如果他對我們面臨的這個問題有所瞭解，也許在他談論我們的其他問題時，我們應該聽他的。

「他怎麼會連這都知道？」(Howdahell did he know that?) 後來有人問艾瑞克。於是艾瑞克留意到，每一場演說都應該有一個「怎麼會」(howdahell) 的時刻。的確如此，因為「怎麼會」可以用來實現「精神氣質」這個目標，賦予講者可靠且令人喜歡的特質。

所以我的職責就是研究高爾副總統下一站要去的地點，然後找出當地的「障礙路口」。那或許是上週五晚間和對手城鎮的美式足球賽比數，或是某間烤燕麥有名到非吃不可的咖啡店。換句話說，我負責的就是「怎麼會勤務」。

前述甘迺迪那篇談登月的演說中，就暗藏了一個精彩的「怎麼會」時刻——拿萊斯大學的美式足球隊開玩笑：

但有些人問，為什麼是月球？為什麼選擇登月作為我們的目標？他們很可能還會問，為什麼要爬

最高的山？三十五年前他們會問，為什麼要飛越大西洋？[*] 萊斯大學為什麼要和德州大學比賽？[†]

精神氣質也是自嘲式幽默的威力如此強大的原因。如果一名講者願意看清楚自己，我們就能相信他們也可以看清楚世界。

Pathos是情感，是聽眾的情緒狀態，而情緒是一種特效藥。只要稍微接觸過公關或廣告業，應該聽說過這類概念：人類不是有情感的思考機器，而是會思考的情感機器。這個經常被錯認是出自他人的見解，其實來自神經科學家達馬吉歐（Antonio Damasio），他研究情緒在認知與決策中發揮的作用，並以這個簡潔的說法描述他的研究成果。

當我們的分析腦和情緒腦出現衝突時，我們往往會選擇情緒腦，即使我們寧願且相信自己並非如此。

另一個常被錯認為出自他人的說法是「會受到統計數據影響，是一個人真正受過良好教育的特

* 譯註：美國飛行員查爾斯．林白（Charles Lindbergh）一九二七年駕駛單翼飛機自紐約飛至巴黎，成為全球首位獨自飛越大西洋的人。

† 趣味小百科：那場演說發表於一九六二年九月。前一年的十月，德州大學以未嘗一敗、全國排名第一的戰績前來出戰萊斯大學。當時的萊斯大學則是未嘗一勝，根本沒納入排名。但最後萊斯大學以十四比十四踢和德州大學，使他們喪失奪得全國冠軍的機會。

徵」。蕭伯納從沒說過這句話，它其實是英國哲學家羅素（某種程度上）說的。但依照這個衡量標準，我們多數人都未達到「受過良好教育」的門檻，因為我們並未如我們應當的那般被統計數據或邏輯論理所影響，卻過度受到情緒或情感的驅使。

有一些精彩的研究可以說明這個論點。二〇〇七年，卡內基美隆大學的研究人員在圖書館裡與學生搭話，請他們參與一項簡短的調查，並付給每人五張一美元鈔票，以補償所花的時間。但研究人員是以做調查為藉口，實則要進行一項實驗，因為發給學生的信封裡除了五美元外，還有來自救助兒童基金會的兩封信的其中一封。這兩封信中，第一個版本列出關於非洲糧食短缺的實際情況與統計數據，第二個版本則有一張小女孩若琪亞（Rokia）的照片，信中描述她是住在馬利的七歲女孩，「處於極度貧窮之中，面臨嚴重飢餓的威脅，甚至瀕臨餓死」。

參與調查的學生離開圖書館時，可以選擇向救助兒童基金會捐贈這五美元的一部分。結果收到統計數據信的人平均捐出一・一四美元；收到若琪亞那封信的人，捐款金額則多了不只一倍：二・三八美元。

耐人尋味的是，參與調查者若同時收到故事信和數據信，他們的捐款金額是一・四三美元。不知何故，數據降低了人們捐款的意願。研究人員於是換方式再做了一次實驗。這一次，所有參與調查者都收到關於若琪亞的信件和照片，但接受不同的調查。其中半數要回答一個分析式的問題，即一個數學題目。另外半數則被要求寫下聽到「嬰兒」一詞時有何感受。結果數學組捐出一・二六美元，嬰兒組則捐了二·三四美元。

這再次證明，我們不是有情感的思考機器，我們是（偶爾）會思考的情感機器。如果情感是特效藥，那麼傳遞情感最有效的機制就是說故事。我們的大腦天生就適合聽故事。縱觀人類歷史，每一種文化、每一個族群都是透過故事傳遞資訊與教訓。希思兄弟（Chip and Dan Heath）在《創意黏力學》（*Made to Stick*）一書中就說，故事的力量在於「它提供了類比（讓人知道如何採取行動）和啟發（給人採取行動的動機）」。而且我們在聽故事的時候，體內的催產素會升高，有助於建立信任與社會連結。正如蘇格蘭哲學家麥金泰爾（Alasdair MacIntyre）之言：「從人類的行動與實踐看來，其本質是說故事的動物。」

——

詹金斯就是一個說故事的人，他憑直覺就明白故事將我們與他人連結起來的力量。他知道自己想說的故事，不僅在他的電影裡，也在他的得獎感言裡。事實上，在領獎時的那團混亂中，他脫口而出，講出了那個故事的第一句話：「即使在我的夢裡，這也不可能是真的。」

詹金斯會這麼說，是因為他的人生歷程實在太不像是會拿下奧斯卡最佳影片的得主。詹金斯跟片中夏隆這個角色一樣，在邁阿密的自由城社區長大。拍攝《月光下的藍色男孩》時，他的人生旅程繞了一圈，又回到他成長時生活的公共住宅。拍片時他觀察到，在那些好則服務不足、壞則根本被主事者忽視的社區，其中一個問題就是在路燈燈泡燒壞以後沒有人來換，所以夜晚的照明並不充足。為了拍片，他們得製造出很多燈光。也因為有燈光，原本晚上不會出來玩的孩子，在電影拍攝期間都跑出來玩了。

很想把那個社區帶進這部電影裡的詹金斯，原本想在得獎致詞時開玩笑說，他拍片時獲得的服務比原本說好的還多，有孩子們跑來跑去、穿著「不符片中時代」的衣服、干擾及延誤拍攝，但基本上是一段很愉快的時光。

詹金斯特別記得一個場景。主角夏隆與朋友凱文親熱後，凱文送他回家。他剛才經歷了發現自我的重大時刻。詹金斯執導這一幕時，回頭看了看「影像村」（video village），也就是架設了很多螢幕、讓工作人員在拍攝過程中監看畫面的區域。他看到社區裡的幾個孩子坐在通常保留給導演和製片的椅子上，戴著他們的通話耳機。就在那一刻，詹金斯突然想到，這些孩子正在看著這部關於他們和他們的生活的電影進行拍攝，而且是由一個成長過程和他們一樣的人執導——那一刻，他們在他身上看到了夢想，那是詹金斯說「我從不允許自己擁有」的東西。當他被迫只能在極短時間內完成致詞時，詹金斯想從微小的時刻裡提煉出更大的意義，談談「看見自己的可能性」可以意味著什麼。

奧斯卡頒獎典禮結束一年後，詹金斯在西南偏南藝術節致詞時回憶起那個時刻：「我實在震驚到不知如何應對。如果那天晚上我哭了，不是因為我們拿下最佳影片。我哭泣是因為我意識到長久以來我都拒絕讓自己做這個夢。我甚至沒有體認到，我在朋友的協助下已有能力讓別人也做這個夢。」

因此，如果會計師沒有拿錯信封給華倫・比提，詹金斯會發表的感言如下：

泰芮爾（即共同編劇麥克瑞尼）和我都是夏隆。我們就是那個男孩。各位在看《月光下的藍色男孩》的時候，不會想到一個在那種地方那樣長大的男孩，成年後竟然能創作出一部贏得奧斯卡金像獎的藝術作品——各位肯定也不會想到他竟會獲頒最佳影片獎。我說過很多次，我不得不承認我給自己施加了很多限制。是我拒絕讓自己擁有那個夢想。不是你們，不是其他人——而是我自己。因此，我要對每一個正在觀看、在我們身上看到自己的人說，讓這一切成為一個象徵，一個引領你去愛自己的映像。因為這麼做很可能讓你跨越夢想的分水嶺，從只是單純做夢，變成能藉由影藝學院的善意，實現你從不允許自己擁有的夢想。

第十五章　最後的話語：

教宗庇護十一世、甘迺迪與小羅斯福總統及愛因斯坦的和平夢

我們經常從遺言中探尋更深的意涵，想找到留給時代的訊息。湯瑪斯．傑佛遜生前最後一句話，是在一八二六年七月四日凌晨向他的僕人說的，但沒有留下紀錄。他被記錄下來的最後一句話，是對醫生說「不，醫生，我不吃藥了」。但我們更在意的是傑佛遜在七月三日晚上醒來，堅決地問道：「今天是國慶日（四日）嗎？」傑佛遜的遺言若是詢問關於他五十年前參與發起的獨立運動，似乎就恰當多了。因為我們希望遺言蘊含久遠而深長的意義。

（如果你問傑佛遜他希望自己的遺言是什麼，他大概會拿出自己寫給華盛頓特區市長的信。他原本希望這封信能在國慶典禮上宣讀，但他最終因病無法參加。他字斟句酌親筆寫道：「願我所深信的字句（《獨立宣言》），成為對世界發出的信號——有些地方較快接收到，有些地方較慢接收到，但終將遍及全世界——喚醒人們掙脫原本因修士般的無知迷信而自我束縛的枷鎖，並獲得自治的福祉與安全保障。」）

當然，我們經常從詩意的角度看待遺言，是因為說話者鮮少知道什麼話將成為自己的遺言，特別是當死亡突然來臨的時候。但無論說話者是否自知死期將近，我們都會更看重他們的遺言，甚於一般談話。

或許是因為，他們在世時我們從未有機會聽到那些話，直到他們死去，我們才聽得更清楚。甘迺迪總統一九六三年十一月那趟致命的德州之行，*就是這種情況。

一九六三年的甘迺迪極受民眾愛戴。在他成功解決古巴飛彈危機後，那年年初他的施政滿意度高達七〇%。三月間，他對上共和黨總統參選人、參議員高華德（Barry Goldwater）的民調支持率是六十七%對二十七%。甘迺迪當時還成為一種文化現象，約有半數美國人見過或聽說過模仿甘迺迪的表演者。不過到了那年稍晚，甘迺迪因關注黑人民權運動，支持率備受打擊。他的施政滿意度整體下滑，在南方更是急劇下墜，讓德州成為在政治上舉足輕重的要地。《紐約時報》十一月初便寫道：「即使甘迺迪先生放棄南方大多數州分，他仍未放棄德州的二十五張選舉人票。」甘迺迪也努力扭轉輿論風向，他在十一月中旬的美國勞工聯合會和產業工會聯合會的大會上表示，對於美國來說，就業是比民權更重要的問題。一週後他前往德州，目的之一就是鞏固當地民眾對他的支持。看看演說撰稿人索倫森團隊收到的、為撰寫講稿準備的文件，會發現它們是當今所有政治講稿撰寫者都很熟悉的組成元素：民主黨全國委員會整理的最新政情備忘錄、《德州商業評論》中一篇關於德州經濟情勢的文章、執政團隊在德州「行政成就」的相關文件，包括公共工程支出、小型企業援助，以及租賃石油及天然氣開採用地的統計數據等。索倫森還在最後一刻加入甘迺迪要求的各種「德州式幽默」。

甘迺迪預定在達拉斯發表的這場演說，聽眾由各種不同族群組成，包括兩個當地企業和非營利組織領袖組成的團體——達拉斯市民委員會†和達拉斯議會——的成員，以及來自西南研究生研究中心‡的聽眾。這樣的聽眾組成對演說撰稿人可說是一大挑戰：要如何向在場所有聽眾發表演說，並且說出對每一群聽眾都有意義的內容？政治人物的演說向來至少有兩群聽眾，除了在座的聽眾以外，還有不在場的外部聽眾，後者以聚集在後方的記者和攝影機為代表。有時候，在座的聽眾其實只是講者向外部聽眾傳遞訊息的媒介。一九四七年六月，國務卿馬歇爾受邀赴哈佛大學發表演說並獲頒榮譽學位時，大家完全沒有預期他會長篇大論。但他發現，一千五百位未來領袖聚集在哈佛園（Harvard Yard）正是完美場合，很適合用來發表對歐洲戰後重建計畫的想法。

結果他闡述的想法引發廣大迴響，擴散範圍遠遠不只當時在現場的聽眾，從而開啟一項以馬歇爾為名的計畫，他也因此獲頒諾貝爾和平獎。那場演說其實不是給哈佛畢業生的訊息，馬歇爾並未提到

* 譯註：甘迺迪總統一九六三年十一月二十二日赴德州達拉斯訪問，原定當天要向達拉斯商界與學界發表演說（見附錄），但在中午乘敞篷車遊街向市民致意時遭槍擊身亡。

† 譯註：達拉斯市民委員會（Dallas Citizens Council）成立於一九三七年，成員多為當地企業領袖，主導達拉斯市二十世紀的發展。《紐約時報》一九六四年的一篇報導曾稱該委員會是「一群沒有經過選民授權的商人統治著達拉斯」。

‡ 譯註：西南研究生研究中心（Graduate Research Center for Southwest）是美國科技公司德州儀器（Texas Instruments）一九六一年創立的研究機構，一九六九年贈予德州後改制為德州大學達拉斯分校。

或祝賀他們，他們只是為他要發表的談話提供了方便的背景（或更精確地說是前景）。通常，即使講者的談話主要是對聽眾席以外的人發表，他們仍會針對現場聽眾說幾句話（雖然我和同事們常開玩笑說，這種演講都應該以「午安，各類器材」為開頭）。

在甘迺迪事前備妥的講稿中，他努力不懈地想找出能引起所有聽眾共鳴的一個主題，結果他在「領導力與學習之間的關聯」中找到了。甘迺迪以往發表的演說與他計劃在德州之行發表的講稿都有著精巧熟練的套路，包括列出施政成績和尋求支持，但面對這次的演說與聽眾，甘迺迪決定採取不同的做法。首先，他打算在這場演說裡幾乎只談國家安全。也因此，這篇講稿中最令人難忘且廣為人知的部分就是它的結論。甘迺迪計劃以這段話為演講作結：

我們身在這個國家、身處這個世代，就是要成為守護世界自由之牆的守望者——這是命定，別無選擇。因此我們期許：我們要配得上自己肩負的權力與責任，我們要以智慧和自制來運用實力，我們要在這個時代與千秋萬世實現「在地上，讓平安歸與祂所喜悅的人」這個古老願景。這必須是我們的一貫目標，我們的實力必須永遠以實現理想原則的浩然正氣為基礎。如同那段古老的話語：「若不是耶和華看守城池，看守的人就枉然警醒。」

講稿以《聖經》詩篇第一百二十七篇的話語作結，強調那些最成功的人類大業都符合上帝的旨意。

這樣的結語是出於詩意的選擇，同時也可能是出於政治考量的選擇。雖然甘迺迪對外淡化自己的天主教信仰，但提醒一下大多信奉基督新教的德州聽眾，讓他們記得他是恪守《聖經》的基督徒，也沒什麼壞處。

不過，索倫森和甘迺迪還想要應對一個內政上令人憂慮之處。索倫森形容，它是在美國和平繁榮的表象下熊熊燃燒的「憤怒之火」。

當時，右翼分子抹黑與妖魔化甘迺迪的聲浪日漸壯大，讓這些憤怒之火被攤在陽光下。領導這些行動的其中一人是艾德溫・沃克（Edwin Walker），他曾在二戰期間擔任軍方將領，一九六二年密西西比大學試著藉錄取梅瑞狄思（James Meredith）實現種族融合時，沃克是挑起該校暴動的幫凶之一。他還曾以邊緣人姿態參選德州州長，沃克以半個世紀後川普總統及其支持者攻擊政治對手的類似用語，宣稱華府和德州的民權示威運動是「支持甘迺迪、支持共產主義、支持社會主義」。在甘迺迪抵達達拉斯之前，沃克和他的追隨者就四處散發傳單，指控甘迺迪叛國、對共產主義「太過鬆懈」和「任命反基督徒擔任聯邦職位」。

甘迺迪試圖在演說中處理這種危險、憤怒、會引發暴力而且脫離事實的作為。他將這種態度與那些不斷抱怨的異議人士區分開來。那些「處處唱反調」的人始終「只提出反對但不提出替代方案，只挑剔但從不給予肯定，對各種事物都只看到陰暗面，而且只尋求影響力卻不承擔責任」。甘迺迪認為，這種聲音「是無可避免的」。

他承認唱反調的聲音無可避免，讓他更擔憂的是那些故意宣揚和散播謊言的人。他們的論調和川普總統低劣的「假新聞」指控如出一轍：

但當今這片土地上還出現其他聲音——那些聲音宣揚著徹底脫離現實、絲毫不適用於六〇年代的理論。這些理論顯然認為憑著唇槍舌劍就不需要武器，認為謾罵就形同勝利，而主張和平便形同示弱。在國債為政府經濟帶來的負擔持續減輕時，他們卻主張債務是對國安最大的威脅。在我們穩步降低為每千位公民服務的聯邦公務員人數時，他們憂心在自己眼中成群結黨的公務員，遠甚於憂心實際上已成群結隊的敵國軍隊。

甘迺迪擔心的是不實資訊和公民被誤導而造成的傷害，而美國二〇〇三年因謊言而入侵伊拉克，也體現了他當年的擔憂：

無知與錯誤資訊可能阻礙城市或企業的進步，若這些資訊在制定外交政策時占了上風，還可能不利於我們的國家安全。在這個複雜問題持續發生、充滿挫折與憤懣的世界裡，美國的領導層必須在學識與理性的引導下前進，否則那些分不清話術與事實、也分不清似是而非的論調與實際可行性的人，將用看似能解決世界上一切問題的簡單快速手段來贏得大眾的支持。

甘迺迪的期望是什麼呢?「我們不能指望每個人——套用十年前的說法——都『對美國人民說話言之成理』,但我們可以期望聽信這些荒謬言論的人減少。」少一點人去聽並被荒謬的言論說服。甘迺迪在他未能發表的最後演說稿中向我們發出警告,要我們警惕那些憤怒、與事實脫節的雄辯論述,這類言論正在從外部與內部傷害當今世界各地的民主政府。

索倫森後來寫道,甘迺迪對死亡有一種自嘲式的幽默感,經常拿自己終將一死來開玩笑。但在甘迺迪遇害後,索倫森反思:「如果命運以某種方式決定某個瘋子遲早會成功,那麼它發生在甘迺迪於古巴飛彈危機中拯救人類、為這個國家的平權奠定基礎、讓美國在太空領域居於領導地位、成立國際援助機構「和平工作團」(Peace Corps)、立下激勵全球民眾的領導力與口才的高標之後,已經是比較好的結果。」

——

雖然甘迺迪無從得知當時的他已接近生命的終點,但我在為本書做研究的過程中又看到三篇講稿,都是不同類型的領袖去世前正準備發表的演說。跨越語言、時間和國籍,他們被同一條線串連在一起——他們都關注人類和平共處的能力,並想找出實現和平共處的方法。

教宗庇護十一世一八五七年生於義大利北部,原名阿奇勒·拉蒂(Achille Ratti)。他在天主教會不斷晉升，先是擔任當時的教宗本篤十五世派往波蘭的特使，接著成為米蘭總主教。本篤十五世去世後，他成為繼任教宗的折衷人選，於一九二二年繼位教宗。

他的人生旅程很快就與國家法西斯黨領導人墨索里尼有了交集，後者大力反對宗教，特別是天主教會。二十世紀初，還是個年輕小夥子的墨索里尼就寫了一本小冊子《上帝不存在》（*God Does Not Exist*），裡頭宣稱：「與宗教荒謬性的鬥爭，在今天比以往任何時期都更加必要……仍然執迷不悟就形同懦夫。」然而，如同歷史學家柯澤（David Kertzer）在獲頒普立茲獎的歷史著作《教宗與墨索里尼》（*The Pope and Mussolini*）的評述，庇護十一世與墨索里尼令人難以置信的結盟關係，助長了墨索里尼的崛起。

對墨索里尼來說，接納天主教可以幫助他贏過義大利的社會主義者與共產主義者，也讓他取得義大利人民黨的支持，因為該黨廣受神職人員擁護。藉由這些支持的力量，他在一九二二年當上總理。對教宗來說，與墨索里尼合作有可能讓義大利政府和天主教會之間的戰爭劃下句點，甚至還可能終結政教分離，讓天主教會得以恢復在義大利人生活中的首要地位。

墨索里尼剛萌芽的威權主義，也蘊含一些頗能吸引當時教會的元素：極權主義領袖能強制執行天主教會對個人行為的看法。庇護十一世與墨索里尼的聯盟，透過一九二九年簽訂的《拉特蘭協議》（Lateran Accords）而更加鞏固。

然而，到了一九三〇年代中期，墨索里尼建立的個人崇拜、對衣索比亞的暴力入侵，以及他與德國的希特勒交好（希特勒長期打壓天主教會，並威脅要揭露教會醜聞），凡此種種都讓庇護十一世開始感到憂心。希特勒一九三八年五月來到義大利時，教宗關閉了梵蒂岡的博物館，故意讓希特勒無法參觀。那年夏天，墨索里尼效法希特勒，公布多項新的反猶太法律。

此時身體狀況已漸趨孱弱的教宗意識到，他與墨索里尼的協議是魔鬼的交易。在《拉特蘭協議》將滿十週年之際，他邀集所有的義大利主教到聖伯多祿大教堂，他要發表演說。

墨索里尼非常擔心教宗會聲討他並譴責他與希特勒的合作。他的憂慮是對的。幾個月前，庇護十一世瞞著身邊最親近的幕僚，聯絡上美國耶穌會士拉法基（John LaFarge）。拉法基寫過許多關注民權的著作，他協助庇護十一世草擬了一份反對反猶太主義、也更廣泛地反對種族主義的通諭。於此同時，教宗開始撰寫他想向主教發表的演講，並在其中加入要向墨索里尼傳達的訊息。

然而這是在跟時間賽跑。教宗的健康每下愈況，心臟開始衰竭。他要努力撐到與義大利政府達成協議十週年那天，才能發布通諭，並另行發表相關演說。此時，他身邊的幕僚察覺他想做的事，懇求他減緩演說內容的尖銳程度，或乾脆取消演說。教宗試圖用幽默和誤導把他們應付過去。他想讓幕僚們相信他要發表的演說沒那麼嚴肅，於是跟他們說：「我會讓他們大笑，就跟我們在公開和私人場合、口頭、書面和電話中的談話一樣。」但他不願透露演說內容。

儘管如此，教宗打算談論的話題還是傳了出去，激怒了墨索里尼。他痛批梵蒂岡，說他們總是「反對義大利，卻不反對其他政策類似甚至更極端的國家，包括種族方面的政策（例如匈牙利！）」教宗不為所動，開始為講稿做最後的潤飾。他的助理兼密友塔迪尼（Domenico Tardini）稱這份講稿是「極其重要的文章」。他準備了三百份講稿，要提供給二月十一日前來的主教們。

二月十日，演說發表日前一天，教宗心臟病發猝逝。

他嚥下最後一口氣時，辦公桌上還放著通諭草稿和他準備發表的手寫講稿。

墨索里尼傳話給梵蒂岡國務卿帕切利樞機主教，要求將三百份講稿全數銷毀。帕切利樞機是綏靖政策的擁護者，他下令照墨索里尼的話做，甚至通知印刷廠銷毀所有印刷模板。數週後，帕切利樞機就獲選為教宗，名號為庇護十二世。新任教宗迅速修補天主教會與墨索里尼之間的一切齟齬，軟化教會對德國的立場，並抹去一切關於前任教宗發出良知呼籲的記憶。針對種族主義的那份通諭，已散佚於歷史之中。

但在教宗去世後那幾週，傳言稱那篇講稿得以倖存，講稿中公開表達抗議的蛛絲馬跡持續滲入民間。的確有一份講稿被保存或搶救下來。在一九五九年庇護十一世逝世二十週年之際，教宗若望二十三世決定將那份未發表講稿的部分內容公開。然而，梵蒂岡拒絕公布講稿裡部分措詞比較強烈的段落，包括對法西斯主義最嚴厲的譴責。

二〇〇六年，教宗本篤十六世授權梵蒂岡機密檔案館，將庇護十一世擔任教宗期間的文件解密。二〇〇七年，庇護十一世未能發表的最後演說全文，在法托里尼（Emma Fattorini）的《庇護十一世、希特勒與墨索里尼：孤獨的教宗》（*Pio XI, Hitler e Mussolini: La solitudine di un papa*）一書中首度重現。

讀完全文就會發現，它並未如傳聞般「對法西斯主義帶來毀滅性打擊」。不過，已故教宗毫不留情地抨擊了這個法西斯國家的治理方式，指責他們扭曲話語的意義，極力醜化許多發言者：

親愛可敬的弟兄們，你們知道歷來教宗的話經常遭到怎樣的詮釋。有些人（不只是在義大利）會不實扭曲朕的言論與朕的聽眾，於是，即使朕的發言是從一段立論充分的聲明開始，也會變成愚蠢荒謬到令人難以置信的內容。有一家媒體會發表一切反對朕、令朕深感憂心的言論。

接著他開始談「觀察者與告密者（稱他們間諜也不為過），他們或出於主動、或是被指使來聆聽你的一切談話，目的是要譴責你。其實他們什麼都不懂，必要時則是一切皆瞭然於心」。

在講稿結語中，他嚴詞要求主教們於布道時散播真理、宣揚和平：

要預言義大利將堅持你們宣講的、用你們的鮮血封印的信仰；各位聖職者，要預言義大利將以徹底而堅定的毅力對抗無論遠近的打擊與威脅；聖職者啊，要預言和平、繁榮與榮耀，尤其是一個民族意識到自己的尊嚴與身為人類和基督徒責任的那份榮耀；預言吧，親愛的虔誠聖職者們，預言所有民族、所有國家、所有種族將開始或重拾真正的信仰，讓流著全人類大家庭同一血脈的人們團結在一起；預言吧，使徒們，為充斥著愚蠢的殺戮和自殺式武器的世界呼求安寧，呼求和平、和平、和平；為了達成和平，我們必須向天主懇求和平與實現和平的希望。就這麼做吧！

雖然教宗並未提到納粹主義或法西斯主義，但他攻擊的目標顯而易見。這份講稿搭配關於種族與種族主義的通諭，本來會是宣揚和平與世界一家的有力訊息。義大利史學家法托里尼在她撰寫的《希特勒、墨索里尼與梵蒂岡》(*Hitler, Mussolini, and the Vatican*)一書中指出，如果這些言論在「歐洲尚未陷入深淵，且仍有轉圜餘地」的一九三九年順利發表，天主教會和整個世界都會很不一樣。

如果天主教會當時「與納粹主義決裂，而不是緩慢痛苦地被窒息」，或許全世界就能因為教會發出的道德呼籲而早一點覺醒。

———

一九四一年十二月八日，小羅斯福總統在美國眾議院向參眾兩院聯席會議發表演說時，講稿上第一段話原本是這麼寫的：「昨天，一九四一年十二月七日，是一個將永遠載入世界歷史的日子。這一天，美國遭受日本帝國的海空軍同時且蓄意的攻擊。」

總統劃掉了「世界歷史」與「同時」，並加入其他字詞，讓這段話成為美國史上最出名的聲明之一：「昨天，一九四一年十二月七日，一個將永遠聲名狼藉的日子，美國遭受日本帝國海空軍突如其來的蓄意攻擊。」

在日本偷襲珍珠港的三年半後，健康逐漸惡化的小羅斯福準備著另一場演說。此時他的目光已超越二戰，關注著長遠的和平。

一九四五年四月，美軍抵達易北河，距離位在柏林的納粹總部僅六十英里。在太平洋這一端，美日軍隊爭奪沖繩的血腥戰鬥正如火如荼地進行。兩個月前，小羅斯福在雅爾達與英國首相邱吉爾、蘇聯總書記史達林會面，討論戰後歐洲的面貌。

小羅斯福打算發表廣播演說，在民主黨的三百五十場晚宴同步播放，幾個主要的廣播網也會播出。（民主黨的這項年度募款活動稱為「傑佛遜日晚宴」，紀念在一七九〇年代初創立民主共和黨的湯瑪斯·傑佛遜。）這項演說計畫還打算納入副總統杜魯門與海軍部長佛萊斯特（James Forrestal）的談話。美聯社發布關於此計畫的消息時說「行政首長因行程安排，無法參加在華府舉行的主要晚宴」。

其實，小羅斯福總統當時是在喬治亞州溫泉鎮（Warm Springs）療養，他三月三十日就已抵達當地。據稱他當時看起來「非常疲倦」，第二天參加教會的復活節禮拜時，也一反常態地沉默且反應冷淡。目前已知的小羅斯福最後一張照片裡頭的他臉色蒼白、泛著蠟黃，眼睛下方的黑眼圈又大又深。

不過，他的確還有一點精力準備廣播演說的講稿。他在三份不同的草稿之間挪移文句。其中一份出自民主黨全國委員會，另一份草稿出自小羅斯福的演說撰稿人之一、劇作家薛伍德（Robert E. Sherwood）之手。薛伍德曾創造「民主武器庫」一詞，後來將以小羅斯福的傳記獲得普立茲獎。*第

* 羅伯·薛伍德，《羅斯福與霍普金斯：一對至交的歷史》（紐約：Harper and Brothers 出版社，一九四八年）。

三份草稿則是由小羅斯福當時的新聞秘書丹尼爾斯（Jonathan Daniels）撰寫。

在政治演說的領域中，不同的草稿相互較勁並不罕見。有些民選官員喜歡看到來自不同作者的多份草稿，他們會在每一份草稿中挑選自己最喜歡的部分；大多數撰稿人也都體認到，握住寫講稿的筆就是握住權力，他們會絞盡腦汁，讓自己的草稿被選為最終定稿的基礎。丹尼爾斯將草稿交給總統時，就在另附的便條紙上試圖捅薛伍德的草稿一刀，同時貶低民主黨全國委員會的草稿，表示它會被所有政治演說撰稿人辨認出來。「正如我在電話中跟您說的，我對於呈上自己的草稿有些猶豫，但我覺得鮑勃（薛伍德）的草稿重點有些分散……我也附上民主黨全國委員會某人寫的草稿，僅作為本次演說的存檔。我確信這份講稿並不適合。」

諷刺的是，最終定稿是由民主黨全國委員會版與薛伍德版結合而成，幾乎沒有納入丹尼爾斯版的任何內容。

十二日下午稍早，小羅斯福正端坐拍攝肖像照時，頭突然向前垂下。他向他的表妹薩克利（Daisy Suckley）說：「我的後腦勺痛得不得了。」這就是他人生的最後一句話。

當日，全國各地的傑佛遜日晚宴全部取消。

美國沒能聽到杜魯門副總統稱小羅斯福為「當今世上最偉大的政治家之一」；民主黨人也沒能聽到他警告說「他（小羅斯福）的成就讓一些民主黨人認為，有這樣的領導人，黨組織就不重要了」。

杜魯門打算談論美國必須「贏得和平」的「重責大任」。和平也是小羅斯福念茲在茲的事，他原本計劃這麼說：

今天，我們在戰爭帶來的巨大痛苦中意識到，擁有強大力量就要擔負重大責任。* 如今我們再也無法躲避德國與日本四處侵略的後果，如同一個半世紀以前我們無法逃過巴巴里海盜† 到處攻擊造成的影響一樣。‡

我們身為美國人，不會選擇否認自己應該承擔的責任。我們也不打算放棄決心，我們堅決不讓子子孫孫遭遇第三次世界大戰。

我們尋求和平——持久的和平。我們不僅希望這場戰爭結束，更希望終結一切戰爭的開端——是的，要停止使用這種殘酷、不人道、不切實際的手段解決政府間的歧異。

---

* 人們大多以為這句話出自漫畫《蜘蛛人》裡的班叔。其實，從一七九三年的法國國民公會到邱吉爾從政早期（一九〇六年）的演說，這句話都曾以不同形式出現過。

† 譯註：巴巴里海盜（Barbary Corsairs）是來自鄂圖曼帝國轄下北非阿爾及爾、突尼斯、的黎波里等省分及摩洛哥地區的穆斯林海盜，十六至十八世紀之間主要肆虐歐洲各國沿海，掠奪船隻並劫掠沿海城鎮，估計曾俘虜約百萬名基督徒作為奴隸販賣。由於巴巴里海盜長期要求航行地中海的美國商船進貢，美國曾於十九世紀初與瑞典聯手向巴巴里海盜開戰。

‡ 在此處提及這段歷史有點怪異，因為即使是當時的美國人，也不知有多少人瞭解巴巴里海盜指的是什麼，以及那段歷史與當前對照的意義。

那麼，要如何做到呢？小羅斯福以科學家傑佛遜為榜樣。「一個文明若要存續，就必須發展人類關係學——也就是讓所有民族、各種族群在同一個世界裡和平共處並攜手合作的能力。」

和平，以及如何實現和平，也出現在愛因斯坦未能發表的最後演說中。一九五五年，愛因斯坦受邀在以色列獨立七週年時對以色列全國人民發表演說。表定的演講日是四月二十七號，聽眾將多達六千萬人。*

一九五五年這一年對愛因斯坦的意義重大，是他提出相對論五十週年。儘管各項慶祝計畫都在進行中，但愛因斯坦一概拒絕參加，因為他覺得，當時想為他慶祝的科學家當中，鮮少有人認真把他當一回事。

愛因斯坦在柏林的家中親手寫下四十六頁的《廣義相對論》，這份文件從根本上改變了人類對宇宙的理解。後來愛因斯坦將這份文件贈予耶路撒冷希伯來大學，這麼做很適當，因為愛因斯坦不僅和他的理論及該理論後來的支持者之間關係千絲萬縷，他與他信仰的猶太教、以色列國之間的關係，以及兩種關係如何交集與相互作用，也是同樣一言難盡。

愛因斯坦不相信上帝是與人類命運緊密連結的人格神。對他來說，信仰是體認到宇宙中存在的神秘和美麗，對這種神秘性的親身經驗就是宗教。「感知到任何能親身經驗的事物背後都有一些無法以理智去理解的東西，它的美麗與崇高只能間接傳達給我們：這就是宗教性。在這個意義上，而且只在這個意義上，我是虔誠的教徒。」

於此同時，他確實感受到自己與他信仰的猶太教有所連結，也與以色列有所連結。一九二一年，愛因斯坦與猶太復國主義領袖、後來成為以色列總統的魏茲曼（Chaim Weizmann）一同在全美四處訪問，為世界猶太復國主義組織募款。（魏茲曼和愛因斯坦一樣，是受過正統訓練的科學家，他的研究成果讓人們得以在一次大戰期間製造出威力愈發強大的炸藥，愛因斯坦的研究則在二次大戰發揮同樣的效果。）一九二三年，愛因斯坦第一次在希伯來大學發表學術演講。一九五二年魏茲曼去世後，愛因斯坦甚至獲邀擔任以色列總統，但他推辭了。他說：「我對自然還算有一點了解，但對人類幾乎一無所知。」

在正式拒絕出任以色列總統的書面聲明中，他說：「自從我充分意識到我們身處世界各國之中特別危險的處境以來，我與猶太人的關係已成為我最牢固的人際紐帶。」他也感受到自己與猶太教人本主義的連結。他在一九三八年寫道：「將猶太人自數千年前至今牢牢團結在一起的最重要的紐帶，就是社會正義的民主理想，以及全人類相互援助與包容的理想。」

艾薩克森（Walter Isaacson）撰寫的愛因斯坦傳記便指出，愛因斯坦認為以色列建國不僅是政治行

---

* 愛因斯坦得知可能的聽眾人數時，打趣說：「所以，我現在有機會揚名世界了。」

為，還是「誕生自二戰的重要道德成就之一」。

雖然愛因斯坦公開宣稱是猶太復國主義者，但他很清楚猶太人與阿拉伯人共存的挑戰。他之前便曾警告魏茲曼，猶太人若未找到與阿拉伯人和平共處之道，就表示「我們在兩千年的苦難中沒有學到任何教訓」。一九五五年二月，以色列駐美大使艾班（Abba Eban）在哥倫比亞廣播公司節目《面對國家》（*Face the Nation*）上主張，阿拉伯國家的重新武裝將危及以色列的存在：「約旦有英國的飛機與坦克；美國提供武器給伊拉克；蘇聯向埃及運送轟炸機、戰鬥機、坦克與潛艦；沒人提供武器給以色列……這是哪門子的政策？」

艾班這番話只遭到艾森豪政府輕微譴責，但引起愛因斯坦的注意。愛因斯坦寫信給以色列駐紐約總領事館，建議艾班與他會面商量他能怎麼幫忙。艾班和副大使達夫尼（Reuven Dafni）抵達愛因斯坦位於紐澤西州普林斯頓的住宅後，愛因斯坦開門見山地表示自願錄製演說，接著就拿出鋼筆和老式墨水瓶，開始草擬演說稿。

他的講稿首先向世界解釋以色列存在的原因。其中一份草稿是這麼寫的：「以色列當初建國，獲得了國際社會的批准和承認，主要是為了拯救受到迫害與鎮壓的猶太倖存者們，讓他們擺脫難以言說的恐懼。另一個目的是提供環境，讓希伯來社會的精神與文化生活能夠自由發展。因此，以色列的建國積極喚起這一代人的良知。」

這份草稿也呼籲關注以色列面臨的、來自鄰國的敵意，以及全世界對這種情況的漠不關心：*

於是呈現出一個令人痛苦的矛盾狀況：命定要守護一個烈士民族的國家，自身安全卻受到嚴重威脅。全世界有良知的人們不能對這種險境視若無睹。這個誕生自二戰的重要道德成就應該被珍視保護，免於遭受非自然的威脅。

阿拉伯國家充斥敵意所造成的壓力，與以色列出於防衛而產生的反向壓力，導致持續不斷的緊張局勢。全球輿論若不積極設法終結阿拉伯世界的敵意，是不恰當的，因為這種敵意是緊張局勢的根源。這場危機的肇因之一來自強權國家的政策，這些政策體現在片面的軍事條約與軍備協議中，基本前提是準備讓中東在東西方之間的全球角力中發揮作用。

然而，中東區域政策以這種目的為出發點既不正確，也缺乏見識。現代武器的毀滅力量會讓這種衝突嚴重到完全無法想像。以戰爭可能發生之名推行會導致區域失衡的全球安全政策是一種錯誤。戰爭的選項不可思議，應該被徹底排除在外。

愛因斯坦是否簽署同意這份講稿，不得而知。他肯定同意這些論點，但其中許多用語和艾班多年

* 我在本章將猶太電訊社發布的草稿稱為「艾班版講稿」——雖然其中肯定有愛因斯坦的意見、觀點和用語。至於愛因斯坦本人執筆的講稿譯文，我稱之為「愛因斯坦版講稿」。

來的說法如出一轍。經過一段時間的撰寫與討論，艾班意識到愛因斯坦需要更多時間整理思緒。他和達夫尼計劃改天再回來討論，達夫尼則著手準備愛因斯坦的全國演說。

不到一週後，艾班來到愛因斯坦家會面時，愛因斯坦已住進醫院。

愛因斯坦在醫院繼續寫他的講稿，跟他和艾班一起構思的講稿略有不同。愛因斯坦的新版講稿開頭不是為以色列解釋和辯護，而是講述他發表談話的原因。他以慣用的自嘲語氣稱自己的智力「低下」，並表明他的談話不會推動任何單一的政治目的。

> 我今天向各位發表談話，不是以美國公民的身分，也不是以猶太人的身分，而是身為一個致力以最嚴肅的態度客觀看待事物的人，來跟各位談談我的看法。我冒著誰都討好不了的風險，追求的只是以一己的棉薄之力伸張真理與正義。

接著，他試圖擴大討論範圍，從以色列人和阿拉伯人之間的衝突談到更廣泛的衝突，指出衝突如何具體而微地反映出讓世界動盪不安的重大議題，這些議題也是他想討論的重點。如果說艾班希望這場演說聚焦於以色列，愛因斯坦則希望焦點能稍微轉移，著重於「正確理解以色列」的必要性，並視之為處理更大衝突的典範：

要討論的重點是以色列與埃及之間的衝突。你或許認為這只是微不足道的小問題，也可能覺得還有更嚴重的事要擔心。但事實並非如此。關於真理和正義的問題，沒有大小之分，因為判定人們行為的普世原則也沒有大小之分。在小事情上對真理毫不在乎的人，在重要大事上也就令人難以信任。

不僅對於道德問題的原則不分大小，政治問題的原則亦然。因為必須理解小問題與大問題的相互依存關係，才能正確領會這些小問題。我們這個時代的一大問題，就是人類分裂成兩個相互敵對的陣營：共產主義世界與所謂的自由世界。在這個脈絡下，「自由」與「共產主義」這兩個詞語的意義對我來說並不明確，所以我比較想談論東方與西方的權力衝突，雖然說地球是圓的，因此「東方」和「西方」的精準意義也不明確。就本質而言，當今存在的衝突其實是古老的權力鬥爭，以半宗教的形式再次呈現在人類眼前。

艾班版的講稿僅略微提及原子彈（「現代武器的毀滅力量會讓這種衝突嚴重到完全無法想像」），愛因斯坦則想在原子彈的議題上加重筆墨。他談及若動用原子彈的衝突爆發，會對人類造成什麼影響，語氣既抒情（「鬼影幢幢」）又決絕（「人類將難逃滅亡的命運」）：

不同的是，這一次，原子能的發展讓這場權力鬥爭鬼影幢幢；因為雙方都知道，也都承認，如果爭端惡化導致戰爭爆發，人類將難逃滅亡的命運。儘管對此心知肚明，雙方位居要職的政治人物仍繼

> 續採用眾所周知的手段，集結軍事上的優勢力量來威嚇與打擊對手。儘管這樣的政策可能引發戰爭、導致滅亡，他們仍執意如此。沒有一個位居要職的政治家有膽識採行能帶來和平希望的唯一路線，也就是超國家安全（supranational security）的路線，因為對政治家來說，採行這種路線形同自毀政治生涯。
>
> 政治激情一旦被煽動成熊熊烈焰，就會壓迫受害者。

愛因斯坦寫到這裡就停筆了。他不肯出院，也不願接受能延續生命的手術，他說：「以人為手段延長壽命，索然無味。我已做完我該做的事，離開的時候到了。我會走得優雅。」一九五五年四月十八日，他死於主動脈破裂，享壽七十六歲。

愛因斯坦去世兩週後，以色列駐紐約總領事館公開了愛因斯坦的講稿。猶太電訊社記述了講稿的寫作過程，揭露許多內情。「愛因斯坦教授在病倒前兩週，與到訪他家的以色列大使艾班討論後寫下講稿。除了缺漏一頁之外，這份講稿由以色列領事達夫尼**擴充為文學形式**（字體強調為本書作者所加），達夫尼也參與了愛因斯坦博士和艾班先生的會議。由愛因斯坦博士編修過的部分講稿內容已由總領事館發布，內容如下……」

這個經過修飾而更加政治化的版本肯定是支持以色列的主張，但我比較喜歡愛因斯坦版講稿對人性的刻劃：「政治激情一旦被煽動成熊熊烈焰，就會壓迫受害者。」

四位二十世紀最著名的領導人在生命的最後時刻，都曾準備好以不同的形式呼籲和平。兩千五百年來有記載的演說就和文學一樣，實際上只有少數幾個主題一再重複：善與惡、戰爭與和平、愛與恨、勇氣與懦弱、成就與毀滅。社會不斷變遷，科技也不斷推陳出新，但這些人類的主題永不過時——朗聲講述這些主題的人，也永遠需要人們仔細聆聽，並團結一致表示支持或反對。演說仍然是人類教育、告知、激勵、煽動、驅使人們採取行動的最自然的方式。說到底，那些發表（與未能發表）的話語，才是歷史真正的初稿，記載著已採取或避免的行動、已走過或未走過的道路、被人民選擇或放棄的領導人。它們證明了往事只是序章，而對和平、理解與悲憫的追求，是每代人都要再三努力實現的理想。畢竟，正如霍布斯所寫的句子：「理解別無其他，不過是由談話引發的想法。」

致謝

我的朋友和同事聽我談論寫書的想法，已經聽了十幾年了。他們之中的許多人促使我終於寫完這本書。

裡頭最重要的人是Sarah Muller，她是成就一切的傑出研究員，以創意、活力和不屈不撓的精神應對永無止境又超出常理的提問。如果沒有她，本書絕無出版的機會。

Rafe Sagalyn和Jennifer Joel則是我的夢幻經紀人團隊。我至今不知道他們誰扮黑臉、誰扮白臉，但Rafe會先告訴我這個比喻失當。我會永遠感謝Rafe於寫作初期，在CF Folks餐廳與我共進午餐時給我的鼓勵和督促，也感謝Rafe和Jenn在整個過程中的支持。

我也相信，這本書提案時若非設計得極具吸引力，它的內容本身也不會那麼吸引人，這都要歸功於Brooks King。

寫作過程中，我有時會無法再多看一眼自己寫的東西。如果Sarah Murphy也有類似困擾，她絕對沒有顯露出來——她耐心閱讀一改再改的草稿，每讀一次改過的草稿或章節，都會給予評論，協助我把論點寫得更清晰、更精準。我感謝Sarah和Noah Eaker、Zachary Wagman與Flatiron Books出版社全體團隊的付出。

我曾告訴Simon & Schuster出版社的Jofie Ferrari-Adler，由於他最初對這個出書計畫充滿熱情，因此會成為我在本書謝詞裡第一個感謝的編輯，儘管本書並非由他編輯，也不是由他任職的出版社出版。我說到做到。

Jake Petzold幫我收集了一系列未發表講稿的初始檔案，我的朋友兼頂尖歷史學家Michael Hill則協助我精進本書的寫作方法。

Michael Greenbaum和他在Hired Hand公司優異、迅速、準確的轉錄員團隊，讓我能將混亂的採訪錄音寫成（希望沒那麼混亂的）文章。

曾經有人告訴我，一本書真正的成本不是表面上的價格，而是你請求別人花在你的文字上的時間。若真是如此，那麼我的摯友與同事Eric Schnure和Ken Baer確實付出了高昂的代價，我永遠感激他們願意閱讀各個章節，並接聽我隨時打去的電話。Angela Ferrante閱讀了最初幾版的書稿，也為有聲書提供了重要的指引。

我深深感謝West Wing Writers顧問公司的全體夥伴，當我最後終於得請假以完成這本書時，他們分擔了我的工作。Ben Yarrow、Jonas Kieffer、Vinca LaFleur、Jeff Shesol，以及要特別感謝的Paul Orzulak，我找不到比他們更好的朋友或合作夥伴了。我和Paul在各種型態的工作中共事了二十多年。為了慶祝我們的週年紀念日，我送給Paul一個觸媒轉化器，不只因為那是我們的白金週年紀念日，而這種汽車零件裡含有白金，也因為我們都處理過很多熱空氣（譯註：hot air又有大話、空話之意）。Paul對這個計畫的強烈興趣，以及他樂於閱讀草稿的心意，都超越了夥伴關係或友誼。

我很幸運，在我的工作中，客戶與朋友的界線一直都十分模糊，所以我不會一一列出他們的名字，以免暴露他們是客戶。我要感謝許多朋友，允許我協助他們說出他們的故事。你知道我在說你。

我還要感謝Tom Hill、David Ko、Jonathan Lerner和Alex Michael，他們為這個計畫持續加油打氣。

在寫作初期，我意識到每一章都可以單獨寫成一本書，而且每一章都需要深入研究。許多備受尊敬的作家、歷史學家和教育工作者都收到我突如其來的電話和電郵，對我包容有加。當然，若有任何事實與詮釋上的錯誤，都由我個人承擔。

關於「向華盛頓進軍」大遊行的章節，州議員（兼作家）Drew Hansen很久以前就跟我談過，他大概完全不記得了。前眾議員約翰・路易斯的新聞聯絡主任Brenda Jones提供我許多指引和看法，Courtland Cox則願意爬梳過去五十年的記憶，向我提供他的觀點。

關於瓦姆蘇塔・詹姆斯的演說稿，我非常感謝他的兒子穆納努姆・詹姆斯、耶魯大學印地安人論文計畫執行編輯Paul Grant-Costa與新英格蘭美洲印地安人聯盟共同領導人Mahtowin Munro花時間與我合作。關於艾瑪・高德曼和海倫・凱勒的章節，我很感謝美國盲人基金會的Helen Selsdon。關於理查・尼克森的章節，我大量借用了偶爾共進午餐的夥伴Lee Huebner的話語與智慧。

關於凱文・懷特市長的章節，波士頓市立檔案館的Marta Crilly給予我非常重要的引導。我也很幸運地找到並聯繫上故事裡的兩大亮點人物，Ira Jackson與Robert Schwartz。

關於英王愛德華八世的不退位演說稿，我非常感謝英國的研究人員Eleanor Doughty、Hywel Maslyn、Peter Day。他們有如我的遠端耳目與四肢，協助我探索各種檔案。牛津大學貝利爾學院圖書館的Amy Boylan提供了特別的幫助。我深深感謝我的朋友和鄰居（還是該採英式拼法neighbour）Charles Kenny，即使他不是真正的王子，但他的高貴品格也有如平民中的王子。

關於亞伯拉罕・畢姆和紐約市破產的章節，是本書的開端，它始於《紐約時報》記者Sam Roberts的一篇文章，他也告訴我要如何尋找原始講稿。Ira Millstein和Sally Sasso跟我說了些故事，並幫助我找到原始文本，Dick Ravitch則慷慨提供了他的回憶。我很幸運有機會在兩位關鍵人物Felix Rohatyn和Sid Frigand去世前採訪他們。福特圖書館的John O'Connell幫助我講述這個故事的結尾。康乃狄克州立圖書館的Jeannie Sherman幫助我找出州長艾拉・葛萊索當晚演講的有趣細節。

至於艾森豪為諾曼第登陸失敗預寫的道歉聲明，我要感謝作家Jerome O'Connor的指導和鼓勵，以及Joy Clarkson對道歉這件事提供了引人入勝的深入思考。

關於日皇裕仁未發表的二戰道歉演說稿，美國國會圖書館日文閱覽室主任伊藤英一幫助我找到了這篇演說的日文原文，同樣在美國國會圖書館工作的Cameron Penwell也是貴人，協助我尋找有關裕仁演說稿的補充資料。Louisa Rubinfien提供的協助遠遠超出預期，在日本帝國的歷史、語言與思想方面，她既是譯者，也是我的老師。她翻譯的裕仁未發表講稿則由Jordan Sand審閱。

關於古巴飛彈危機的章節，我深深感謝甘迺迪總統圖書館的Stacey Chandler與Hailey Philbin。Patrick Cirenza大方分享了他對講稿作者身分之謎的看法，Adam Frankel則分享了他與Ted Sorensen合作的經歷。我還要感謝當年留名青史的人物Kai Bird、Marty Sherwin、Graham Allison、Bob Dallek與我分享他們的想法。

Robert D. Sampson的文章和指導對於描寫約翰．奧爾高德的那章至關重要。

關於希拉蕊未發表的勝選講稿，感謝Dan Schwerin、Megan Rooney、Jim Kennedy、Joel Benenson、Jake Sullivan、Jen Palmieri、Alex Hornbrook花時間告訴我他們記得的事。Sara Al-Maashouq發揮了不可或缺的作用，幫助我研究敗選講稿的歷史。

關於康朵麗莎．萊斯原本要在九一一事件當天發表的講稿，Malisa Culpepper與Alison Wheelock協助我探索小布希總統圖書館的館藏，也讓我順利走完依據《資訊自由法》提出請求的程序。

關於巴瑞．詹金斯的未發表講稿，能從Jon Macks那裡得知歷史背後的故事，真是太棒了。還有其他一些人跟我討論了未能收錄在本書裡的講稿：Nina Totenberg、Linda Greenhouse（可以猜到我是為了尋找什麼講稿）、* Joe Fitzgerald、John McConnell、Matthew Scully、Brian Reich、Bill Quandt。這些談話本身就擴充了我的知識。Hannah Shipley協助我整理各種作品，惠我良多。

---

* 譯註：Linda Greenhouse是美國專業司法記者，並擔任耶魯法學院講師，曾為《紐約時報》報導美國最高法院新聞三十年。

至於我能自稱是演說撰稿人，要歸功於很多上司與恩師：Ron Klain聘我為高爾寫講稿，是我的第一份演說撰稿人工作；Tom Daschle讓我知道撰稿人與演講者可以成為真正的夥伴；James Carville則教導我，如果沒有棒球場、賽馬場或肯瓊餐廳，辦公桌就會是完美的寫作場所。

我感謝我的女兒Ada和Sophia，這本書獻給她們。還有Deb Swacker，多年來她興致盎然地目睹我凝視著一箱箱研究資料，並且一直聆聽我訴說關於寫這本書的一切。

最後，我要感謝我的父母。

一如我做的每件事，媽，謝謝妳告訴我這本書很完美。爸，謝謝你告訴我其實不然。我想你。

未能發表的演說稿選錄

瓦姆蘇塔・詹姆斯（Wamsutta James）的演說稿，原定一九七〇年九月在麻薩諸塞州普利茅斯市發表

我是以一個人——一個萬帕諾亞格人的身分向各位致詞。我是一個自豪的人，為我的血統、我在父母嚴格教導下獲得的成就而自豪（他們說：「你必須成功——你的容貌膚色在鱈魚角這個小地方和其他人不同！」）。我是貧窮和歧視這兩種社會與經濟弊端下的產物。我和我的手足窮盡心力克服困境，某種程度上在我們的族群中贏得了尊重。我們首先是印地安人，但我們又被稱為「好公民」。有時我們很傲慢，但只是因為社會迫使我們如此。

站在這裡分享我的想法，我的心情相當複雜。這是各位歡慶的時刻——慶祝白人來到美洲的週年紀念日。這是回顧與反思的時刻，而我懷著沉重心情，回顧族人所經歷的一切。

早在朝聖者登陸北美之前，先來到這裡的探險家就經常抓捕印地安人，把他們帶往歐洲，以每人

兩百二十先令的價格當作奴隸出售。朝聖者勘查鱈魚角海岸不到四天，就偷盜我祖輩的墳墓，並竊取他們種植的玉米和豆子。《莫爾特記述》（*Mourt's Relation*）一書就詳述了一群由十六名男子組成的搜索團。莫爾特說，這群人奪走印地安人的冬藏物資，能拿多少就帶走多少。

萬帕諾亞格的偉大酋長馬薩索伊特很清楚這些事情，但他與他的族人仍然歡迎普利茅斯殖民地的定居者，視他們為朋友。他這麼做，也許是因為他的部落曾因疫病肆虐而人口大減；或是他知道嚴冬即將到來，於是心平氣和接受那些行為。馬薩索伊特的作為也許是我們最大的錯誤。我們萬帕諾亞格人張開雙臂歡迎你們白人，卻不知道這是結束的開始；再過五十年，萬帕諾亞格人就不再享有自由。

這短短的五十年間，發生了什麼事？過去三百年又發生了什麼事？

歷史事實擺在眼前：對我們犯下的暴行、對我們許下卻沒遵守的諾言，大多圍繞著土地所有權而發生。我們族人都明白土地有其邊界，但過去我們從來不需要豎立柵欄和石牆。但白人要藉由擁有的土地數量來證明自己的價值。短短十年後，朝聖者到來，他們對待萬帕諾亞格人更缺乏善意，還試圖改變他們口中「蠻族」的靈魂。雖然清教徒對待自己的成員十分嚴苛，但印地安人也和清教徒眼中的「女巫」一樣，被壓在兩片石板之間迅速絞死。

因此，多年間有大量相關記載，顯示印地安人的土地不斷被掠奪，當局只是做做樣子設置保留地供他們居住。印地安人被剝奪權力後只能袖手旁觀，看著白人奪走自己的土地，用於牟取私利。這是印地安人無法理解的，因為對他們來說，土地是用於生存、耕種、狩獵、享受生活的，不應濫用。我們一再看到白人試圖馴服「蠻族」，要轉化他們的信仰，讓他們採行基督徒的生活方式。早期定居的朝聖者還誘導印地安人相信，如果不循規蹈矩，朝聖者就會翻掘土地，讓疫病捲土重來。

白人還利用印地安人的航海技術和能力。他們只讓印地安人當船員，但絕不允許他們當船長。在白人社會裡，我們印地安人一再被稱為「組織裡最底層的人」。

萬帕諾亞格人真的消失了嗎？其實仍然籠罩著一股神秘氛圍。我們知道一場疫病奪走許多印地安人的性命——有部分萬帕諾亞格人向西遷移，加入切羅基族和夏安族。他們是被迫遷徙，有些人甚至北上至加拿大！許多萬帕諾亞格人為了生存而放棄印地安傳統，接受了白人的生活方式。還有一些萬帕諾亞格人則出於社會或經濟因素，不希望別人知道他們是印地安人。

至於那些選擇留下與早期定居者一起生活的萬帕諾亞格人，後來怎麼了？他們以「文明人」身分過著什麼樣的生活？的確，過去的生活不像當今那麼複雜，但他們仍須應對各種困惑與改變。正直、信任、關懷、自豪和政治在他們（萬帕諾亞格人）的日常生活中穿梭進出，於是他們就被貼上奸詐、狡猾、貪婪、骯髒的標籤。

歷史要我們相信印地安人是野蠻、文盲、未開化的動物。由一個有組織、有紀律的民族書寫的歷史，要把我們寫成無組織、無紀律的存在。兩個截然不同的文化相遇，一個文化認為人必須控制生活；另一個文化認為生活是用來享受的，因為一切都由老天爺決定。我們要記住，無論過去或現在，印地安人都和白人一樣有人性。印地安人也會痛苦、受傷、對人心生防衛；印地安人也有夢想、會遭遇悲劇與失敗、會受孤獨之苦，並需要哭和笑。他們也同樣經常受到誤解。

白人面對印地安人時，仍然困惑於印地安人令他們感到不自在的神秘能力。這或許是白人塑造的印地安人形象所致，印地安人被塑造出的「野性」已開始反噬，他們不再神祕，而是令人心生恐懼，恐懼印地安人的性情！

我們偉大酋長馬薩索伊特的雕像聳立在山丘上，俯瞰著知名的普利茅斯岩。馬薩索伊特多年來一直沉默矗立在那裡。我們身為這位偉大酋長的後裔，也一直是沉默的民族。由於必須在這個物質至上的白人社會中謀生，我們只好保持沉默。今天，我和我的許多族人選擇面對事實。我們就是印地安人！

儘管我們的文化隨著時間流失殆盡，我們的語言也近乎滅絕，但我們萬帕諾亞格人仍然走在麻薩諸塞州的土地上。我們或許四散各處，也可能迷亂困惑。自我們成為同一個民族以來，許多年過去了。我們的土地被入侵。我們拚命要守住我們的土地，就像你們白人拚命奪走我們的土地一樣。我們被征服，很多人都淪為美國的戰俘，直到不久前都還在美國政府的監護之下。

但我們的精神拒絕消亡。昨天我們走過林間小路和沙地小徑，今天我們一定會走上柏油碎石鋪成的公路與道路。我們會攜手一心，昂首而立，不是站在我們的茅屋裡，而是站在你們的水泥棚中。我們曾經允許不公之事發生在我們身上，但再過不久我們就會討回公道。

我們失去了自己的國家，我們的土地落入侵略者之手，我們一直允許白人讓我們跪著。已經發生的事無法改變，但現在我們必須努力打造一個更人道的美國、更印地安的美國，這個國度會重新珍視人與自然，也看重印地安人強調榮譽、真理和人人皆手足的價值觀。

你們白人正在慶祝紀念日。我們萬帕諾亞格人會協助你們以「開始」的概念來慶祝。當年的這一天，是朝聖者嶄新生活的開始。三百五十年後的今天，是美洲原住民——即美洲印地安人——嶄新決心的開始。

關於這個廣袤國家的萬帕諾亞格人和其他印地安人，有一些重點。我們現在已經有三百五十年與白人共存的經驗。我們現在可以說他們的語言、可以用白人的思維思考、可以與他們競爭最高的職位。他們聽見了我們的聲音，現在正仔細聆聽我們的訴求。重要的是，除了這些日常生活之必要，我們仍然保有印地安人的精神、印地安人的獨特文化、印地安人的意志，最重要的是，我們仍然保有當一個印地安人的決心。我們心意已決，今晚我們出現在這裡就是活生生的見證，證明美洲印地安人，特別是萬帕諾亞格人，要開始拿回我們在這個國家理應擁有的地位。

波士頓市長凱文．懷特（Kevin White），原本要納入一九七四年十二月城市概況報告的種族融合校車制相關演說

……我們波士頓市的第四大挑戰是種族融合校車制，這也是最要緊的挑戰。

我們是一座陷入亂局的城市、一群分裂的人民，也是一個充滿困惑、憤怒和恐懼的社區。我們現在必須以維護學童安全和這座城市的理性為共同目標。

為此，我已經或即將採取以下~~八項~~四項措施：*

第一……我今天在此宣布，我們已聘請優秀的外部法律顧問來代表波士頓學校委員會。（菲利普・柯蘭教授）是舉國尊敬的憲法律師，他同意針對蓋勒提法官廢除種族隔離的判決向最高法院提出上訴，並聲請在最終判決出爐前暫緩執行判決。

第二……我已指示本市的法務顧問撥出資金，用於支持「家庭與學校協會」採取法律手段，讓法庭聽取他們的證詞。

該協會已聘請獨立法律顧問，現在也會獲得提出法律論據的必要財務支援。我已授權撥款十萬美元給他們，用於確保法院強制執行的補救措施僅限於故意違憲的地區。這樣的主張加上健康與安全方面的考量，應可提供頗具說服力的理由，將東波士頓、查爾斯頓和北區排除在第二階段之外。

第三……我已聘請外部的特別法律顧問在法庭上擔任市長和本市的法律代表，這是本市逐步擴大之法律行動的其中一環。我們的新律師經驗豐富、知識淵博。他將受託整合本市所有的法律行動，並在法庭上擔任我個人的代表。

第四……~~我會要求（我將要求）~~法官（應該）立即任命一位法庭庭長來觀察實情，並讓法庭得知，同時建~~立一個黑由公民委員會~~監督所有階段之規畫與執行的社區參與情形。

第五……我將呼籲法官〔應該〕任命一個具代表性的市民委員會提出補救措施，讓計畫得以奏效。該委員會應立即開始解決第一階段最嚴重且顯著的失敗之處，然後再討論第二階段應調整的地方，並提出修正建議。

我們距離對第二階段做出批評與判斷的最終日期只剩下一半的時間了，但法院仍未擬定任何社區參與的實際機制。州委員會犯了傲慢的錯誤，因為它（兩年前）沒有遵循自己的聽證官的建議，改變在南波士頓區的做法。如果法官現在沒有廣泛徵求市民參與，也將會是嚴重的錯誤，他的一切計畫〔他的一切舉措〕都可能因此功虧一簣。

第六……我已獲得杜凱吉斯州長的堅定承諾，州政府將承擔一切廢除種族隔離計畫實施程序的費用。

第七……我將要求〔已要求〕州長〔指示〕國民警衛隊立即展開特別訓練計畫，為了〔萬一必須〕動員時做好準備。

維護公共安全的重擔不會只落在波士頓警方身上。第一階段仍然存在嚴重的安全問題，而針對目前第二階段計劃擴大的區域範圍，我們將無法提供足夠的人力或覆蓋面積。

---

* 原始講稿中的「八」被改為「四」，顯示市長想將八個步驟精簡為四個。不過，這份講稿仍列出八個步驟。將講稿內容轉換為文稿時，我將一部分手動編輯時刪除的內容以刪除線表示，添加的內容則以〔括號〕呈現。

第八……我已要求蓋勒提法官下令永久關閉南波士頓中學。公共設施部門在我的指示下，已於市中心的各校找出一千多個學生名額，可以直接安排學生就學。

從過去四個月的痛苦經驗看來，暴力事件與實施過程的挫敗顯然不是由任何單一行為或團體造成，而是我們集體失敗的結果。我們作為一個群體，未能攜手共同處理及面對問題——未能制定我們必須遵守、反映我們的想望與需求的計畫。

以我來說，我在領導及履行我眼中的職責時做出了錯誤的判斷。

但對於我們所有熱愛這座城市的人來說（這座城市不僅是歷史傳統的代表，也是實現理想與幸福的泉源）……存在著某些根本的事實。這些事實是我們所有人在新的一年和新學期開始時，都必須面對的：

- 事實是，這座城市與其他城市並無二致。
- 偏見與排斥其他種族是錯的。
- 事實是，平等的學校教育和平等的生活機會都是不容剝奪的權利。
- 事實是，必須遵守法律，除非經由合法手段修法。

但還有其他事實……那些鮮少被承認……又經常被遺忘的事實：

- 人們有時不會說出口的事實是，州計畫的第一階段某部分存在嚴重缺陷，不可行且不公平。
- 事實是，由於學校面臨的緊張局勢，這座城市有部分孩童無法受教育。
- 事實是~~，第一階段之所以失敗，是因為民眾被排除在規劃過程之外、政治人物百般推託、法官心態僵化且對社區的憂慮麻木不仁。~~
- 事實是，許多〔某些〕族群領袖，包括白人與黑人，都更關心新聞怎麼報導而非百姓的痛心疾首……~~他們怪東怪西，就是不怪自己。~~

（停頓）

如果波士頓這段不幸的日子只讓我們記住一件事，那麼應該要是以下這點……這座城市裡的孩子們才是最重要的。為了他們，我請求大家的理解、大家的耐心、大家的幫助，以及，是的，請求大家為這新的一年祈禱。

謝謝。

甘迺迪總統宣布空襲古巴的演說稿，原定於一九六二年十月發表

親愛的美國同胞們：

為履行我就職時的誓言，我已懷著沉重心情，下令展開僅使用傳統武器的軍事行動，美國空軍也已開始執行這項行動，目的是消滅在古巴領土上的大規模核武集結。這項行動是依據《聯合國憲章》第五十一條，同時也是出於國家安全的需要。我已授權採取進一步的軍事行動，以確保徹底消除威脅，避免死灰復燃。

讓~~我先說明發生了什麼事。什麼情況讓我們非得攻擊不可。總的來說~~*關於古巴出現進攻設施的〔未證實〕傳言已流傳好幾週，但直到上週，我們才獲得肯定無誤的證據，確定了共產黨進攻部署的性質和規模。我們的證據已毫無疑問地證明，共產黨展開了一項迅速、秘密且多次否認的軍事部署，試圖在古巴這個共產主義島嶼上建立多座進攻性核彈基地。其中三處飛彈基地已安裝了發射器，每處基地四座發射器，每座發射器可存放兩枚中程彈道飛彈，總計二十四枚。這二十四枚飛彈中，每一枚都能攜帶重三千磅、約兩百萬噸當量的核彈頭，破壞力是摧毀廣島那枚核彈的一百倍，射程超過一千海里。還有另外十二座為長程彈道飛彈設計的發射臺正在建造，這些飛彈的射程超過中程飛彈的兩倍，

破壞力更高出好幾倍，因此能摧毀美國本土大部分地區、拉丁美洲大部分地區，以及加拿大的大部分地區。除此之外，在古巴還有大批能攜帶核武的中程噴射轟炸機正在拆箱，相應的空軍基地也正在建造。

這些明顯具進攻性且具瞬間摧毀能力的大型長程武器出現在古巴，已對西半球的和平與安全構成威脅——這是赤裸裸地刻意蔑視一九四七年的《美洲國家間互助條約》、蔑視我國與西半球的傳統、蔑視第八十七屆國會兩院聯席決議，也蔑視我在九月四日與十三日對共產黨的警告。這項行動也與蘇聯和古巴發言人公開與私下的反覆保證自相牴觸。他們曾保證古巴的軍備建設會維持初始的防禦性質，但他們正在進行的任務規模明確顯示，此事已計劃了幾個月。然而就在上個月，在我明確表示會將地對地飛彈視為進攻威脅後，蘇聯政府還說：「運往古巴的武器和軍事裝備是專為防禦用途而設計……蘇聯沒有必要將拒斥侵略、用於報復性打擊的武器（即戰略性或進攻性武器）移往其他任何國家，例如古巴……蘇聯擁有強大火箭可攜帶這些核彈頭，因此無需在蘇聯境外尋找部署這些核彈頭的地點。」就在上週四，當這些進攻性軍備正持續集結時，蘇聯外交部長葛羅米柯在我的辦公室告訴我，「關於蘇聯對古巴的援助，他接到的指示是要清楚表態（而蘇聯政府也已經做到）：這類援助的唯一目的是加強古巴的防禦能力……蘇聯專家為古巴國民提供的防禦性武器操作訓練，絕無進攻性質。若非如此，蘇聯政府就不會參與提供這類援助。」

* 為呈現原始草稿內容，我將原稿手寫編輯時刪除的內容以刪除線表示，添加的內容則以〔括號〕呈現。

美利堅合眾國不需要也無法容忍任何國家的蔑視、欺騙和進攻威脅，無論大國或小國。核武的破壞力如此強大，彈道飛彈的速度如此迅捷，如今動用核武的威脅突然升高，恐怕非常危險——尤其是發射按鈕還掌握在一個性格暴戾且反覆無常的革命領袖手裡。多年來，蘇聯和美國在世界各地部署這類武器時都極為謹慎，從未打破脆弱的現狀，而現狀是在沒有重大挑戰出現的情況下，這些武器的使用皆維持著平衡狀態。但當前出現的軍備部署並非如此。我國自己的武器系統，例如「北極星」和「義勇兵」，*向來強調的是無懈可擊，因為它們是要用於報復而非進攻，而且因為我們的歷史——與二戰以來的蘇聯不同——充分表明我們無意主宰或征服其他國家，也無意將我們的制度強加於它們。儘管如此，美國公民仍已習慣生活在蘇聯飛彈對準的靶心裡，這些飛彈位於蘇聯境內或潛艇中。

但是，在一個世人皆知與美國有特殊歷史淵源的地區，突然集結大批共產政權的飛彈，違反了〔與蘇聯之前的一切行事作風背道而馳，甚至也跟華沙公約組織成員的做法互相矛盾，在〔字跡難以辨識〕〕，違背了蘇聯的保證，也蔑視美國和西半球的政策，乃是挑釁且缺乏正當性地改變現狀。我國不能接受這種改變，否則未來我們的勇氣與承諾就難以取信於人。

如果一九三〇年代曾留給我們任何教訓，那就是來勢洶洶的強悍行為若任其發展而不被制止、不受挑戰，終將導致戰爭。我國反對戰爭，但言出必行。

我們上週發現這些鋌而走險的舉動之後，不得不徹底研究我們可採取的行動方案。全球各國可以確信，我們是在全面徹底調查所有其他手段後，才選擇了快速、可靠且動用最低限度火力武力的方式。

其他行動方案都有延誤和混淆誤導的風險，完全不可接受，而且無法實質消除他們這種針對美國的〔共產主義〕核侵略。〔原文如此〕部署的規模、速度及保密程度，圍繞它的赤裸裸的謊言，以及最近暴露的共謀性質，都明白顯示任何呼籲、警告或提議，都不會改變他們的計畫。若長久拖延下去，危險性將大增；若事到臨頭才發出警告，將導致各方的生命損失更加慘重。於是，我的職責就是要採取行動。

（此處是對該行動首波報告的描述。）

這其中的悲劇——不言可喻——是各方都將失去無辜的生命。在美國政府方面，我在此宣示為此一行動負責，並保證將根據要求採取一切適當措施，協助無辜受害者的家屬。至於古巴或俄羅斯的任何個人，都不能因為這樁迫使我們必須行動的驚人且不負責任的陰謀而被究責。此事不折不扣，就是共產黨的軍國主義在背後主使。

當然，我們會立刻向美洲國家組織與聯合國報告我們的行動。我們會尋求前者的支持與後者的理解。我們相信，將新的核武恐怖威脅逐出美洲，會讓全世界如釋重負；以及我們將提出的書面證據也會讓所有關心自由的人明白我們採取行動的必要性。

核子時代必然是極危險的時代。在它的各種面向中，危害最大的或許是那股冷酷且毫不掩飾地企

---

* 譯註：UGM-27北極星飛彈（UGM-27 Polaris）是可攜帶核彈頭的潛射彈道飛彈，服役於一九六一年至一九八〇年；LGM-30義勇兵飛彈（LGM-30 Minuteman）則是陸基洲際彈道飛彈，於一九六二年首度服役。兩者設計目的都是用於投送核彈頭。

圖統治世界的勢力可能超越我國的意志和決心。如果我們坐視當前的陰謀得逞，這樣的危險將加劇好幾倍。

事實上，我們仍一如既往，堅決矢志要盡一切努力降低這個世界面臨的危險，緩和緊張局勢。我們準備與蘇聯、與各國政府一起考量要如何防範這種突如其來且暗中進行的威脅，為了全世界。我們仍然恪守其他一切信念，我尤其應該公開強調，我們捍衛西柏林自由的決心比以往更堅定。我要提醒大家，沒有人曾經公然或秘密試圖將西柏林打造成為軍事基地，更別說構成核武威脅了。

那麼，未來會怎麼樣呢？

首先，我請求美國人民保持冷靜與自信，照常度日。不會爆發大規模戰爭的；負責保衛你們的部隊具備實力與決心，不會讓大規模戰爭發生。

其次，我們對古巴的軍事封鎖將持續，直到取得其他有效保證，能確保這種陰謀不再重演。這樣的封鎖手段既可由美國基於自衛的必要而取得授權，也可由美洲國家組織的協商機構依據《美洲國家間互助條約》第六條與第八條及今年的〈埃斯特角城決議〉而取得授權。所有開往古巴的船隻，無論來自哪一個國家或港口，都將被攔截搜查——那些載有武器類貨物或拒絕停船接受檢查的船隻，將依國際法的規定受到適當處置。必要時，封鎖行動可能擴大至其他類型的貨物與運輸工具。

第三，我已指示我軍繼續並加強對古巴的密切偵察，如同十月六日的美洲國家組織公報中考慮採行的措施；我也指示在必要時，針對古巴的進攻設施採取進一步的軍事行動；我亦指示將任何可能留在古巴並自古巴發射的飛彈視為蘇聯發動的攻擊，必須對蘇聯採取大規模的報復性回應。

第四，我已採取軍事上的預防措施，強化我們在關塔那摩的基地、撤離軍眷，並下令增加待命戒備的部隊。

第五，我要求蘇聯領導人赫魯雪夫儘快與我會面，以防止更多可能導致兩國關係緊張的陰謀出現。我們不想和蘇聯開戰——我們是和平的民族，希望與其他所有民族和平相處。我準備與蘇聯領導人討論雙方要如何消除現有的緊張局勢，而非製造新的緊張局勢。我們這樣的態度最近才展現在默許伊朗政府宣布禁止於其國土上建立外國飛彈基地；也展現在致力達成公平有效的條約，藉以終止核試驗與核擴散、終結軍備競賽與所有海外基地。但我們無法在被槍指著頭的情況下進行談判——這把槍讓美國人民和無辜的古巴人民都置身險境。我們的格言是：「接受談判，拒絕恫嚇。」

最後，我已指示美國新聞署利用一切可取得的資源，向不滿的古巴人民表明我們的立場。我們與古巴人民之間沒有爭端，只存在同情與希望。他們並未同意建立這種不可容忍的威脅力量。他們的性命和土地被那些剝奪他們自由的人當作棋子。我們無意與他們開戰，或將任何制度強加於他們。我們的目標反而是要將他們革命時的夢想還給他們——斐代爾．卡斯楚把他們出賣給共產黨時，拒絕履行這個夢想，而共產黨現在也可能反過來出賣他。我們對世界的目標是達成和平與自由——其中也包括古巴人民的和平與自由。

伊利諾州長奧爾高德卸任演說稿，原定於一八九七年十一月十一日發表

這個場合並未邀請我發表長篇大論的演說。這個世界的規矩是，完成戲分的演員只要下臺一鞠躬即可。人們會轉過身去迎接冉冉升起的太陽，而且也理應如此，因為過去或許能勸誡我們，但真正鼓舞人心的是未來。

然而，我們可能要停下腳步，好好留意這個場合的特質與它教給我們的課題。這個世界走了幾千年，才讓這樣的場景誕生。人類經歷了幾個世紀疲憊不堪的流血奮鬥，才進步到有政府這樣的體制產生，接著黑暗時代再度降臨，之後人類才開始能夠將政府控制權從一個政黨手中奪走，並且在不發生流血事件的情況下交給敵對政黨。今天我們在此見證的場景展現了共和制政府的勝利，告訴我們，人類的旅程從一個岬角走到另一個岬角，是向前邁進、向上提升的；我們逐漸淘汰了激情，轉而尊崇理性。我們可以恭喜自己，為美國達成如此偉大的進步且替各國樹立榜樣而自豪。

在政權和平轉移的時刻，敗選下臺的政黨出席並非必要，但為了讓共和政體更添風度，卸任政黨派代表參加就職典禮已屬慣例。今天我有幸代表的偉大政黨不僅協助舉辦典禮，還表達了對新政府的期望，期盼它引領這個偉大的州沿著榮耀的道路前進。雖然我們在政治上意見不同，但我們都是伊利

諾州人，這個州的雄偉壯麗超越所有個人或政黨的考量。她的過去令智者激奮，她的現在令智者敬畏，她的未來令智者眩目。

我向即將領導她的尊貴紳士致上最誠摯的問候與衷心祝福。深愛伊利諾州的我，會為他所有推動本州進步的舉措喝采。我已為伊利諾州付出四年最美好的時光，並竭盡所能為她奉獻一切。如有必要，我應該將畢生奉獻於她，為了她，這只是微不足道的犧牲；然而我已卸下為她服務的公職，從這個民選高位離任，不帶任何難堪或失望之情。我一直努力促進我國的最大利益，雖然在很多情況下犯了錯，但都是判斷上的錯誤，我問心無愧。我致力實行構成自由政府基礎的原則，而且所作所為都是基於以下的信念：只當一天州長但嚴守公平正義，好過當五十年州長卻對不公義視而不見。在我看來，最為後人蔑視的公職人員墓誌銘莫過於這樣的描述：他畢生為官，卻對人類毫無貢獻。我們相信州政府轄下各機構處於極佳狀態。我的有些朋友覺得我們一直在清理內部，一直在建立秩序。容我說明，如果我們採取的任何措施事後證明對國家有益，人民也絲毫不必感激我，因為一名公職人員在權力範圍內為國家提供最佳服務，不過是做好自己同意做的事，而且並未超出公眾有權期待的範圍。對於指控共和體制忘恩負義的說法，我並不贊成。我相信世事最終會讓每個人獲得應有的回報。事實上，許多人被共和體制賦予了遠超出他們應得的榮譽。我們已將州政事務移交給繼任者。

我要提醒我尊敬的繼任者，宇宙運行永無休止，向心力與離心力的法則一直在作用中，沒有事物凝滯靜止，也沒有事物完美無缺，發展與瓦解都在不斷持續，這個州的各個機構必須持續發展，不斷臻至愈來愈高的水準，否則必然倒退。我還要告訴他，命運已為他開啟一扇大門，通往令人無比豔羨的榮耀之路，這是罕有的幸運。伊利諾州已成為美國星圖上的指引之星。她的人民已經超越地球上其他所有人民，而且他們必將形塑共和國的命運。這裡各種類型與特色的機構都應成為全球典範，在草原與內海燃燒的智慧之火必將為所有人照亮天空。協助引導此地人民的思想、形塑他們的各種機構，沒有比這更偉大的成就了。

但我也要警告我尊敬的朋友兼繼任者，這項任務並不輕鬆，會面臨重重困難，需要智慧、勇氣與強大的決心和毅力才能應對。自私貪婪的勢力隨時準備將最高貴的愛國者撕成碎片。因此，有句話說得好：不朽的石碑比燧石更堅硬，只有堅持不懈的天才方能銘刻上自己的名字或事蹟。

對於我有幸加入的偉大政黨，容我向同志們說，雖然我們已卸下執政的責任，但朝另一個方向努力的責任卻隨之增加，因為在共和體制下，是少數黨要創造意見、制定原則，最後交由政府執行。少數黨不受行政部門繁文縟節的限制或阻礙，可以投入最多精力討論重大原則；多數黨則有義務調解各方利益衝突並做出妥協，也就因此受到拘束。一般來說多數黨會將精力花在執行國家已確定的政策，無法獨立處理不時滋生的新問題。是少數黨讓進步成為可能，這種情況不僅發生在美國，也發生在歐洲。在英格蘭，正是少數黨一再迫使政府採取新的重大改革。英格蘭有許多流芳後世的演說者為少數黨發聲；在我國，許多推動國家前進的重大論辯也是由少數黨成員發起。事實上，我國每一項重大改革都必須先和充滿敵意的多數黨對抗。在某種意義上，少數黨的使命比多數黨更崇高。的確，少數黨沒有可供交易的戰利品，也沒有可以分配的龐大資源，但發現事物永恆的本質、指出通往正義之路，就是它的崇高使命。

我們卸下職權時不帶遺憾。我們深知自己已為一項理想大業奮力付出，得以笑看命運的安排，帶著重新燃起的希望與更堅定的目標，繼續向前邁進。我們不必追問敗選的原因。我們知道，有些情況不是我們能掌控的。近三年前開始，這些情況使得時勢對我們不利；兩年前，這股洪流以不可抗拒之勢席捲全州，淹沒一切。在這次選戰中，同樣的洪流以同樣的氣勢奔騰不已，還有其他原本就難以抵抗的敵對勢力加入。我黨面對敵人來勢洶洶，不得不改革，除去了許多弱點。多年來，這些弱點抵銷了這個黨的力量，使它變得軟弱無力，未能捍衛明確或宏大的原則，也無法以強勢姿態奮戰。除去這些弱點之後，我黨展開了歷來規模最盛的選戰之一。

然而，這一切都已是過去式。美國人無權留戀已下臺的政權。政府是由不斷變動的條件組合而成。我們要關注的不是昨天，而是明天。我們所堅守的，必然是能讓自由政府長久存續的原則。讓我們再次奉行這些原則，重燃我們的熱情吧。有些人試圖利用傑佛遜與傑克遜*之名來掩飾最不民主的原則、甚至最具破壞力的手段，我們不要效法。只要新政府——無論是聯邦政府或州政府——都遵循偉大的

* 譯註：美國第七任總統安德魯．傑克遜（Andrew Jackson）是民主黨創建者，而民主黨是由第三任總統傑佛遜創立的民主共和黨改制而成。

人權信條、恪守構成共和體制基礎的偉大原則，我們便衷心讚揚並支持；但我們也要小心留意，每當我們認為這個偉大國家的福祉與繁榮面臨危機時，我們要敲響警鐘，並堅信正義終將獲勝。

希拉蕊的總統大選之夜演說，原準備在二〇一六年十一月八日發表

全美國的同胞們：今天，你們告訴了全世界：我們的價值觀依然存續，我們的民主屹立不搖，我們的座右銘依然是「e pluribus unum」——合眾為一。

我們之間的差異不會是我們的唯一定義。我們不會成為一個「我們對抗他們」的國家。美國夢大到足以容下每個人。經歷了漫長而艱苦的競選過程後，我們面臨著要在兩個截然不同的美國願景之間抉擇的挑戰：我們要如何共同成長、如何共同生活、如何面對一個充滿險境與希望的世界。

說到底，這場選舉是要我們決定：身為二十一世紀的美國人，究竟意味著什麼。

藉由追求團結、正直與林肯總統所說的「更善良的人性天使」，我們迎接了這項挑戰。

今天，大家肩上扛著孩子……身旁伴著鄰居……舊友新知團結一致站在一起……你們重振了我們的民主。你們賦予了我這份榮耀，因此永遠改變了它的面貌。

我遇到過一些婦女，她們生在女性尚無投票權的年代。為了今晚，她們已經等待了一百年。我遇過一些小男孩、小女孩，他們不明白為什麼過去從來沒有女性當過總統。現在他們知道了（全世界也都知道了），在美國，每個小男孩和小女孩長大成人後，都可能成為他們夢想成為的那個人——甚至可以成為美國總統。

這是全體美國人民的勝利——包括男人與女人、男孩與女孩——因為我們的國家再次證明：只要天花板不存在，天空才是極限。

我們必須奮力不懈，直到所有還存在的天花板都被粉碎，直到所有還存在的障礙都被擊破，直到每一個美國人都能發揮上帝賦予她或他的潛力。這是美國的承諾，也是我身為美國第四十五任總統對全民的承諾。

各位朋友，在這個極具歷史意義的夜晚與你們站在一起，我至感謙卑，也滿懷感激。

我要向比爾、雀兒喜、馬克、夏洛特、艾登與所有的家人說，我對你們的愛超越了言語所能表達的一切。

我要向提姆．凱恩和安妮．霍頓說……感謝你們在這段不可思議的旅程中成為我們的夥伴。我已經等不及要和你們並肩進入下一個篇章。

我要向歐巴馬和蜜雪兒說……你們已將希望化為實際的改變，並召喚我們晉升到更高的境界。你們拯救我們的經濟，保障我們的安全，也恢復了我們在全世界的領導地位。我們的國家要感謝你們之處太多太多，我個人也一樣。

我要跟伯尼．桑德斯和他數百萬名加入我們陣營的支持者說……我已迫不及待要把我們共同撰寫的政綱化為美國實際的進步。

我要向唐納德．川普說，他和我看待世界的方式不同，這早已不是秘密。在這場選舉中，我們也不吝於公開我們之間的歧異。但他堅持不懈地奮戰到最後，我們祝他和他的家人一切順利。

對於布魯克林總部和全國各地的工作人員，我的感謝無以言表，他們為這場選戰傾注了全部心血。感謝所有志工、社區領袖、政治活躍人士和工會組織者，你們挨家挨戶敲門、與鄰里居民談話、在臉書發文、吃了太多冷披薩又喝了太多熱啤酒……謝謝你們。

最重要的是，我要感謝在這次選舉中投票的美國人民。我們當中很多人對於選舉結果歡喜雀躍，但也有些人並非如此。在選舉中身處敗選的一方並不好過。相信我，我有親身經驗。

但無論你支持我們與否，你都已經藉由參與選舉展現了對我國民主的信心。我們辯論、爭吵，有時劍拔弩張，但我們終究都愛著我們的國家。現在，我們都有責任為了美國，為了彼此，站在共同基礎上朝著共同目標奮鬥。

我們的根基非常紮實。八年前，我們深陷大蕭條以來最嚴重的金融危機之中。如今，我們已連續七十三個月呈現就業成長。貧窮率在下滑，人民的收入終於提高。

如今我們面臨的是不同類型的挑戰——一個同樣嚴重且迫切的挑戰。

我們聽到各種政治信仰的美國人抱怨政治體制和經濟只為頂層階級服務，他們對此深感憤怒。金融危機已過去八年，但太多強勢的利益團體仍然為了保護自己的利益與特權，不惜犧牲其他所有人的利益。

我們也聽到國內許多民眾深感挫折，他們覺得自己被貶低而不受尊重，彷彿美國沒有他們的立足之地。一年半前一個陽光普照的日子，我在一座紀念小羅斯福總統的島上展開競選活動時，我就知道需要採取深具膽識且持續不懈的行動，才能因應我們當前的挑戰。

但直到我走遍國家的每一個角落，與辛勤工作的美國民眾談論令他們夜不成眠的問題，聆聽他們的心聲，我才充分感受到人們有多憂慮。

我也感受到他們不可思議的決心、韌性和希望有多強大。

我見過長年同時做兩份或三份工作的父母，依然無法負擔孩子的大學學費……我遇過背負貸款的學生，他們難以想像能擁有屬於自己的未來……我也遇過剛成家立業的年輕人，他們盡一切努力，想讓世界變得更美好。

我見過年輕的黑人男女，他們經常被迫認為自己的人生是可以隨便放棄的。我看到他們讓美國人明白系統性種族主義存在的現實，並將不公義化為社會運動。

我見過警察，他們冒著生命危險保護我們的安全；還有為了捍衛我們的自由而犧牲良多的退伍軍人。我們作為一個國家，並未對服役官兵始終維持信心，但他們的愛國赤忱依然熾熱，一如既往。

我也見到一些民眾，他們貼心照護孩子和老人，工作時間很長，卻未獲得應有的尊重與待遇。他們組織起來走上街頭，提醒我們所有人，在美國擁有全職工作的人都不應過著貧困的生活。

我和被裁員的西維吉尼亞州煤礦工人和俄亥俄州鋼鐵工人會面，他們經歷了變動的世界，不想被棄之不顧。我們的國家絕不能拋棄那些流血流汗讓我們的工廠持續運轉、讓我們的燈火世世代代閃耀的人們。他們已做好準備要成為嶄新未來的一分子，而沒有他們，我們也無法建立嶄新的未來。

我為那些在自己的國土上仍覺得自己像異鄉人的拉美裔家庭心碎。我永遠不會忘記在內華達州遇見的一個小女孩，她哭著告訴我，她有多害怕父母會從她身邊被帶走。

但是，當我見到為這個國家貢獻良多的追夢人（DREAMers）*時，看見這麼多移民努力要成為公民，為了取得投票權、形塑他們深愛國家的未來，我感到雀躍不已。

那些失去孩子後發起運動追求和平正義的母親們，則深深觸動了我的靈魂……

我的靈魂也被全國各地民眾的開放心胸與堅定信念觸動，就像南卡羅萊納州一位牧師將他的《聖經》翻到〈哥林多前書〉與我分享。

〈哥林多前書〉告訴我們，愛能克服一切。到最後，這是我在這次競選活動中學到最重要的課題之一。

只要挖掘得夠深，穿越政治的泥沼，終究會碰觸到一樣堅固而實在的事物，那就是讓我們美國人民團結一致的各種根本價值組成的根基。

今天，你們證明了它的存在。

在一個因為種族與宗教、因為階級與文化、因為經常癱瘓運作的兩黨之爭而分裂的國家裡，有一個廣納百川的美國人民聯盟擁有共同願景，要打造一個充滿希望、包容多元、心胸寬廣的美國。

我們要打造女性受尊重、移民受歡迎……退伍軍人感到光榮、父母養育子女獲得支持、勞工得到公平報酬的美國。

我們要打造人民相信科學……能看到殘障人士的可能性……無論身分、外表、來自何處、愛的是誰，都擁有結婚的權利，都不可受到歧視的美國。

我們要打造每個人都被重視、每個人都有一席之地的美國。不僅有一席之地，也有使命。因為在這個了不起的美國故事裡，我們每個人都要扮演一角。

是的，這其中當然也包括所有投票給其他候選人、或是根本沒有投票的人。

《聖經》告訴我們：「世間萬物均有時。」我們挺過了分裂的時期，現在則是團結的時候。正如〈以賽亞書〉所說，現在是我們每個人都要動手修復裂痕的時候。

---

* 譯註：美國前總統歐巴馬於任內推動《未成年外國人發展、救助和教育法案》（Development, Relief, and Education for Alien Minors Act，DREAM）未獲國會通過，於是在二〇一二年六月以總統命令推行「童年抵達者暫緩驅逐辦法」（Deferred Action for Childhood Arrivals，DACA），允許入境美國時未滿十六歲且符合其他條件的非法移民申請暫緩遣返許可及工作許可，這項政策的受益者被稱為「追夢人」（DREAMers）。這項行政命令遭繼任總統川普於二〇一七年九月廢除。

要達成這個目標，所有人都必須盡一己之力——敦親睦鄰，做好公民，舉國上下，團結一致。我仍然相信「需要舉全村之力」那句諺語。沒有人能憑一己之力養兒育女、建立事業、讓一個社區重歸於好，或是扛起一個國家。

我們拒絕認為美國身處零和遊戲中。有些人大步向前，不代表其他人就得落在後頭。促進經濟和社會正義要用加法，而不是減法。我們可以一起向上提升。

我認為這要從互相傾聽開始……而且要聽見對方在說什麼。一直以來，我們存在太多誤解和猜疑。我們都需要更加設身處地為對方著想——尤其在我們的觀點相去甚遠的時刻。無論我們之間的分歧有多深，共同點一定比我們以為的還要多。

難免會有失誤的時候——我就曾經犯下失誤——但我向大家保證：

我會努力不懈，做所有美國人民的總統。不只為在這次選舉中支持我的人服務，而是為全民服務。

我會成為尊重且擁戴軍人的最高統帥，支持我們的盟國和朋友。我會盡一切所能，維持國家的安全與強大國力。

我會竭盡全力，讓大家闔家享有更美好的生活。我也邀請國會和全國各地的領袖加入我的行列。如果他們願意，我將做好準備，在任何時間、任何地點與他們合作。

我知道會很難抗拒立刻重新開戰、試圖藉由互相詆毀來得分。但美國人民已經受夠了。他們正等著我們好好做事。

我們今晚啟動的政權轉移不能只是從一屆政府換成另一屆政府，華府其他的一切卻仍然維持原狀。我們還必須轉而實行一種新的倫理，結合愛國主義與務實進步主義，始終將國家利益放在首位。

各位朋友，因為你們，我在結束這次選戰時比以往更加深信我國最美好的日子還在前方。

四十七年前，當我還是抱持理想主義的大學生時，曾跟同學說，我們的目標應是讓看似不可能的事情成為可能。

現在我年紀長了。我已是母親，也是祖母。但我仍然全心全意相信，我們可以把不可能變成可能。看看我們今晚慶祝的這一切。

今年夏天，有位作家問我：如果我能回到過去，把這個里程碑告訴歷史上的任何一個人物，我會選擇誰？

我脫口而出的答案就是：我的母親，桃樂西。

大家可能聽我談過她艱苦的童年。她八歲時就被父母拋棄。他們把她送上開往加州的火車，她在加州受到祖父母的虐待，最後自己搬出去當女傭為生。然而她仍然找到方法，給我無限的愛與支持，那是她自己未曾得到的。她把我們信仰的基督教衛理公會的話語教導給我：「做所有你能做的善事，幫助所有你能幫助的人，用所有你能用的方法，能做多久就做多久。」

我每天都會想起母親。有時，我會想到那一列火車上的她。我希望能沿著車廂裡的走道，找到坐在小木椅上的她，那個獨自緊緊牽著妹妹，驚恐不已的她。她還渾然不知自己將承受多少苦難。她也不知道自己能否生出力量擺脫所有苦難——這一切都太遙遠了。當她向外凝視著火車經過的廣袤大地時，她人生的未來全屬未知。我夢想自己走到她身邊，坐在她身旁，將她擁入懷中說，看著我，聽我說。妳會活下來的。妳會擁有屬於自己的幸福家庭，以及三個孩子。雖然很難想像，但妳的女兒長大後會成為美國總統。

就如同我確知的每件事一樣，我確信美國是世界上最偉大的國家。接下來，從今晚開始，我們將向前邁進，攜手讓美國比以往更偉大——為了我們每一個人。

謝謝。天佑大家。天佑美國。

甘迺迪總統在達拉斯商貿市場的演說，原定於一九六三年十一月二十二日發表

很榮幸受邀在達拉斯市民委員會*年會發表演說，在座來賓還包括達拉斯議會的成員——我也很高興有這個機會，向西南研究生研究中心†致意。

達拉斯兩大進步象徵因為這次會議而齊聚一堂，非常合適。我聽說他們代表著這座城市最優秀的領導力與學習力，而領導和學習是相輔相成的。學習的進展取決於社區領導階層提供的財務和政治支持，

而學習的成果又決定了領導階層能否實現持續進步繁榮的希望。那些擁有最好的研究與研究生設施的社區——從麻省理工學院到加州理工學院——經常會吸引新興且持續成長的產業，這種情況並非巧合。我在此祝賀各位，你們在達拉斯創立了獨特且具前瞻性的研究生研究中心，便印證了這些基本事實。

領導與學習之間的連結不僅在社區層級無比重要，在全球事務中更是不可或缺。無知與錯誤資訊可能阻礙城市或企業的進步，若這些資訊在制定外交政策時占了上風，還可能不利於我們的國家安全。在這個複雜問題持續發生、充滿挫折與憤懣的世界裡，美國的領導層必須在學識與理性的引導下前進，否則那些分不清話術與事實、也分不清似是而非的論調與實際可行性的人，將用看似能解決世界上一切問題的簡單快速手段來贏得大眾的支持。

這片土地上永遠會出現唱反調的聲音，只提出反對但不提出替代方案，只挑剔但從不給予肯定，對各種事物都只看到陰暗面，而且只尋求影響力卻不承擔責任。這些聲音都是無可避免的。

但當今這片土地上還出現其他聲音——那些聲音宣揚著徹底脫離現實、絲毫不適用於六〇年代的理論。這些理論顯然認為憑著唇槍舌劍就不需要武器，認為謾罵就形同勝利，而主張和平便形同示弱。

* 譯註：達拉斯市民委員會（Dallas Citizens Council）成立於一九三七年，成員多為當地企業領袖，主導達拉斯市二十世紀的發展。《紐約時報》一九六四年的一篇報導曾稱該委員會是「一群沒有經過選民授權的商人統治著達拉斯」。

† 譯註：西南研究生研究中心（Graduate Research Center for Southwest）是美國科技公司德州儀器（Texas Instruments）一九六一年創立的研究機構，一九六九年贈予德州後改制為德州大學達拉斯分校。

在國債為政府經濟帶來的負擔持續減輕時，他們卻主張債務是對國安最大的威脅。在我們穩步降低為每千位公民服務的聯邦公務員人數時，他們憂心在自己眼中成群結黨的公務員，遠甚於憂心實際上已成群結隊的敵國軍隊。

我們不能指望每個人——套用十年前的說法——都「對美國人民說話言之成理」，但我們可以期望聽信這些荒謬言論的人減少。那些認為我國將因赤字而走向失敗，或認為國家實力全靠口號宣傳的想法，就是徹頭徹尾的謬論。

今天，我想和大家討論我國的實力與安全狀態，因為要探討這個問題，顯然需要最負責任的領導特質與最有見地的學術成果。因為我國並非輕易就達到現在的實力與安全狀態，也無法用簡單快速的方式解釋。國家實力有很多種，只憑單一實力並不足夠。強大的核武實力無法阻止游擊戰發生，正式的聯盟協議無法阻止國內的顛覆行動，展示物質上的財富也無法避免那些受歧視的外交官心生幻滅。最重要的是，只靠言語的力量是不夠的。美國是和平的國家。只要我們的實力與決心清晰明確，我們的言語只須傳達信念，不必充滿敵意。如果我們的實力夠強，實力會說明一切；如果我們的實力太弱，任何言語都無濟於事。

我發現，我們的國民常以為全球事務的轉捩點與在它之前發表的重大演說有關。但是，讓整個歐洲遠離我們這個半球的不是門羅主義，*而是強大的英國艦隊與浩瀚的大西洋。阻止共產主義進入西歐的不是馬歇爾將軍在哈佛的演說，而是我們的軍事與經濟援助帶來的實力和穩定局勢。

我的政府也一樣，必須不時發出明確警告——警告我們不能袖手旁觀，坐視共產政權以武力征服寮國、介入剛果、併吞西柏林，或在古巴建置進攻用的飛彈。但是，雖然我們的目標在這些及其他情況下至少已暫時實現，但我們能成功捍衛自由不是憑藉言語，而是憑藉實力，憑藉我們隨時準備好運用實力捍衛原則。

這樣的實力由許多不同因素組成，從最大規模的威懾力量到最微妙的影響力。我們需要所有類型的實力——沒有任何單一實力能達成全部要務。因此，讓我們回顧一下我國在每個主要領域的進展。

首先，國防部長麥納瑪拉上週一的演講已表明，藉由快速生產與部署最現代的飛彈系統，美國的戰略核武力量在過去一千天內已大幅擴增並現代化，所有潛在的侵略者現在已明顯不可能取得戰略勝利，而且必將徹底遭到毀滅——一旦他們輕率攻擊我國，我國也將不得不採取必要的戰略性反擊。

不到三年之間，我們已將下一個財政年度可投入服役的北極星飛彈潛艦數量增加五〇％，整個「北極星」採購計畫規模增加七〇％以上；我們的「義勇兵」採購計畫規模也增加七十五％以上，可在十五分鐘內升空的戰略轟炸機待命數量增加了五〇％；戰略戒備部隊中可用的核武總數更增加了一〇〇％。我們增進這些武器的反應速度與確定性、增進它們能隨時反應的待命狀態、增進它們抵禦攻

---

* 譯註：門羅主義（Monroe's Doctrine）是美國總統門羅一八二三年提出的理念，形塑之後數十年美國的外交政策。主要重點是美國不會干預歐洲國家的事務及其已存在的殖民地範圍，但也不再容許西半球出現更多殖民政權。歐洲強權國家若意圖在西半球擴大殖民範圍，美國都會視之為侵略。

擊的能力、增進它們透過安全指揮操作被細緻操控和引導的能力，這些措施都進一步提升了我國的安全。

但過去十年的教訓讓我們知道，只靠戰略核武無法捍衛自由。因此，我們在過去三年間已加速戰術核武的研發與部署，並將部署在西歐的戰術核武增加了六〇%。

歐洲或其他任何一洲都無法只仰賴核武，無論是戰略核武或戰術核武。我們徹底提升了傳統武力的戰備實力——戰備就緒的陸軍師增加了四十五%，現代化陸軍武器與裝備的採購量增加了一〇〇%，艦艇建造、改裝、現代化的計畫擴充了一〇〇%，戰術飛機的採購量增加了一〇〇%，戰術航空中隊數量增加了三〇%，海軍陸戰隊的實力也增加了。上月以德州這裡為起點的「大空運行動」*已經清楚展示，我國的戰備程度前所未見，能在極短時間內調動大量兵員至世界任何地方的前進陣地。我們的運輸機採購量增加了一七五%，現有的戰略空運量能成長了七十五%。最後，我們在傳統部隊之外的特種部隊規模也增加了近六〇〇%。這些部隊已做好準備與我國的盟友共同對抗游擊隊、密謀破壞分子、叛亂分子和暗殺者——他們都以間接但同樣危險的方式危害自由。

但美國的軍事力量不應也無需獨力對抗國際共產主義的野心。歸根結柢，我國的安全與國力直接取決於他國的安全與國力，這就是為什麼我們的軍事與經濟援助能發揮至為關鍵的作用，讓生活在共產世界周邊的國家能維持自主選擇權。我們援助這些國家可能很吃力、可能有風險、可能要付出高昂代價，就像現在我們在東南亞進行的援助一樣。但我們對這件事不敢有任何懈怠，因為我們的援助讓盟國軍隊能沿著共產世界的邊境駐紮三百萬至五百萬人，而且付出的成本只是維持同樣規模美軍的十分之一。一旦共產主義成功突破這些地區，迫使美國必須直接干預，我們要付出的代價將是目前對外援助計畫總額的好幾倍，而且可能造成美國士兵的嚴重死傷。

我們的軍事援助約有七〇%流向位在共產集團周邊的九個主要國家，也就是九個直接或間接面臨共產主義侵略威脅的國家——越南、自由中國（譯註：即指臺灣）、南韓、印度、巴基斯坦、泰國、希臘、土耳其和伊朗。這些國家當中，沒有一國有足夠資源能維持我國參謀首長聯席會議認為維護共同利益所需的兵力規模。對這些國家軍隊提供的訓練、裝備與協助若減少，只會助長共產政權的滲透，美國也終須增加海外作戰部隊的部署。若減少這些國家致力協助捍衛自由所需的經濟援助，也可能帶來同樣災難性的後果。簡言之，若未付出四十億美元的軍事與經濟援助，我們每年耗資五百億美元的國防經費很可能起不了作用。

我們對外援助計畫的規模並未擴大，反而比過去縮小了。它確實有弱點，但我們已著手解決。消除弱點的正途是以實力取代它，而非削減這些必要的計畫使弱點增加。對我國國家安全而言，無論在政府內外，沒有任何一種投資形式優於我們一再施行的對外援助計畫。失去這些計畫的代價，我們承

---

* 譯註：「大空運行動」（Operation Big Lift）為美國一九六三年十月進行的軍事演習，在三天內出動兩百架次運輸機，共載運一萬五千名兵員與五百公噸裝備飛越大西洋，抵達歐洲各地的部署地點，藉此展現美國迅速增援北約組織部隊的能力。這是美軍迄今以空運方式調動最多人員的行動。

擔不起，但我們承擔得起維持這些計畫的代價。例如，我們肯定有能力為拉丁美洲的十九個貧困鄰國提供援助，金額至少應與共產集團單獨提供給古巴島的援助相當。

我剛才說的國家實力，主要是指威懾的能力，以及抵抗侵略與攻擊的能力。但在當今的世界，自由可能在一槍未開的情況下消失，選票和子彈一樣可能讓自由不再。我們要成功領導世界，有賴於各國尊重我們在全球的使命，也有賴於我們擁有的飛彈——以及世人更清楚體認到自由之善與暴政之惡。因此，我們的新聞署將美國之音的短波廣播功率增加一倍，廣播時數增加三〇%，向古巴與拉丁美洲的西班牙語廣播自每天一小時增至每天九小時，為拉丁美洲讀者翻譯出版的美國書籍也增加七倍，達到三百萬至五百萬冊。我們還採取了其他許多措施，將真理與自由的訊息傳播到地球每一個遙遠的角落。

也因此，我們再度締造了探索外太空的新猷，一年間實現的任務比整個五〇年代還要多，包括發射一百三十多架運載工具，將重要的氣象與通訊衛星送入地球軌道並實際運作。我們藉此明白告訴全世界：美利堅合眾國無意在太空領域屈居第二。

這些任務的費用高昂，但是有所回報，為了自由，也為了美國。因為自由世界不必再擔心共產集團會因取得太空領域的領先地位而成為永久霸權，並以此奠定軍事優勢。美國的科學、美國的工業、美國的教育和美國的自由企業體制，實力和技術已不容置疑。簡言之，我國的太空發展代表著我國實力的巨大進步，也代表我國實力背後的龐大資源——德州和德州人也對我們的實力貢獻良多。

最後我要說的是，一國的內部實力強大，對外的實力才可能強大，這件事在今天應該再明白不過。美國唯有實現自己宣揚的平等權利與社會正義，才能受到人們的尊敬，而他們的選擇將影響我們的未來。美國唯有讓公民接受完整的教育，才能具備完整能力解決我們居住的世界的複雜問題，並察覺其中潛藏的危險。美國唯有在經濟上不斷成長繁榮，才能繼續在全世界捍衛自由，同時讓相關對象看見我國體制與社會提供的機會。

因此，近來我國的經濟與安全都得到強化，我們的國民收入與生產毛額成長創下歷史新高，原因包括企業擴張與利潤率領先大多數西歐國家、物價水準幾乎比所有海外競爭對手更穩定，以及依照我的提議，將個人與企業所得稅削減約一百一十億美元，從而締造我國歷史上和平時期最長也最強勁的經濟擴張。

我國的國民生產毛額——三年前才破五千億美元大關——很快就會超過六千億美元，創下三年內增加逾一千億美元的紀錄。史上第一次，我們有七千萬男女百姓參與勞動；史上第一次，我們的工廠平均每週盈餘超過一百美元；史上第一次，我們的企業稅後利潤達到全年兩百七十四億美元的水準，不到三年間增加了四十三%。

朋友們、同胞們：我引用這些事實與數據是要告訴大家，當今的美國比歷史上任何時期都要強大。我們的敵人並未放棄野心，我們面臨的危險並未減少，我們不能放鬆警戒。但現在我們擁有軍事、科學和經濟上的實力，能為維護和促進自由採取一切必要的行動。

這些實力永遠不會被用來滿足侵略他國的野心——它們將永遠用於追求和平。這些實力永遠不會被用來挑釁他國——它們將永遠用於促進爭端的和平解決。

我們身在這個國家、身處這個世代，就是要成為守護世界自由之牆的守望者——這是命定，別無選擇。因此我們期許：我們要配得上自己肩負的權力與責任，我們要以智慧和自制來運用實力，我們要在這個時代與千秋萬世實現「在地上，讓平安歸與祂所喜悅的人」這個古老願景。這必須是我們的一貫目標，我們的實力必須永遠以實現理想原則的浩然正氣為基礎。如同那段古老的話語：「若不是耶和華看守城池，看守的人就枉然警醒。」

參考資料與註釋

本書的參考資料與註釋皆已全部數位化，
歡迎讀者掃描下方QR Code瀏覽參考：

Beyond

61

世界的啟迪

歷史的草稿：那些差點成真的劃時代演說

Undelivered: The Never-Heard Speeches That Would Have Rewritten History

作者	傑夫・納思邦（Jeff Nussbaum）
譯者	李寧怡
副總編輯	洪仕翰
責任編輯	王晨宇
行銷總監	陳雅雯
行銷	趙鴻祐、張偉豪、張詠晶
封面設計	莊謹銘
排版	宸遠彩藝
出版	衛城出版／遠足文化事業股份有限公司
發行	遠足文化事業股份有限公司（讀書共和國出版集團）
地址	23141 新北市新店區民權路 108-3 號 8 樓
電話	02-22181417
傳真	02-22180727
客服專線	0800221029
法律顧問	華洋法律事務所 蘇文生律師
印刷	呈靖彩藝有限公司
初版	2024 年 03 月
定價	550 元
ISBN	9786267376300（紙本） 9786267376294（EPUB） 9786267376287（PDF）

歡迎團體訂購，另有優惠，請洽 02-22181417，分機 1124

ACRO
POLIS
衛城
出版

Email acropolismde@gmail.com
Facebook www.facebook.com/acrolispublish

國家圖書館出版品預行編目(CIP)資料

歷史的草稿：那些差點成真的劃時代演說/傑夫.納思邦(Jeff Nussbaum)作；李寧怡譯. -- 初版. -- 新北市：衛城出版，遠足文化事業股份有限公司：遠足文化事業股份有限公司發行，2024.03
面；公分. -- (Beyond；61)
譯自：Undelivered : the never-heard speeches that would have rewritten history
ISBN 978-626-7376-30-0（平裝）

1. 演說 2. 歷史

079.52 113001044